基礎からの土質力学

常田 賢一　　澁谷　啓
片岡 沙都紀　河井 克之
鳥居 宣之　　新納　格
　　　　　　秦　吉弥

理工図書

まえがき

　土質力学に関する教科書は既に多数出版されているが，本書は以下の点に配慮して，利用の便を図るようにしている．

1) 対象とする読者は高等専門学校および大学の学部の学生であり，就職試験，技術士補試験あるいは土木学会の2級土木技術者試験などに必要な基礎的専門知識の習得を目標としている．なお，必然的に，社会に出ている技術者が上記試験の受験あるいは業務において，土質力学の基礎的専門知識を再復習する場合にも活用できる．

2) 本書は通年の講義内容に必要な14章で構成してあり，2章から7章までは土の基本特性，9章から13章までは土工・基礎構造物の設計に関係する内容である．その他の3章はこれらの章を体系化する章とし，1章は全章の導入編，8章は9章以降の導入編，14章は実務において土質力学に関係する技術基準類を概観するとともに，前章までにおいて喚起された代表的な地盤災害である，粘性土地盤の圧密沈下，斜面のすべり破壊および砂質地盤の液状化の対策編として位置づけてある．

3) 特に，1章は導入編として，土の生成および2章以降の土の基本特性を概

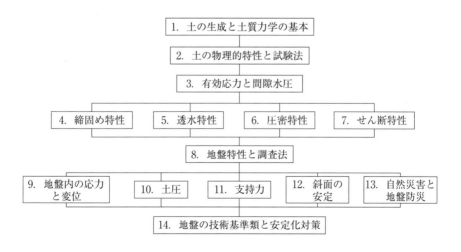

i

観するとともに，章間の共通性あるいは差異を横断的に対比している．そのため，各章を学ぶ際に，1章を参照すると理解が深められる．
4) 本書は講義のための教科書であり，演習問題は他書に譲ることにしているが，「土質力学の理解を深める320問」（理工図書）は本書の構成，内容と対応しているので，活用するとよい．
5) 本書の記述では，詳細な式の誘導過程は省き，図表を活用し分かり易く表記するとともに，現象や定義などの根拠や意味を説明するようにしている．
6) 本書で使用されている諸用語を定義するギリシャ文字について，本来，同一文字に複数の定義が付されるのは好ましくないが，厳密な区分により文字の数が無用に増える懸念があること，既に汎用的に使われていて新たな定義が適当でない場合もあることから，敢えて一文字一定義には拘らないことにしている．そのため，同一文字でも異なる定義で使用されている場合があるが，付録に本書で使用されているギリシャ文字の一覧を付してあるので，該当箇所毎に使い分けて頂きたい．
7) 数は多くはないが，読み方で間違いやすいあるいは注意が必要な用語はルビを付している．
8) 索引は厳選して最小限としたが，工学英語教育の一助となるように，（社）地盤工学会の地盤工学用語辞典を基にした英語表記を併記し，用語の主要な掲載ページを記している．

　以上の方針に基づいて執筆，編集しているが，土質力学の基礎的専門知識を学び，理解する手引き書として，本書を活用して頂けることを願っている．
　なお，本書の執筆分担の章は，下記の通りである．

　　　澁谷　啓　4, 7章　　　　　新納　格　2, 8, 11, 14章
　　　河井克之　3, 5章　　　　　鳥居宣之　9, 12章
　　　秦　吉弥　13章　　　　　　片岡沙都紀　4, 7章
　　　常田賢一　1, 6, 10, 11, 13, 14章

2017年2月　　　　　　　　　　　　　　　　　　　　　　　　　著者一同

目　次

まえがき

第 1 章　土の生成と土質力学の基本 ·· 1
1.1　土および地盤の生成 ··· 2
　1.1.1　地質年代的な地盤の生成 ·· 2
　1.1.2　岩石からの土の生成 ··· 3
　1.1.3　地盤の構造とモデル化 ·· 6
　1.1.4　土の構造と物理的特性，力学的特性 ···························· 8
　1.1.5　土の変形特性の取り扱い ······································ 12
1.2　土，地盤と構造物の関係 ··· 13
1.3　重量と質量，重力単位と SI 単位 ·································· 14

第 2 章　土の物理的特性と試験法 ··· 17
2.1　土の構成と状態を表す物理量 ······································ 18
　2.1.1　直接測定できる物理量 ·· 18
　2.1.2　計算で求められる物理量 ······································ 20
2.2　土の粒度 ·· 21
　2.2.1　粒度試験 ·· 21
　2.2.2　粒度の利用 ·· 24
2.3　土のコンステンシー ··· 26
　2.3.1　土のコンステンシー試験 ······································ 27
　2.3.2　コンステンシー限界の利用 ···································· 28
2.4　地盤材料の工学的分類 ··· 29

目　次

  2.4.1　土質材料の大分類………………………………………………29
  2.4.2　粗粒度の中小分類と細区分………………………………………29
  2.4.3　細粒度の中小分類と細区分………………………………………32
  2.4.4　高有機質土と人工材料の中小分類………………………………33
  2.4.5　その他………………………………………………………………34

第3章　有効応力と間隙水圧……………………………………………35
3.1　土中の滞水状態……………………………………………………………35
3.2　地下水位と浸潤面…………………………………………………………36
3.3　応力とその基本……………………………………………………………37
  3.3.1　応力の定義…………………………………………………………38
  3.3.2　有効応力の原理……………………………………………………38
3.4　多様な条件による鉛直応力………………………………………………40
  3.4.1　地下水位がない地盤………………………………………………41
  3.4.2　複数の土層から成る地盤…………………………………………42
  3.4.3　地下水位がある地盤………………………………………………43
  3.4.4　水底の地盤…………………………………………………………44
  3.4.5　地下水位が変化する地盤…………………………………………45
  3.4.6　地表面に載荷がある地盤…………………………………………46
3.5　地下水位・浸潤面の影響…………………………………………………47

第4章　締固め特性…………………………………………………………48
4.1　土の締固めの力学的メカニズム…………………………………………48
4.2　土の締固め曲線……………………………………………………………50
4.3　室内締固め試験……………………………………………………………52
4.4　土の締固め特性に及ぼす粒度の影響……………………………………55
4.5　盛土の締固め………………………………………………………………56

目 次

第5章 透水特性 … 59
- 5.1 土中の流れとダルシー法則 … 59
- 5.2 室内透水試験 … 61
  - 5.2.1 定水位透水試験 … 61
  - 5.2.2 変水位透水試験 … 62
- 5.3 透水係数の特性 … 63
- 5.4 水頭と水圧 … 64
- 5.5 流れの基礎方程式と二次元流 … 67
- 5.6 フローネットによる透水量・水圧 … 69
- 5.7 成層地盤の透水係数 … 73
  - 5.7.1 成層地盤の平行方向の透水係数 … 73
  - 5.7.2 成層地盤の直交方向の透水係数 … 74
- 5.8 デュプイの仮定による準一様流 … 76
- 5.9 揚水と現場透水試験 … 77
  - 5.9.1 重力井戸 … 78
  - 5.9.2 掘抜き井戸 … 78
- 5.10 浸透圧と浸透破壊 … 79

第6章 圧密特性 … 83
- 6.1 圧密の機構 … 83
- 6.2 圧密による応力,変形の変化 … 84
  - 6.2.1 全応力,間隙水圧,有効応力,鉛直ひずみの変化 … 84
  - 6.2.2 体積圧縮係数 … 85
- 6.3 圧密の進行過程 … 86
  - 6.3.1 $e \sim \log p$ 曲線 … 86
  - 6.3.2 正規圧密と過圧密 … 88
- 6.4 圧密の理論 … 90
  - 6.4.1 圧密理論 … 90

  6.4.2　圧密方程式の解 ……………………………………………93
6.5　圧密の予測 ……………………………………………………………94
  6.5.1　圧密度の定義 ………………………………………………94
  6.5.2　排水条件，初期間隙水圧の特性による圧密度 ……………96
  6.5.3　排水条件，間隙水圧の分布特性による $U(T_v)\sim T_v$ 関係 ……99
  6.5.4　圧密沈下量 …………………………………………………101
6.6　圧密試験 ………………………………………………………………103
  6.6.1　圧密試験の方法 ……………………………………………103
  6.6.2　圧縮曲線と圧密降伏応力 …………………………………103
  6.6.3　$\sqrt{t}$ 法と $\log t$ 法 ……………………………………………105

第7章　せん断特性 …………………………………………………………108

7.1　モールの応力円 ………………………………………………………109
7.2　せん断変形とダイレンタンシー ……………………………………114
7.3　モール・クーロンの破壊規準 ………………………………………118
7.4　間隙圧係数 ……………………………………………………………122
7.5　せん断試験 ……………………………………………………………124
  7.5.1　目的と種類 …………………………………………………124
  7.5.2　排水条件の影響 ……………………………………………127
7.6　土のせん断挙動の実際 ………………………………………………134
7.7　応力経路 ………………………………………………………………139
7.8　地盤の安定問題 ………………………………………………………140

第8章　地盤特性と調査法 …………………………………………………144

8.1　ボーリング調査 ………………………………………………………144
  8.1.1　標準貫入試験 ………………………………………………144
  8.1.2　孔内水平載荷試験 …………………………………………146
  8.1.3　ボーリング柱状図 …………………………………………146

目 次

8.2 サウンディング……………………………………………147
   8.2.1 スウェーデン式サウンディング試験……………148
   8.2.2 その他……………………………………………151
8.3 平板載荷試験……………………………………………152
8.4 調査深度…………………………………………………153
   8.4.1 考え方……………………………………………153
   8.4.2 主な構造物の調査深度…………………………153
8.5 地盤定数の評価方法……………………………………154

第9章 地盤内の応力と変位……………………………………159

9.1 弾性地盤の応力と変位…………………………………160
   9.1.1 地盤内ひずみの基本式…………………………161
   9.1.2 重ね合せの原理…………………………………162
9.2 単一集中荷重による地盤内鉛直応力増分と影響値……163
9.3 線状荷重による地盤内鉛直応力増分……………………165
9.4 帯状荷重による地盤内鉛直応力増分……………………167
9.5 台形帯状分布荷重による地盤内鉛直応力増分…………168
9.6 円形分布荷重による地盤内鉛直応力増分………………170
9.7 長方形分布荷重による地盤内鉛直応力増分……………172
9.8 任意形状の分布荷重による地盤内鉛直応力増分：影響円法……173
9.9 近似解法…………………………………………………175
   9.9.1 ケーグラー法……………………………………175
   9.9.2 修正ケーグラー法………………………………176
9.10 圧力球根…………………………………………………177
9.11 地表面の沈下……………………………………………178
9.12 接地圧・地盤反力の分布………………………………181

第10章　土圧 183

10.1　土圧の発生機構と種類 183
　10.1.1　土圧の発生機構と種類 183
　10.1.2　静止土圧係数 187
10.2　ランキン土圧 187
　10.2.1　ランキンの土圧論 187
　10.2.2　ランキンの土圧式 189
　10.2.3　すべり面の方向 190
　10.2.4　条件に応じた土圧式の展開 191
　10.2.5　鉛直自立高さ 193
10.3　クーロン土圧 194
　10.3.1　クーロンの土圧論 194
　10.3.2　クーロン土圧の図解法 197
　10.3.3　条件に応じた土圧式の展開 199
10.4　ランキン土圧とクーロン土圧の比較 199
10.5　剛壁の移動形態，柔な壁の土圧特性 201
10.6　擁壁の安定 203
10.7　土留め壁の安定 206

第11章　支持力 210

11.1　基礎の種類と浅い基礎・深い基礎 210
11.2　基礎形式の選定 211
11.3　浅い基礎の支持力 213
　11.3.1　地盤の支持力の発生機構 213
　11.3.2　地盤の破壊形態 214
　11.3.3　全般せん断破壊による支持力 216
　11.3.4　塑性域を変えた全般せん断破壊の支持力 219
　11.3.5　基礎底面の状態による極限支持力 220

目　次

　　11.3.6　根入れによるサーチャージ……………………………………221
　　11.3.7　多様な基礎形状の極限支持力…………………………………221
　　11.3.8　帯状基礎の局部せん断破壊の極限支持力……………………222
　　11.3.9　基準類における鉛直支持力……………………………………223
　　11.3.10　簡易な支持力算定法…………………………………………224
　11.4　深い基礎の支持力……………………………………………………226
　　11.4.1　杭の鉛直支持力…………………………………………………226
　　11.4.2　N値を用いた支持力の実用式…………………………………229
　11.5　ネガティブフリクション……………………………………………230
　　11.5.1　発生メカニズム…………………………………………………230
　　11.5.2　ネガティブフリクションによる影響と評価…………………230
　11.6　群杭の支持力…………………………………………………………232
　11.7　杭の水平支持力………………………………………………………233

第12章　斜面の安定……………………………………………………………235

　12.1　すべりの破壊形態……………………………………………………235
　12.2　すべりの発生機構……………………………………………………236
　12.3　斜面の安定計算手法…………………………………………………237
　12.4　無限長斜面の安定解析手法…………………………………………238
　　12.4.1　地下水位がない無限長斜面……………………………………238
　　12.4.2　地下水位がある無限長斜面……………………………………240
　12.5　円弧すべり法…………………………………………………………242
　　12.5.1　基本方程式………………………………………………………242
　　12.5.2　フェレニウス（簡便）法………………………………………244
　　12.5.3　修正フェレニウス（簡便）法…………………………………246
　　12.5.4　簡易ビショップ法………………………………………………246
　　12.5.5　水浸斜面の円弧すべり法………………………………………248
　12.6　図解法…………………………………………………………………249

12.6.1　テイラーの図解法···249
　　12.6.2　斜面先破壊のすべり円の位置の推定図解法·····················251
　　12.6.3　底部破壊のすべり円の位置の推定図解法························252
　　12.6.4　摩擦円法··253
　12.7　複合すべり面による安定性··254
　　12.7.1　ヤンブの方法··254
　　12.7.2　直線と直線の合成すべり面······································255
　　12.7.3　直線すべり··256
　12.8　斜面の安定性の変化···256
　　12.8.1　盛土の短期安定と長期安定······································257
　　12.8.2　切土の短期安定と長期安定······································258
　12.9　最小安全率と臨界円···258

第13章　自然災害と地盤防災···261
　13.1　地震および地震動の基本特性··261
　13.2　地震および地震動の工学的特性···265
　　13.2.1　地震時の増幅特性··265
　　13.2.2　地震時の周期特性··266
　　13.2.3　地盤の変形特性··267
　　13.2.4　震度法··268
　13.3　地盤の耐震性の評価···270
　　13.3.1　地震動の主働土圧··270
　　13.3.2　地震動の斜面の安定··271
　　13.3.3　地盤の液状化··272
　13.4　地盤振動··277
　13.5　地盤に関係する自然災害··278

第14章　地盤の設計基準類と安定化対策 ･････････････････････284
14.1　土質力学に関わる設計基準類 ･･･････････････････････････284
14.1.1　設計基準類 ･･･284
14.1.2　道路土工構造物技術基準の基本 ･･･････････････････････285
14.2　圧密促進対策 ･･･287
14.2.1　プレローディング工法とサーチャージ工法 ･････････････287
14.2.2　バーチカルドレーン工法 ･･･････････････････････････････288
14.3　斜面崩壊対策 ･･･290
14.3.1　斜面崩壊危険度の評価 ･････････････････････････････････290
14.3.2　対策工の分類と選択 ･･････････････････････････････････290
14.3.3　切土工 ･･292
14.3.4　のり面保護工 ･･293
14.4　液状化対策 ･･･294
14.4.1　液状化の地盤対策 ･･･････････････････････････････････294
14.4.2　液状化の構造的対策 ･･････････････････････････････････299

記号の一覧表

索引

第1章　土の生成と土質力学の基本

　人類は地球上で生存し，多種多様な活動をしているが，その場所は図1.1のように地表面を挟んだ上下10km程度の範囲である．さらに，諸活動に必要な主要な構造物が構築される範囲は，上空で約200〜300m，地下で約40〜60mまでであり，地下は沖積層（ちゅうせきそう）と洪積層（こうせきそう）の一部である．従って，この範囲の地下や地表上に構造物を構築し，利用し，維持するためには，それを取り巻き，支える地盤，地盤を構成する土の層（土層と呼ぶ），さらに土層を構成する土の特性を知ることが必須である．それにより，合理的で安全かつ経済的な構造物の計画，設計，施工，維持管理，さらに補修，更新が可能となる．
　本書は地球の表層部の地盤を対象として，地盤を構成する土層，さらに土層を構成する多様な土の持つ物理学的および力学的特性の理解に必要な基礎的専門知識を網羅している．そのため，全14章で構成するが，本章は全章の導入として位置づけ，土と地盤の生成過程を概観するとともに，2〜14章を横断的

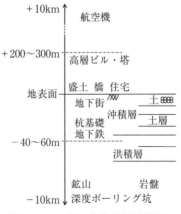

図1.1　人間の主たる活動範囲

かつ系統的に見ることにより，各章の土との関わりの類似性や差異を対比して，2章以降を理解しやすくしている。なお，山岳トンネルなどに関係する岩盤は岩盤力学，岩盤工学の範囲であり，本書の対象外である。

1.1 土および地盤の生成

1.1.1 地質年代的な地盤の生成

地球の誕生は46億年前とされており，地質年代では先カンブリア紀，古生代，中生代を経て，約6千5百万年前から新生代に入ったが，新生代は第三紀と第四紀に二分され，約258万年前から現在までの第四紀は1万年前までが更新世，その後が完新世と呼ばれる。現在は新生代の第四紀の完新世である。

氷河時代といわれる第四紀では4回の氷期とその間の間氷期が繰り返され，それに対応して海面の下降（海退）と上昇（海進）が繰り返された。図1.2は20万年前から現在までの海水面の変動の推移である[1]。4回目の氷期の海退により海岸線が沖に後退し，約2万年前の最終氷期の最盛期には海面が現在よりも100〜140m低下したといわれる。その後，海進に転じて海面は上昇し，5〜6千年前の縄文海進をピークとして低下（弥生小海退）し，現在の海水面の高さとなった。これらの海水面変動により，海退時には陸化した海岸平野に上

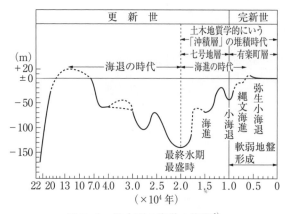

図 **1.2** 海水面の変動の推移[1]

流から運搬された粗粒土（そりゅうど）が堆積して河成沖積土を，その上部には海進により海面下となった海底に細粒土（さいりゅうど）が堆積して海成沖積土（かいせい）を形成した。さらに，その上部には弥生小海退以降，上流から運搬された粗粒土が河成沖積土として堆積し，現在の海岸平野の沖積層が形成された。なお，地質年代的に若い1万年前以降の沖積層は充分に固結していないため，軟弱地盤と呼ばれる。

1.1.2 岩石からの土の生成

沖積層を形成する粗粒土（礫，砂）あるいは細粒土（シルト，粘土）といった土が生成される源は岩石である。岩石が土の生成や沖積地盤の形成へと変化する過程とそれに関係する要因は，図1.3によって概観できる。地表近傍および上部マントルの岩石は造岩鉱物の集合体で形成されているが，その成因により火成岩，堆積岩および変成岩の3種類がある。火成岩は地球内部のマグマが固結あるいは噴出して固結したものであり，花崗岩，流紋岩などがある。また，堆積岩は岩石が風化，侵食，運搬されて堆積した土が長期の続成作用により固結したものであり，砂岩，凝灰岩，石灰岩などがある。さらに，変成岩は火成岩や堆積岩が高温や高圧による変成作用を受けて固結したものであり，千枚岩，ホルンフェルスなどがある。これらの岩種の簡易判別法を図1.4に示す。8.5節で示すように，岩盤の地盤定数は岩種に応じて評価されるため，岩種の判定は重要である。

以上のようにして生成した岩石は，まず大気，水，植物などによる風化作用（ふうか）により，岩塊，岩屑，土へと細片化，変質あるいは細粒化する。ここで，風化作用には物理的作用，化学的作用および植物的作用がある。

(1) 物理的作用：岩石の組成鉱物の温度変化による膨張の差異，水の凍結膨張，塩結晶の成長，水の吸水作用などにより，岩石に亀裂が発生し，細片化する。

(2) 化学的作用：水や炭酸ガスにより，岩石中の鉱物が酸化し，分解することにより変質，細片化する。

(3) 植物的作用：草木の根の作用や鉱物とのイオン交換などにより，岩石が変質，細片化する。

第1章　土の生成と土質力学の基本

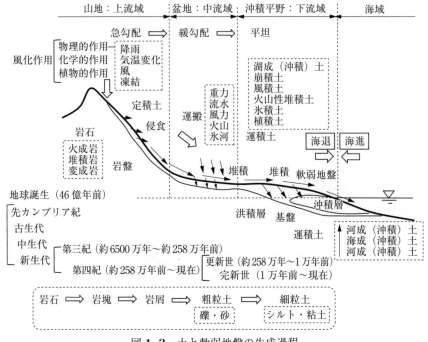

図 1.3　土と軟弱地盤の生成過程

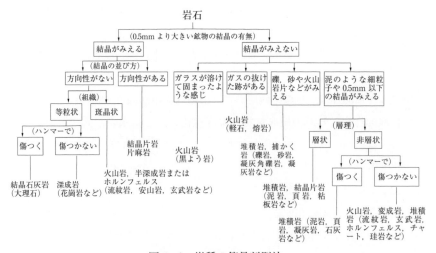

図 1.4　岩種の簡易判別法

1.1 土および地盤の生成

　以上の風化作用で生成された土がその場に残存しているものを定積土（残積土）と呼ぶ。さらに，風化作用で生成された岩塊，岩屑あるいは定積土は，重力による崩落，流水よる流出，風による飛散，火山の噴出，氷河の移動など，様々な形態で移動，運搬されて堆積するが，移動して生成される土を運積土と呼ぶ。通常，豪雨，洪水時の流水による流出が多く，川の上流域の急峻な山地から緩い勾配の中流域を経由し，平坦に向かう下流域へ運搬される。この運搬過程では，河床勾配が緩くなると流速が低下するので，粒径が大きい粗粒土から堆積を始め，下流域ほど細粒土が堆積し，海域にも達する。また，粗粒土は角ばった形状であるが，流下に伴って円摩され，角が取れて丸みを帯びた形状に変わる。

　ここで，岩石から岩塊，岩屑，礫，砂，粘土への細粒化，変質の流れの概念は図1.5で表現できる。ここで，粒子の形状は岩石，岩屑，粗粒土を円，細粒土は矩形で模擬している。岩石を組成する造岩鉱物には石英，カリ長石，斜長石，雲母，角閃石などがある。例えば，花崗岩は石英，カリ長石，酸性斜長石，黒雲母，白雲母を主成分とする。また，岩石は風化，侵食，運搬により細片化，細粒化するとともに，造岩鉱物は化学的作用（加水分解作用，水和作用など）により粘土鉱物へと変質する。ここで，粘土鉱物は珪酸イオンと酸素イ

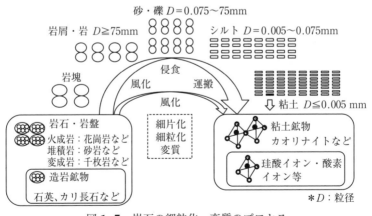

図 **1.5** 岩石の細粒化，変質のプロセス

オンの構成体，アルミニウムイオンあるいはマグネシウムイオンと水酸基の構成体で組成されている。この構成体の種類や組合せによって異なる粘土鉱物になるが，カオリナイト，モンモリロナイトなどがある。これらの粘土鉱物は粘土と呼ばれるが，例えば，造岩鉱物の石英は細粒化により砂やシルトになる。

運搬された土は中・下流域に堆積し盆地や平野を形成するが，運積土は形成過程の違いにより河成（沖積）土，海成（沖積）土と呼ばれ，形成された土層を沖積層，沖積層で構成される地盤を沖積地盤と呼ぶ。関東平野，大阪平野など，一般的に河川の下流域の平野は沖積地盤である。また，運積土には堆積する場所あるいは運搬形態の違いによって，湖成土，崩積土，風積土，火山性堆積土，氷積土，植積土がある。なお，通常，沖積層の下層は沖積層より地質年代が古く，続成作用により固結化が進行している洪積層が存在しているが，洪積層で構成される地盤を洪積地盤と呼ぶ。

1.1.3 地盤の構造とモデル化

土質力学が対象とするのは，自然に由来し，かつ人間の生活や生産活動に必要な構造物に影響する地盤であり，沖積地盤（運積土が主体）および自然斜面での表層地盤（定積土が主体）である。ここでは，主に運積土を念頭においた工学的な地盤の取り扱い方法および本書の各章の関わりを見る。

沖積層は図1.6のように下から上へと堆積するが，ほぼ同じ堆積環境の下で連続して堆積した土は，同じ物理的特性（密度，塑性指数など：2章）や強度特性（内部摩擦角，粘着力など：7章）を持つと見なし，ひとつの土層として層の区分が行われる。一方，これらの土層は多様な堆積過程を経て形成されるので，各土層の層厚は図1.6のように，三次元空間の深さ方向や平面方向に不均一に変化しているのが普通である。また，土の種類は粗粒分や細粒分の混入割合により異なる（土の分類：2章）。

しかし，土質力学の基礎的専門知識の範囲では，現象や取り扱いを容易にして理解し易くするために，実際の三次元の不均一地盤を図1.6の単純な地盤構造でモデル化している。ここで，地盤構造のモデル化には，一次元の成層地盤および二次元の単一地盤の2つの視点がある。

1.1 土および地盤の生成

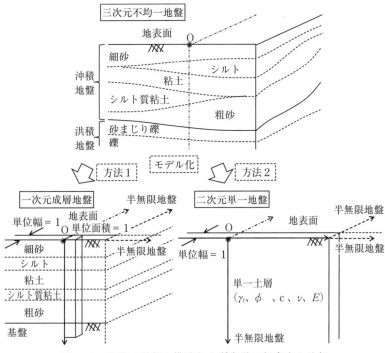

図 1.6 実際の地盤の構造と土質力学で想定する地盤

(1) 一次元成層地盤：ある点 O で一次元方向（深さ方向）に，複数の土層がそれぞれの層厚で半無限の広がりを持った水平層として存在すると見なした地盤。単位面積を持つ土柱あるいは単位幅を持つ鉛直面として扱い，水平方向の広がりや奥行を考える場合は，広がりの面積や奥行長を掛ける。

(2) 二次元単一地盤：地盤が三次元的に半無限の広がりを持つ単一土層から成ると見なした地盤。単位幅を持つ二次元鉛直面として扱い，水平方向の奥行を考える場合は，奥行長を掛ける。

各章別に見ると，一次元成層地盤の扱いは，成層地盤の透水係数（5章），テルツァーギ（Terzaghi）の一次元圧密理論（6章），粘土層と砂層の互層での杭の周面摩擦力度（11章），地盤の液状化（13章）などである。一方，二次元単一地盤の扱いは，フローネットの透水（5章），地表面荷重による地盤内

の応力と変位（9章），擁壁の土圧（10章），浅い基礎の支持力（11章），斜面のすべり（12章）などである．なお，二次元あるいは三次元の不均一地盤の挙動は土質力学の応用分野で取り扱われる．

1.1.4 土の構造と物理的特性，力学的特性

土は土粒子および土粒子間の間隙にある水および空気の三相で構成され（2章），土粒子は土の骨格を形成（＝骨格構造）する．

骨格構造は土の物理的特性や力学的特性に深く関係し，特に粗粒土と細粒土で大きく異なるが，それぞれの概念は図1.7と図1.9の二次元的な骨格構造で表現できる．土粒子は球状，扁平状，細長状などの不規則な形状であり，角ばったり，尖ったり，丸みを帯びたりしているが，粗粒土は球状が多く，細粒土は扁平状や細長片状である．

図1.7の粗粒土では，土粒子の基本単位を円とし，同じ大きさの円粒子の詰まり具合で骨格構造の違いを表す．粗粒土は土粒子が互いに接触し合って骨格構造（単粒構造と呼ぶ）を形成し，土に作用する土粒子の重量や外力は土粒子間の接点を介して伝達される．図1.7には密詰め構造と緩詰め構造を併記するが，骨格構造から土の透水性，せん断強度および締固めが説明できる．

まず，土の透水性（5章）は間隙水が間隙を通り抜ける容易さであるので，間隙が大きい骨格構造（＝緩詰め構造）の土は間隙水の通りが良い，つまり透水性が高くなる．また，図1.7のいずれの骨格構造も上下，水平方向の土粒子の配列構造に差がない（等方性と呼ぶ）ので，透水方向（上下方向，水平方向）による透水性の差はない．

また，土に作用する外力（通常，せん断力）に対して発揮される土の強度（7章）は，土粒子間の摩擦と土粒子のかみ合わせにより生じる．土にせん断力が作用すると，土中にせん断面が発生して，その面上にせん断抵抗力が発生する．通常，せん断面はある幅で形成されるが，図1.7では1本の線で表わしている．摩擦によるせん断抵抗力（摩擦抵抗力）はせん断面上の接点数に関係するので，接点数が多い密詰め構造の方がせん断強度は大きいことになる．

ここで，せん断抵抗力を土粒子のレベルでなく，土のレベルで見ると図1.8

1.1 土および地盤の生成

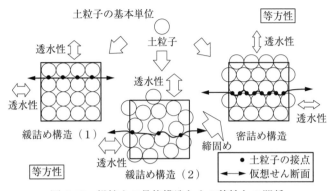

図 **1.7** 粗粒土の骨格構造と土の特性との関係

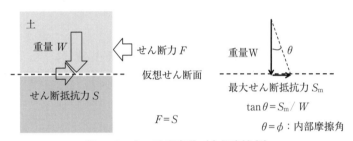

図 **1.8** 土の強度定数(内部摩擦角)

になる。同左図のように仮想せん断面の上部の土の部分（重量 W）にせん断力が作用すると，せん断面上にせん断抵抗力が発生して釣り合う。せん断力が増加すると摩擦抵抗力も増加し，ある限界を超えるとせん断面ですべり（＝破壊）が始まる。この限界の最大せん断抵抗力と重量のベクトルの交差角度 θ に基づく $\tan\theta$ は摩擦係数であるが，土質力学での θ は内部摩擦角（ϕ）と呼ばれ，土の強度定数のひとつである（7章）。従って，内部摩擦角が大きい土はせん断抵抗力，つまりせん断強度が大きいことになる。なお，砂のボイリング（5章）や液状化（13章）は，土の間隙内に発生する過剰間隙水圧の増加に伴って土粒子の接点が離れ，抵抗力や支持力が発揮できなくなる状態である。さらに，土の締固め（4章）は緩詰め状態の土を密詰め状態にして，間隙を小さくして土の透水性を低下し，密度増加により強度を増加させることである。

次に，図1.9の細粒土では，土粒子が細長片状で電荷を帯びており，その表面には土粒子と強固に結合された水分子の吸着層がある。吸着水は間隙にある自由水より密度が高く，粘性は約100倍にも達する。吸着層をもつ土粒子の基本単位を細片で表現し，その分布形態により土の骨格構造の違いを表す。土粒子は吸着層を介して互いに接触し合うが，以下の3つの骨格構造がある。

(1) ランダム構造：堆積のごく初期の状態あるいは練り返した状態で見られるが，土粒子が不規則に分布し，かつ密には接触していない状態
(2) 綿毛（めんもう）構造：土粒子が不規則に分布，接触していて，ランダム構造より密な状態
(3) 配向（はいこう）構造：土粒子の細長片が平行に配列した密な状態

細粒土は粗粒土と違って，外力には粘着力で抵抗する。この粘着力（c）は土粒子の化学的固結作用，界面作用，吸着層の電気的粘着力といった物理化学的作用により発現される抵抗力であり，粗粒土の内部摩擦角と同様に土の強度定数のひとつである（7章）。図1.9の骨格構造から土の透水性，せん断強度，圧密特性，締固めが説明できる。

まず，土の透水性（5章）では，間隙の大きいランダム構造や綿毛構造で透水性が高く，間隙の小さい配向構造では低い。また，ランダム構造や綿毛構造では，配列構造が等方性を持つので，透水方向による透水性に差はない。しかし，土粒子が平行に配列した配向構造では，方向によって配列構造が違う（異方性（いほう）と呼ぶ）ので，透水方向により透水性が異なる。つまり，間隙の連続性が良い平行方向（図の水平方向）は，土粒子の直交方向（図の上下方向）よりも透水性が高いことになる。

また，土のせん断強度（7章）は物理化学的な作用による粘着力（c）により生じるが，ここでは物理化学的な作用のうちの吸着層の電気的粘着力を考える。粗粒土と同様に，図1.9のようにせん断力によりせん断面が発生して，その面上にせん断抵抗力が発生する。ここで，粘着力によるせん断強度はせん断面上の吸着層に関係すると考えられ，その吸着層が多いほどせん断抵抗力が大きいことになる。従って，ランダム構造より吸着層が多い綿毛構造，さらに

1.1 土および地盤の生成

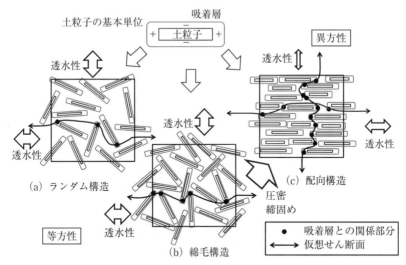

図 1.9 細粒土の骨格構造と土の特性との関係

多い配向構造の方が粘着力は大きく，せん断強度が大きいことになる。また，配向構造ではせん断強度の異方性も現れる。

さらに，圧密特性（6章）では，間隙が大きく圧縮性の高い綿毛構造に圧力が加わると，間隙水が排出されて間隙が縮小されるとともに，密な配向構造へと変化して土の体積が減少（地盤では沈下）する。また，密度（言い換えると，土粒子の数）の増加によってせん断強度が増加する。

また，土の締固め（4章）は，締固めのエネルギーによって間隙が大きい状態から小さい状態に変化することであり，それによって土の透水性が低下し，密度の増加によってせん断強度が増加する。

ここで，粗粒土と細粒土の主要な差異は以下のとおりである。

(1) 粗粒土は細粒土より間隙が大きいので，透水性が高く，細粒土は小さい（5章）。
(2) 粗粒土は粒子間の接触により力の伝達が行われるので，圧縮性は小さく，圧密は考えない。圧密は細粒土で考える（6章）。
(3) 粗粒土は内部摩擦角，細粒土は粘着力がせん断強度の主要因である（7章）。

第1章　土の生成と土質力学の基本

　以上，粗粒土と細粒土の骨格構造から，主要な土の物理学的特性と力学的特性の違いを概観した。実際の土は粗粒土と細粒土が混じり合っていることが多いが，土質力学では取り扱いを簡単にするために，砂，粘土あるいは砂質土，粘性土といった呼び方で土を扱うことが一般的である。本書の各章で扱っている土の種類は，以下の1)〜7)のように異なることに注意が必要である。ここで，土の種類を特には意識しないまま，変形定数や強度定数だけで間接的に土を区別している場合もある。

1) 全ての種類の土：2章，8章，14章（ただし，圧密促進対策は粘性土，液状化対策は砂質土）
2) 砂と粘土（強度定数）：7章
3) 粘土のみ（体積圧縮係数，透水係数，圧密係数）：6章
4) 土の種類に依らない（1）（含水比，透水係数）：3章，4章，5章（ただし，ボイリングは砂質土）
5) 土の種類に依らない（2）（強度定数，周面摩擦力度）：10章，11章，12章（ただし，土留め壁の変状，支持地盤の破壊形態は砂と粘土の別）
6) 土の種類に依らない（3）（ポアソン比，せん断弾性係数，ヤング率）：9章
7) 土の種類に依らない（4）（せん断弾性係数，減衰定数）：13章（ただし，液状化は砂質土）

1.1.5　土の変形特性の取り扱い

　土は外力を受けて変形するが，一般的に図1.10の応力〜ひずみ関係がある。ひずみは変形割合を表す指標であり，軸ひずみとせん断ひずみがあるが，土ではせん断ひずみを用いることが多い。ここで，微小なひずみ領域では応力とひずみは線形（＝直線）関係にあり，ひずみが大きくなると非線形関係に移行し，応力が最大となった後，ひずみの増加に伴って応力は低下し，ある応力で一定となる。ひずみ領域の範囲の目安と土の変形状態は次の通りである。
(1) 微小ひずみ領域（ひずみが10^{-5}，あるいは0.001％程度以下）：弾性
(2) 中ひずみ領域（10^{-3}程度以下）と大ひずみ領域（10^{-2}程度以下）：弾塑性
(3) 破壊ひずみ領域（10^{-2}程度以上）：破壊し，ひずみだけが増加

1.2 土，地盤と構造物の関係

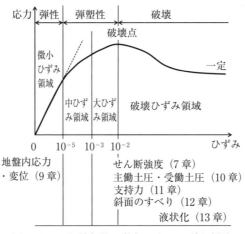

図 1.10 土質力学で考える土のひずみ領域

なお，弾性領域では応力が零になるとひずみも零に戻るが，弾塑性あるいは破壊した場合は，ひずみは残留（残留ひずみと呼ぶ）する。

土のひずみの大きさは土の諸特性に深く関わるが，本書の各章での取り扱いを図1.10に併記してある。つまり，地盤内応力と変位は弾性領域，モール・クーロン (Mohr-Coulomb) の破壊規準で定義される土のせん断強度に基づいた主働土圧や受働土圧，支持力および斜面のすべりは破壊点，液状化は破壊点から破壊ひずみ領域で考えている。

1.2 土，地盤と構造物の関係

土質力学が関係する各種の構造物を例示し，これらに関係する土や地盤の挙動および本書の各章を対比すると図1.11になる。まず，土，地盤と構造物に作用する荷重は重力，降雨，地震などに起因するが，降雨時や地震時は常時と異なる荷重条件となるので，これらの影響（地下水位や地震荷重など）を考慮する。また，構造物には堤防，土留め，盛土，（杭）基礎，擁壁などがあるが，人工地盤である埋立地や崩壊により影響を及ぼす斜面も対象である。ここで，埋立地，堤防，盛土は短時間で土を人為的に堆積あるいは積み上げた人工

第1章　土の生成と土質力学の基本

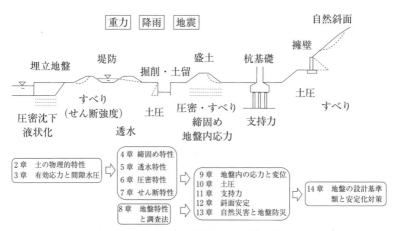

図 1.11　土，地盤と構造物の関係と本書の対応

地盤であるので，これらの構造物はそれ自体が土質力学に関係している。

さらに，各種の構造物などで関係する土や地盤の挙動は，埋立地では圧密沈下や液状化，堤防では透水，せん断強度やすべり，土留めでは土圧，盛土では圧密沈下，すべり，締固めや地盤内応力，杭基礎では支持力，擁壁では土圧，斜面ではすべりが関係する。

このように，多様な構造物が土や地盤に深く係わっているので，構造物などの安全を確保するためには，4章から7章の土や地盤の基本特性，9章から13章の構造物の設計に関係する諸特性の理解が必要である。また，2章の土の物理的特性および3章の有効応力と間隙水圧は，4章以降の基本事項として，8章の地盤特性と調査法は9章以降の基本事項として，14章は6章の圧密沈下，12章の斜面のすべり崩壊，13章の液状化に対する地盤の安定化対策に関係しているので，各章間の関係の理解が必要である。

1.3　重量と質量，重力単位とSI単位

土の物理的，力学的特性を定量的に表す数値の単位について，従来は重力単位が用いられていたが，現在はSI単位に移行している。しかし，移行の過渡期にあるため，土質力学では従来の重力単位が使用あるいは併用される場合が

1.3 重量と質量，重力単位とSI単位

表**1.1** 重力単位とSI単位の関係例（$g=9.81\text{m/s}^2$の場合）

	記号例	重力単位	（換算）	SI単位
重量	Wなど	1kgf	=	9.81N
		1tf	=	9.81kN
質量	mなど	—		1kg
		—		1t
単位体積重量	γなど	1gf/cm^3	=	9.81kN/m^3
		1tf/m^3	=	9.81kN/m^3
密度	ρなど	—		1g/cm^3
		—		1t/m^3
応力	σなど	1kgf/cm^2	=	98.1kN/m^2
		1tf/m^2	=	9.81kN/m^2
荷重	Pなど	1kgf	=	9.81N
		1tf	=	9.81kN

あるので，単位の表記方法の理解が必要である．また，質量が従来の重量で表されることもある．特に，関連が深い事項を以下に示す．

・重量（weight）表記と質量（density）表記があること．例えば，単位体積当たりの重量は単位体積重量γ，単位体積当たりの質量は密度ρと呼ばれる．重量と質量には次の関係がある．

　　重量＝重力加速度×質量＝9.81　or　9.8（m/s^2）×質量

・重力単位とSI単位があること．質量はSI単位だけであるが，重量は重力単位とSI単位の表記がある．ここで，単位のkg・m/s^{2}は N（ニュートン）と呼ぶ．

土質力学に関係する諸量について，重力単位およびSI単位の表記例と換算例を表1.1に例示するが，本書ではSI単位による表記に統一している．

引用文献

1) Gohara, Y.：Climatic Fluctuations and Sea Level Changes During the Latest Pleistocene and Early Holoceme, Pacific Geology Ⅱ, 1976.

参考文献

・地盤工学会：土質・基礎工学のための地質学入門（第13版），2001.
・地盤工学会：地盤工学用語辞典，丸善，2006.
・畠山直隆：最新土質力学，朝倉書店，1992.
・足立格一郎：土質力学，共立出版，2004.

第2章　土の物理的特性と試験法

　図2.1に示すように，土は様々な大きさの粒子から構成される。それぞれの粒子が単体で存在するときは一次粒子とよばれ，砂や礫は一次粒子として，粘土やシルトは二次粒子以上の粒団として存在する。1章1.1.4項で述べたように，一次粒子は相互に接触して土の骨格を形成し，二次粒子以上の粒団は，鉱物の種類，土粒子表面の電荷密度，鉄・アルミニウム等の酸化物や有機物が関係して形成された複雑な形態で存在する。

　このような土の性質を求める試験法を表2.1に示す。試験に供する土質試料には乱した土と乱さない土の2種類がある。乱さない土とは土の骨格構造が原位置に近い状態で採取された土で，力学的性質の試験や湿潤密度試験および保水性試験などに用いる。乱した土とは8章の標準貫入試験などで採取されて骨格構造が乱された土で，主に物理的性質の試験に用いられる。

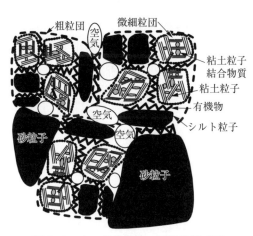

図2.1　土の骨格構造の巨視的模式図

第 2 章 土の物理的特性と試験法

表 **2.1** 土の性質を求める室内試験一覧

試験目的	試 験 名	試料の状態	求められる値	規 格
土の状態を表す諸量を求める	土の含水比試験	乱した	含水比 w	JIS A 1203
	土粒子の密度試験	乱した	土粒子の密度 ρ_s	JIS A 1202
	土の湿潤密度試験	乱さない	湿潤密度 ρ_t	JIS A 1225
土の相対密度や保水性を調べる	砂の最小密度最大密度試験	乱した	最小乾燥密度 ρ_{dmin} 最大乾燥密度 ρ_{dmax}	JIS A 1224
	土の保水性試験	乱した 乱さない	含水比 w ポテンシャル ϕ	JGS 0151
土の力学的性質の推定などに役立て，工学的分類を行う	土の粒度試験	乱した	粒径加積曲線 有効径 D_{10} ほか 均等係数 U_c 曲率係数 U_c'	JIS A 1204
	土の液性限界塑性限界試験	乱した	液性限界 w_L 塑性限界 w_p 塑性指数 I_p	JIS A 1205

2.1 土の構成と状態を表す物理量

図 2.2 に土の三相の模式を示す．体積を V，質量を m で表示する．図に示すように，土は土粒子（無機質の鉱物や有機質などの固体），水（自由水や吸着水などの液体）および空気（大気，ガスなどの気体）で表現できる．

2.1.1 直接測定できる物理量

直接測定できる物理量は，式（2.1）の含水比 w，式（2.2）の土粒子の密度 ρ_s および式（2.3）の湿潤密度 ρ_t である．

含水比 w は土粒子の質量 m_s に対する間隙に含まれる水の質量 m_w の割合を百分率で表したもので，砂で 5～30%，粘土で 10～300% 程度である．m_s は (110 ± 5) ℃の温度で乾燥した土の質量，m_w は同じ温度で蒸発する水の質量と定義され，110℃の温度で蒸発する水分は主に自由水と毛管水で，土粒子表面の吸着水は残留している．

土粒子の密度 ρ_s は固体部分のみの単位体積質量である．体積 V_s は図 2.3 のピクノメーターを用いて，式（2.4）によって同体積の水の質量として求められる．m_b は m_s の土を水温 T ℃の蒸留水で満たしたピクノメーターの質量，

2.1 土の構成と状態を表す物理量

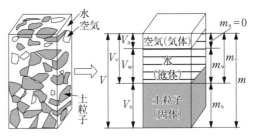

図2.2　土の三相の模式

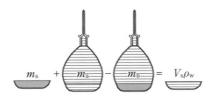

図2.3　ピクノメーターによる土粒子の体積の求め方

m_a は水温 T℃の蒸留水で満たしたピクノメーターの質量，ρ_w は水温 T℃の水の密度である。土粒子の密度は鉱物の種類などで変化するが，おおむね $2.60 \sim 2.80 \mathrm{g/cm^3}$（$2.65 \mathrm{g/cm^3}$ が最も多い）の範囲にある。有機質分が多い泥炭などは $1.4 \sim 2.3 \mathrm{g/cm^3}$ と低い値となる。水の密度 ρ_w との比である比重 G_s は，式 (2.5) で与えられる。水の密度 ρ_w は水温で異なることに注意が必要である。

$$w = \frac{m_w}{m_s} \times 100 \quad (\%) \tag{2.1}$$

$$\rho_s = \frac{m_s}{V_s} \quad (\mathrm{g/cm^3, Mg/m^3}) \tag{2.2}$$

$$\rho_t = \frac{m}{V} \quad (\mathrm{g/cm^3, Mg/m^3}) \tag{2.3}$$

$$V_s = \frac{m_s + m_a - m_b}{\rho_w} \quad (\mathrm{cm^3}) \tag{2.4}$$

$$G_s = \frac{\rho_s}{\rho_w} \tag{2.5}$$

2.1.2 計算で求められる物理量

計算で求められる物理量は，式（2.6）の乾燥密度 ρ_d，式（2.7）の間隙比 e，式（2.8）の間隙率 n，式（2.9）の飽和度 S_r などである。これらを用いると湿潤密度 ρ_t は式（2.10）のように表すこともできる。式（2.11）に示すように，土被り圧を求めるのに必要な湿潤単位体積重量 γ_t は，密度に重力加速度 $g = 9.81\mathrm{m/s}^2$ を乗じて求められる。間隙が水で飽和されている γ_t を飽和単位体積重量 γ_sat と記す。地下水位以下の飽和土には浮力が作用するため，水中単位体積重量 γ' は式（2.12）となる。砂や砂礫などの粗粒土の密実の程度は，式（2.13）の相対密度 D_r で表される。

$$\rho_\mathrm{d} = \frac{m_\mathrm{s}}{V} = \frac{m}{V}\frac{m_\mathrm{s}}{m} = \frac{\dfrac{m}{V}}{\dfrac{m}{m_\mathrm{s}}} = \frac{\dfrac{m}{V}}{\dfrac{m_\mathrm{s}+m_\mathrm{w}}{m_\mathrm{s}}} = \frac{\dfrac{m}{V}}{1+\dfrac{m_\mathrm{w}}{m_\mathrm{s}}} \tag{2.6}$$

$$= \frac{\rho_\mathrm{t}}{1+\dfrac{w}{100}} \quad (\mathrm{g/cm}^3,\ \mathrm{Mg/m}^3)$$

$$e = \frac{V_\mathrm{v}}{V_\mathrm{s}} = \frac{V-V_\mathrm{s}}{V_\mathrm{s}} = \frac{V}{V_\mathrm{s}}-1 = \frac{\dfrac{V}{m_\mathrm{s}}}{\dfrac{V_\mathrm{s}}{m_\mathrm{s}}}-1 = \frac{\dfrac{1}{\rho_\mathrm{d}}}{\dfrac{1}{\rho_\mathrm{s}}}-1 = \frac{\rho_\mathrm{s}}{\rho_\mathrm{d}}-1 \tag{2.7}$$

$$n = \frac{V_\mathrm{v}}{V}\times 100 = \frac{V_\mathrm{v}}{V_\mathrm{s}+V_\mathrm{v}}\times 100 = \frac{e}{1+e}\times 100 \quad (\%) \tag{2.8}$$

$$S_\mathrm{r} = \frac{V_\mathrm{w}}{V_\mathrm{v}}\times 100 = \frac{\dfrac{V_\mathrm{w}}{V_\mathrm{s}}}{\dfrac{V_\mathrm{v}}{V_\mathrm{s}}}\times 100 = \frac{\dfrac{m_\mathrm{w}}{m_\mathrm{s}}\dfrac{m_\mathrm{s}}{V_\mathrm{s}}\dfrac{V_\mathrm{w}}{m_\mathrm{w}}}{\dfrac{V_\mathrm{v}}{V_\mathrm{s}}}\times 100 = \frac{w\rho_\mathrm{s}}{e\rho_\mathrm{w}} \quad (\%) \tag{2.9}$$

$$\rho_\mathrm{t} = \frac{m}{V} = \frac{m_\mathrm{s}+m_\mathrm{w}}{V_\mathrm{s}+V_\mathrm{v}} = \frac{\dfrac{m_\mathrm{s}}{V_\mathrm{s}}+\dfrac{m_\mathrm{w}}{V_\mathrm{s}}}{1+\dfrac{V_\mathrm{v}}{V_\mathrm{s}}} = \frac{\rho_\mathrm{s}+e\dfrac{S_\mathrm{r}}{100}\rho_\mathrm{w}}{1+e} \quad (\mathrm{g/cm}^3,\ \mathrm{Mg/m}^3) \tag{2.10}$$

$$\gamma_{\mathrm{t}} = \rho_{\mathrm{t}} \times g \quad (\mathrm{kN/m^3}) \tag{2.11}$$

$$\gamma' = \gamma_{\mathrm{sat}} - \gamma_{\mathrm{w}} = \frac{\rho_{\mathrm{s}} - \rho_{\mathrm{w}}}{1+e} \times g \quad (\mathrm{kN/m^3}) \tag{2.12}$$

$$D_{\mathrm{r}} = \frac{e_{\max} - e}{e_{\max} - e_{\min}} \times 100 = \frac{\dfrac{1}{\rho_{\mathrm{dmin}}} - \dfrac{1}{\rho_{\mathrm{d}}}}{\dfrac{1}{\rho_{\mathrm{dmin}}} - \dfrac{1}{\rho_{\mathrm{dmax}}}} \times 100 \quad (\%) \tag{2.13}$$

2.2 土の粒度

表2.2に土粒子の粒径区分を示す。粗粒分の呼び名は地盤材料の工学的分類名に通じるものである。粒子は様々な形状をしているため，粒径0.075mm以上の粒径は，その粒子が通過できる金属性網ふるいの目開きで表す。粒径0.075mm未満は，水中を降下する速度が同じである球形粒子の直径で与えられる。土粒子の粒径分布を粒度といい，粒径とその粒径より小さい粒子の質量百分率の関係を示したのが図2.4の粒径加積曲線である。

2.2.1 粒度試験

土の粒度を調べる粒度試験は，高有機質土以外の粒径75mm未満の土が対象である。粒径0.075mmより大きな粒子はふるい分析，これ未満は沈降分析で通過質量百分率を求め，両者を接続して全体の粒度分布が得られる。試験では，まず，目開き2mmのふるいを用いて，土質試料を粒径2mm以上と未満に分ける。粒径2mm以上は2mm未満の土粒子を洗い流してふるい分析を行

表 2.2 土粒子の粒径区分と呼び名

0.005	0.075	0.25	0.85	2.0	4.75	19	75	300 粒径 (mm)
粘土	シルト	細砂	中砂	粗砂	細礫	中礫	粗礫	粗石(コボル)	巨石(ボルダー)
		砂			礫			石
細粒分		粗粒分						石分

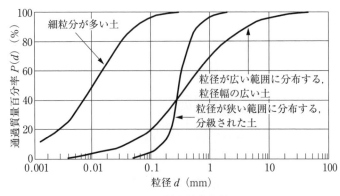

図 2.4 土の粒径加積曲線の例

い，粒径 2mm 以上の粒度が決定する。粒径 2mm 未満は沈降分析で 0.075mm 未満の粒度を決定し，沈降試験後の細粒分を目開き 0.075mm のふるいで洗い流し，0.075mm〜2mm の粒度をふるい分析で求める。

ふるい分析とは，図 2.5 の金属性網ふるい（目開き 0.075〜75mm）を，網目の小さい順に積んで，試料を上から投入して各ふるいに残留する質量を測定し，全試料に対する質量百分率を計算する方法である。式（2.14）から通過質量百分率 $P(d)$ が求められる。m_s は全試料の炉乾燥質量，$\Sigma m(d)$ は目開き寸法 d(mm) 以上のふるいに残留する試料の炉乾燥質量の総和である。

$$P(d) = \left(1 - \frac{\Sigma m(d)}{m_s}\right) \times 100 \quad (\%) \tag{2.14}$$

沈降分析とは，図 2.6 に示すように土粒子が水中に浮遊する懸濁液をつくり，懸濁液の時間的な密度変化を測定して粒度を求める方法である。大きな粒子ほど早く沈降するため，ストークスの法則から粒径が，比重浮ひょう理論で通過質量百分率が求められる。

式（2.15）は直径 d(cm) の球形粒子が，粘性係数 η（Pa·s＝パスカル・秒，20℃の水の粘性係数は 1.002×10^{-3}Pa·s）の静水中を速度 v(cm/s) で沈降するときに受ける抵抗力 R(N) である。この粒子が等速沈降すると仮定すると，粒子に作用する重力 F(N) は式（2.16）となる。

2.2 土の粒度

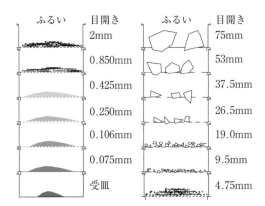

図 **2.5** 土のふるい分析

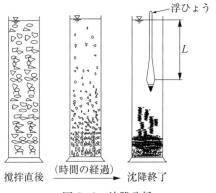

図 **2.6** 沈降分析

$$R = 3 \times \pi \times d \times \eta \times v \tag{2.15}$$

$$F = w - B = \frac{\pi}{6}d^3\rho_s g - \frac{\pi}{6}d^3\rho_w g = \frac{\pi d^3}{6}(\rho_s - \rho_w)g \tag{2.16}$$

ここに，w：粒子の重さ，B：粒子に作用する浮力，$\frac{\pi}{6}d^3$：直径 d の球体積，g：重力加速度（980cm/s^2）

R と F は等しいとすれば，$R = F = 3\pi d\eta v = \frac{\pi d^3}{6}(\rho_s - \rho_w)g$ から，v は式 (2.17) となる。

$$v = \frac{1}{3\pi d\eta}\left\{\frac{\pi d^3}{6}(\rho_s - \rho_w)g\right\} = \frac{g(\rho_s - \rho_w)d^2}{18\eta} \qquad (2.17)$$

直径 d(cm) の粒子が t(sec) 後に L(mm) の位置にあるとすれば，$v = L/t$ であるので，式 (2.18) または式 (2.19) が得られる．

$$d = \sqrt{\frac{18\eta}{g(\rho_s - \rho_w)}\frac{L}{t}} \qquad d\text{(cm) および }t\text{(sec) の場合} \qquad (2.18)$$

$$d = \sqrt{\frac{30\eta}{g(\rho_s - \rho_w)}\frac{L}{t}} \qquad d\text{(mm) および }t\text{(min) の場合} \qquad (2.19)$$

時間 $t=0$ において，質量 m_s の土粒子がメスシリンダーの体積 V に均一に懸濁していると考えると，単位体積の懸濁液の土粒子の質量は $\frac{m_s}{V}$ で，その体積は $\frac{m_s}{V\rho_s}$ となる．よって，単位体積の懸濁液において水が占める体積は $1 - \frac{m_s}{V}$，質量は $\rho_w\left(1 - \frac{m_s}{V\rho_s}\right)$ となり，懸濁液の密度 ρ は式 (2.20) で与えられる．

$$\rho = \frac{m_s}{V\rho_s} + \left(\rho_w - \frac{m_s\rho_w}{V\rho_s}\right) = \rho_w + \frac{m_s}{V}\left(\frac{\rho_s - \rho_w}{\rho_s}\right) \qquad (2.20)$$

時間 $t=t$ において，図 2.6 の浮ひょうの有効深さ L より浅いところには直径 d より大きな粒子は存在しないと仮定し，d より小さい粒子の質量と初期（$t=0$）の全質量の比を $P'(d)$（%）とすれば，L における懸濁液の密度 ρ は式 (2.21) となる．

$$\rho = \frac{\rho_s - \rho_w}{\rho_s}\frac{m_s}{V}\frac{P'(d)}{100} + \rho_w \qquad (2.21)$$

懸濁液内の浮ひょうの読み値は，$\frac{\rho - \rho_w}{\rho_w} = r$（浮ひょうの読み）$+ C_m$（メニスカスの上端と下端の差）$+ F$（温度の補正値）の関係にあり，これを用いて式 (2.21) を整理すれば式 (2.22) が得られる．

$$P'(d) = \frac{V}{m_s}\frac{\rho_s}{\rho_s - \rho_w}(r + C_m + F)\rho_w \times 100 \quad (\%) \qquad (2.22)$$

2.2.2 粒度の利用

粒径加積曲線の通過質量百分率 10%，30% および 60% の粒径をそれぞれ 10% 粒径 D_{10}，30% 粒径 D_{30} および 60% 粒径 D_{60} とする．また，通過質量百分率

2.2 土の粒度

50％の粒径を平均粒径 D_{50}，粒径 75mm 未満の土に含まれる粒径 0.075mm 未満の割合を細粒分含有率 F_c という。

式（2.23）の均等係数 U_c は粒径加積曲線の傾きを表し，その値が大きくなるほど粒径の幅が広いことを示す。細粒分5％未満において，$U_c \geqq 10$ の土は「粒径幅の広い」，$U_c < 10$ の土を「分級された」という。式（2.24）の曲率係数 U_c' は粒径加積曲線のなだらかさを表すが，$U_c \geqq 10$ と U_c' が 1～3 を満足する場合に「粒径幅の広い」という場合もある。粗粒土の場合，均等係数が大きいほど土粒子間の間隙に小さな粒子が入り込み，締固め密度は大きくなりやすい。

$$U_c = \frac{D_{60}}{D_{10}} \tag{2.23}$$

$$U_c' = \frac{(D_{30})^2}{D_{10} \times D_{60}} \tag{2.24}$$

粗粒土の工学的分類は粒度で行われ，乾燥質量で50％以上を占める表2.2の粒径区分（の呼び名）がその土の工学的な土質名となる。

土の透水性には土に含まれる細かな粒子が大きな影響を与える。ヘーゼンは透水係数 k を推定する式（2.25）を提案している。C_h は土の状態に応じて与えられる係数，t は温度であるが，簡易的に $t = 10℃$ で平均的な C_h として100を採用すれば式（2.26）になる。その他に，クレーガーは20％粒径 D_{20} と透水係数 k の関係を表2.3のように示している。

$$k = C_h(0.7 + 0.03t)D_{10}^2 \quad (\text{cm/sec}) \tag{2.25}$$

$$k = 100 D_{10}^2 \quad (\text{cm/sec}) \tag{2.26}$$

ここに，k：透水係数（cm/sec），D_{10}：10％粒径（cm）

粒度は基礎地盤の液状化判定に利用されている。建築構造物では，地表から20m程度以浅の沖積層で，細粒分含有率 F_c が35％以下，F_c が35％をこえる場合でも，埋立あるいは盛土地盤は粘土分（0.005mm以下の粒径）含有率が10％以下，または塑性指数 I_p が15以下の場合は，液状化発生の可能性を検討する。土木構造物（道路橋）で液状化に対する抵抗率 F_L を求める必要があるのは，沖積の砂質土層で F_c が35％以下，35％をこえても I_p が15以下，D_{50} が

表 2.3　クレーガーによる D_{20} と透水係数 k

D_{20}(mm)	k(cm/sec)	土質	D_{20}(mm)	k(cm/sec)	土質
0.005	3.00×10^{-6}	粗粒粘土	0.18	6.85×10^{-3}	
0.01	1.05×10^{-5}	細粒シルト	0.20	8.90×10^{-3}	細砂
0.02	4.00×10^{-5}		0.25	1.40×10^{-2}	
0.03	8.50×10^{-5}	粗粒シルト	0.30	2.20×10^{-2}	
0.04	1.75×10^{-4}		0.35	3.20×10^{-2}	
0.05	2.80×10^{-4}		0.40	4.50×10^{-2}	中砂
0.06	4.60×10^{-4}		0.45	5.80×10^{-2}	
0.07	6.50×10^{-4}		0.50	7.50×10^{-2}	
0.08	9.00×10^{-4}	微細砂	0.60	1.10×10^{-1}	
0.09	1.40×10^{-3}		0.70	1.60×10^{-1}	粗粒砂
0.10	1.75×10^{-3}		0.80	2.15×10^{-1}	
0.12	2.60×10^{-3}		0.90	2.80×10^{-1}	
0.14	3.80×10^{-3}	細砂	1.00	3.60×10^{-1}	
0.16	5.10×10^{-3}		2.00	1.80	細礫

1cm/sec＝0.01m/sec

10mm 以下，D_{10} が 1mm 以下とされている。詳細は 13 章を参照されたい。その他には建設材料としての適正判定や掘削工法の選定に利用されている。

2.3　土のコンシステンシー

図 2.7 に示すように，細粒土（乾燥質量で細粒分を 50％以上含む土）は，含水の多さによって，液状から塑性状，半固体状さらに固体状に変化する。このような土の含水量の変化による状態変化や変形に対する抵抗の大小をコンシステンシーといい，これらの状態の境界の含水比を総称してコンシステンシー限界という。液性限界 w_L（％）は土が塑性状態から液状に移る境界の含水比，塑性限界 w_p（％）は塑性状態から半固体状に移る境界の含水比，収縮限界 w_s（％）は土の含水量をある量以下に減じてもその体積が減少しない状態の含水比と定義される。表 2.4 に w_L および w_p の測定例を示す。

2.3 土のコンシステンシー

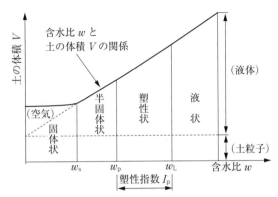

図 2.7 土のコンシステンシー限界

表 2.4 液性限界および塑性限界の例

土の種類	液性限界 w_L (%)	塑性限界 w_p (%)
粘土（沖積層）	50〜130	30〜60
シルト（沖積層）	30〜80	20〜50
粘土（洪積層）	35〜90	20〜50
関東ローム	80〜150	40〜80

2.3.1 土のコンシステンシー試験

図 2.8 に示すように，液性限界 w_L は，黄銅の皿の中によく水で練り混ぜた土を入れて，その中央に溝を切り，この皿を硬質ゴムの台の上に 1cm の高さから 1 秒間に 2 回の割合で落下させ，落下回数が 25 回の時，二分した溝の底部が長さ 1.5cm にわたり合流するときの含水比と定義される。実際には落下回数 25〜35 回と 10〜25 回で合流する土の含水比をそれぞれ 2 個程度求め，これを片対数の図上にプロットした流動曲線から，落下回数 25 回に相当する含水比を求めて液性限界 w_L とする。

塑性限界 w_p は，図 2.9 に示すように，液性限界試験で用いた同じ試料の塊をよく練り，ガラス板上で手のひらを用いて転がしながら直径 3mm にしたときに，ちょうど切れぎれになるときの含水比と定義される。塑性限界が求められない場合や塑性限界が液性限界以上となる場合は NP (non plastic：非塑

第 2 章　土の物理的特性と試験法

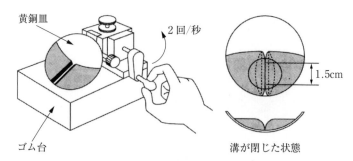

図 **2.8**　液性限界試験の様子[1]

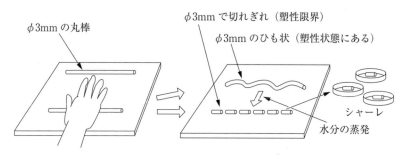

図 **2.9**　塑性限界試験の様子[1]

性）とする。収縮限界 w_s は収縮定数試験で求められる。完全に乾燥したときの土の体積を収縮限界の体積と考え，このときの間隙を水で完全に満たしたときの含水比で与えられる。

2.3.2　コンシステンシー限界の利用

式（2.27）の塑性指数 I_p は細粒土の分類に用いられ，土の力学的性質と密接に関係している。

$$I_p = w_L - w_p \tag{2.27}$$

式（2.28）の液性指数 I_L は，自然含水状態における土の相対的な硬さや軟らかさを表す指標である。土が自然状態で保持する自然含水比 w_n が液性限界 w_L と塑性限界 w_p に対して相対的にどのくらいの位置にあるかを示す。

$$I_\mathrm{L} = \frac{w_\mathrm{n} - w_\mathrm{p}}{w_\mathrm{L} - w_\mathrm{p}} = \frac{w_\mathrm{n} - w_\mathrm{p}}{I_\mathrm{p}} \tag{2.28}$$

式（2.29）のコンシステンシー指数 I_c は土の相対的な硬さや安定度を表す。$I_\mathrm{c} \geq 1$ は自然含水比が塑性限界に近いか，それ以下であるため比較的硬く安定な状態にあること，$I_\mathrm{c} \leq 0$ は自然含水比が液性限界に等しいかそれ以上で，乱されれば液状になって不安定な状態になる。

$$I_\mathrm{c} = \frac{w_\mathrm{L} - w_\mathrm{n}}{w_\mathrm{L} - w_\mathrm{p}} = \frac{w_\mathrm{L} - w_\mathrm{n}}{I_\mathrm{p}} \tag{2.29}$$

2.4 地盤材料の工学的分類

地盤材料の工学的分類とは，土を工学的性質の類似したグループに分けることである。分類によって工学的性質を類推し，土工材料としての問題点や地盤としての問題点の把握を容易にする。ただし，中間土（砂分が 50〜80%，I_p が 30% 程度の土）は，分類上は粗粒土でも工学的に細粒土の性質が問題となる場合やその逆があり，粘性土は風成，水成(海成，淡水成など)などの堆積環境で性質が異なる。また，いわゆる「くさり礫」は礫分の風化が激しく，容易に粉砕されるために砂質土に分類される場合がある。

2.4.1 土質材料の大分類

図 2.10 に示すように，粒径 75mm 未満の土質材料は，観察，その土の起源，粒径における粗粒分または細粒分の含有率，礫分または砂分の含有率，地質学的情報，臭い，色などから大分類される。なお，礫分と砂分の含有率が同じ場合は砂質土に大分類される。細粒土の分類では特に，その土の起源や成因，堆積環境やその後の履歴に関する情報が重要である。

2.4.2 粗粒土の中小分類と細区分

大分類された粗粒土は，表 2.5 の「質」と「まじり」の表記に従い，礫分，砂分および細粒分の含有率により，目的に応じた段階まで中小分類される。

同じ「質」や「まじり」の構成粒子の記号や日本語の分類名を続ける場合は，粒度の細かい方を前に付ける。「質」は複数回使えるため，細粒分質砂質

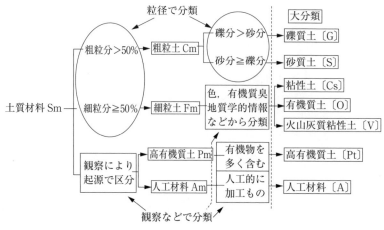

図2.10 土質材料の大分類

表2.5 「質」と「まじり」の使い方

質量構成比	分類表記	接続記号
15%以上　50%未満	○○質	なし
5%以上　15%未満	○○まじり	—（ハイフン）
5%未満	表記しない	なし

や細粒分質礫質となる。「まじり」は1度しか使えないため，細粒分砂まじりや細粒分礫まじりと表示する。分類記号を囲むカッコは，〔　〕が大分類，｛　｝が中分類，（　）が小分類として区別されている。なお，中分類に接続記号はない。

図2.11に礫質土〔G〕の中小分類，図2.12に砂質土〔S〕の中小分類を示す。さらに，細粒分含有率が5%未満の粗粒土は，均等係数U_cが10以上を「粒径幅の広い（W）」，10未満を「分級された（P）」に細区分できる。例えば，$U_c≧10$の礫（G）は粒径幅の広い礫（GW），$U_c<10$は分級された礫（GP）となる。

細粒分が5%以上15%未満の「細粒分まじり○○」と15%以上50%未満の「細粒分質○○」は，細粒分が観察や試験で分類できる場合は，その分類に記

2.4 地盤材料の工学的分類

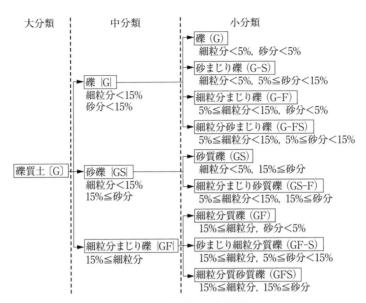

図 2.11 礫質土の中小分類

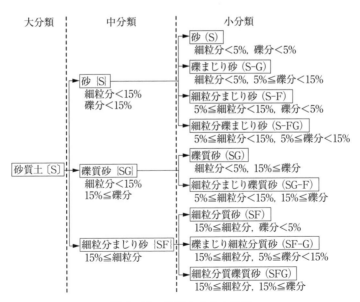

図 2.12 砂質土の中小分類

号や日本語分類名を置き換えることができる．例えば，細粒分質砂質礫（GFS）で細粒分が粘土（高液性限界）（CH）であることが判明している場合は，粘土（高液性限界）質砂質礫（GCHS）となる．

2.4.3 細粒土の中小分類と細区分

図 2.13 に細粒土の中小分類を示す．粘性土〔Cs〕は，図 2.14 の塑性図の A 線より上か下かで，粘土｛C｝またはシルト｛M｝に中分類され，さらに B 線の液性限界 w_L が 50％未満と 50％以上で低液性限界または高液性限界に小分類される．液性限界 w_L または塑性限界 w_p のいずれかが測定不能の場合はシルト｛M｝となる．

有機質土〔O〕の中分類は，大分類の〔○○〕から中分類の｛○○｝へカッコだけが変わる．有機質土は粘性土と同様に，液性限界 w_L が 50％未満と 50％以上で小分類される．観察から火山灰質土と判定できる場合は，有機質火山灰土（OV）となる．

火山灰質粘性土〔V〕の中分類は，有機質土と同様にカッコだけが変わる．

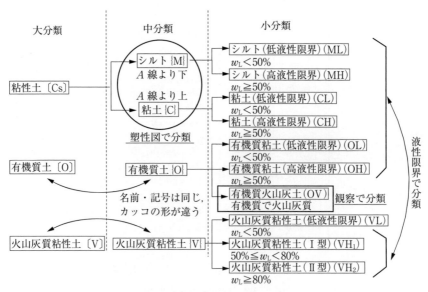

図 2.13　細粒土の中小分類

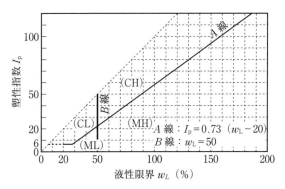

図 2.14 塑性図

表 2.6 細粒土の細区分

土質名称	分類記号	砂分混入量	礫分混入量
細粒土	F	砂分＜5％	礫分＜5％
礫まじり細粒土	F-G		5％≦礫分＜15％
礫質細粒土	FG		15％≦礫分
砂まじり細粒土	F-S	5％≦砂分＜15％	礫分＜5％
砂礫まじり細粒土	F-SG		5％≦礫分＜15％
砂まじり礫質細粒土	FG-S		15％≦礫分
砂質細粒土	FS	15％≦砂分	礫分＜5％
礫まじり砂質細粒土	FS-G		5％≦礫分＜15％
砂礫質細粒土	FSG		15％≦礫分

小分類は液性限界 w_L の大きさに応じて3種類に分けられる。

なお，細粒土は，粗粒分が5％以上混入する場合は，表2.5に従って，表2.6のように細区分される。ただし，粗粒土の場合と異なり，砂分と礫分が同じ「質」や「まじり」の場合は，砂礫まじりや砂礫質と表示する。

2.4.4 高有機質土と人工材料の中小分類

図2.15の高有機質土〔Pt〕は，有機質土〔O〕と同様にカッコだけが変わる。小分類は繊維質の分解の進み具合で2つに分ける。泥炭（Pt）とは繊維質の分解が不完全なもの，黒泥（Mk）は黒色で繊維質が認められないもので

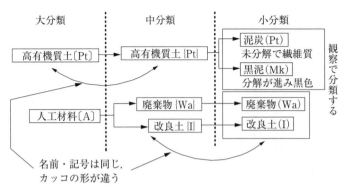

図 2.15　高有機質土と人工材料の中小分類

ある．人工材料［A］の判別は，その地盤が廃棄物地盤か改良土地盤で判断され，中分類と小分類はカッコだけが変わる．廃棄物について一般廃棄物か産業廃棄物かの区別は行わない．

2.4.5　その他

観察のみで小分類を行った場合，（＊SG）または（$\overline{\text{SG}}$）のように＊または上線をつけ，埋土や盛土などの人工地盤の土には，（#SG）または（SG）のように#または下線をつけて区別することができる．

引用文献

1）地盤工学会：土質試験―基本と手引き―（第二回改訂版），2010.

第3章　有効応力と間隙水圧

2章で示したように，土は複雑な構造をもつ土粒子の骨格と，空気および水で満たされた間隙から成る三相構造である。そして，通常，地表面の下あるいは盛土などの土構造物の中には，それぞれ地下水位面あるいは浸潤面（以下，地下水位面など）があり，それらの下方の土は飽和状態にあると考える。

ここで，飽和土は，間隙が水で満たされているので，土粒子の実質部分と水の二相構造になる。そのため，飽和土に働く応力（全応力）σ は，土粒子が受け持つ有効応力 σ' と間隙の水に作用する間隙水圧 u の2つの成分に分けて考える。土質力学の父と呼ばれるテルツァーギ（Terzaghi）によって，"飽和土では土の挙動は有効応力によって統一的に説明される"という"有効応力の原理"が提唱されて以来，土の多様な力学挙動は有効応力により説明されてきており，有効応力の概念は，土質力学の基本である。

さらに，飽和土は有効応力の変化，言い換えると，地盤や盛土などの構造物の安定に深く関わるので，地下水位面などによる影響の理解が重要である。なお，地下水位面などより上方にある土層では，飽和度が100%より小さい不飽和状態にあり，地下水位面などからの毛管水の影響により負の間隙水圧（サクション）が作用している。そのため，不飽和土は飽和土と異なる強度あるいは変形の挙動を示すので，不飽和土の力学挙動を理解することは重要であるが，基礎的な土質力学の範囲から外れるので，詳細な説明は他書に譲り，本章では有効応力式の記述に留める。

3.1　土中の滞水状態

図3.1は地表面から下の地盤の状況である。ある深度に地下水位面などがあるが，その上方は不飽和状態，下方は飽和状態にある。飽和状態の飽和度は

第3章 有効応力と間隙水圧

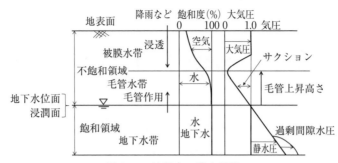

図 3.1 地盤内の滞水状態

100％であるが，地下水位面などから地表面に向かって徐々に飽和度が低下し，間隙の空気相が増える．さらに，全体に大気圧が作用しているが，地下水位面などの下では，水の重量による静水圧が深度に比例して作用している．なお，液状化（13章）などにより部分的に間隙水圧が増加する場合は，過剰間隙水圧が作用する．

ここで，地下水位面などの上方のある範囲では，サクションと呼ぶ負圧が作用しており，大気圧より低い状態にある．この地下水位面からの高さに比例したサクションが作用している範囲を毛管水帯と呼ぶが，この毛管作用により地下水位面などからある高さ（毛管上昇高さ）までの土の間隙内を水が上昇する（毛管現象と呼ぶ）．また，地下水位面などから下を地下水帯，毛管水帯から上を被膜水帯と呼ぶ．なお，不飽和領域には毛管作用により水が上昇するほか，降雨などにより地表面から水が地盤内に浸透する．なお，本章では地下水位面を地下水位と呼ぶ．

3.2 地下水位と浸潤面

1章の図1.6の一次元多層地盤あるいは二次元単一地盤において，地下水位を考えると図3.2になる．つまり，前者ではある深度で水平に広がった状態，後者では水平あるいは水平方向に水位が変化する状態になる．

平坦地盤以外での地下水位などは，図3.3のようになっている．堤防やフ

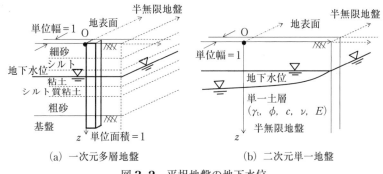

(a) 一次元多層地盤　　(b) 二次元単一地盤

図3.2　平坦地盤の地下水位

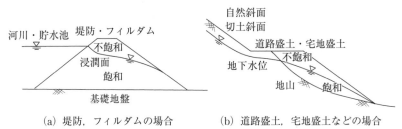

(a) 堤防, フィルダムの場合　　(b) 道路盛土, 宅地盛土などの場合

図3.3　浸潤面, 地下水位の実際

ィルダムでは，河川あるいは貯水池の水は堤内を浸透し，飽和状態と不飽和状態の境界は浸潤面になる．また，道路盛土，宅地盛土，自然斜面，切土斜面では，地下水が標高の高い方から低い方へ，地山内あるいは盛土内を浸透し，飽和状態と不飽和状態の境界は地下水位になる．これらの浸潤面と地下水位は，平坦地盤と同様な特性があるが，水の流れの方向に高さが変化しているので，地下水位などの位置，深さ，分布の形状を決めることが必要になる．

3.3　応力とその基本

土には重量あるいは質量があるため，それにより地盤の中では力が作用している．また，地表面に盛土をする，地震動が作用するなど，外力が地盤に作用した場合は，地盤の中ではそれらの外力が付加される．地盤の安定性を工学的に考えるためには，地盤内の力の発生状況を知る必要がある．そのため，本節

では，地盤内で考える力の定義を示すとともに，その基本である"有効応力の原理"を示す．

3.3.1 応力の定義

図 3.4 のように，地表面を原点として深さ方向（鉛直方向）を z 軸とする 1 次元の地盤において，断面積 A，高さ z の直方体の土柱を考える．土の単位体積重量（γ_t）あるいは密度（ρ_t）から，土柱の総重量（W）あるいは総質量（M）は，それぞれ式（3.1）である．

$$W = \gamma_t z A \quad \text{あるいは} \quad M = W/g = \rho_t z A \tag{3.1}$$

これらの重量あるいは質量は，土柱の底面に荷重あるいは力として作用している．ここで，ある面の単位面積当たりに作用する力を応力と呼び，面に垂直に作用する応力を直応力と呼ぶ（7 章）．図 3.4 の場合は，土柱の水平な底面に垂直（鉛直方向）に作用するので鉛直応力と呼び，σ_z（添え字の z は応力が作用する軸方向を表す）で表記する．ただし，本章では図 3.4 の鉛直応力を σ（シグマ）で表記し，式（3.2）で定義する．

$$\sigma = W/A = \gamma_t z = \rho_t g z \quad \text{あるいは} \quad \sigma = Mg/A \tag{3.2}$$

ここで，式（3.2）から，鉛直応力は単位体積重量あるいは密度を比例定数とする深度 z の一次関数である．そのため，鉛直応力の深度分布は図 3.4 の直線で表され，その傾きは単位体積重量（あるいは密度，以下同じ）である．

3.3.2 有効応力の原理

土は土粒子，水および空気から成る三相構造であり，図 3.5 の左図の自然土の粒状構造のように，不規則な形状，大きさの土粒子が分布し，土の骨格構

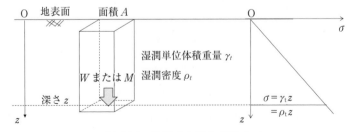

図 3.4　地盤内の応力の基本

3.3 応力とその基本

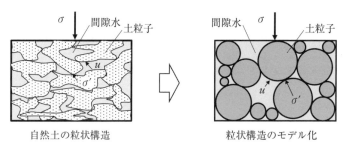

図**3.5** 自然土の粒子構造のモデル化＝飽和土

造を形成している。しかし，土粒子の形状は，粒径（直径あるいは半径）を持つ球形あるいは円形に置き換えて考えるので，図3.5の右図のようにモデル化される。そこでは，円形の土粒子は互いに接点を介して繋がり，粒子間力（σ'：有効応力と呼ぶ）を伝える骨格構造を形成している。

図3.5の矩形の土の要素の上面に応力（σ：全応力と呼ぶ）が作用しているとした場合，この土を飽和土とすると，間隙は水で満たされているので，間隙水圧（u）が発生する。そして，全応力，間隙水圧および有効応力は，式(3.3)で関係づけられる。

$$\sigma = \sigma' + u \tag{3.3}$$

すなわち，任意の断面における全応力は，有効応力と間隙水圧の合力と釣り合う関係にあり，これを"有効応力の原理"と呼ぶ。ここで，全応力は深度と単位体積重量から算出でき，間隙水圧は間隙水圧計で計測できるため（7章），有効応力は$\sigma' = \sigma - u$により間接的に算出できることになる。ここで，有効応力は骨格構造を支え，力を伝える要因であるので，圧密（6章），土のせん断強度（7章），地盤の支持力（11章）など，あらゆる土の特性に密接に関わる。

なお，式(3.3)において，地下水位以下の領域では$u \geq 0$であるものの，地下水位より上の土では間隙水圧は負になる。図3.1に示す毛管水帯では，地下水面からの高さに比例した負の水圧，サクションが作用するものの，ある高さ以上の領域では飽和度が低下し自由水の連続性が失われるとともに，サクションは小さくなる。このとき，間隙水圧の有効応力への寄与分は有効飽和度

第 3 章　有効応力と間隙水圧

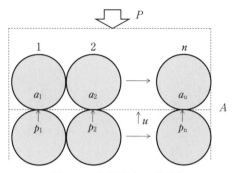

図 3.6　作用応力の模式化

(自由水が占める飽和度) に比例するとされており，地下水位以上の領域では式 (3.3) は次のように表現される。

$$\sigma = \sigma' + S_e u \tag{3.3}'$$

ここで，S_e は有効飽和度である。

さて，式 (3.3) の意味について，図 3.6 の模式図のように，n 個の対の円形の土粒子が断面積 A の面を介して接するとする。各接点の面積を a_i，作用する粒子間力を p_i，間隙水圧を u とすると，全体の作用力 P は式 (3.4) で表される。

$$P = (A - \sum a_i)u + \sum a_i p_i \tag{3.4}$$

ここで，接点の面積は断面積 A に比べて微小であるので，第1項は $A - \sum a_i \simeq A$ と見なし，第2項から $\sum a_i p_i / A$ を単位面積当たりの粒子間力 (= 有効応力 σ') とすると，全応力は式 (3.5) となり，式 (3.3) の関係になる。

$$\sigma = P/A = (1 - \sum a_i / A)u + \sum a_i p_i / A = u + \sigma' \tag{3.5}$$

3.4　多様な条件による鉛直応力

本節では，地下水位の有無，地表面上の荷重の作用など，多様な条件における地盤内の応力の算出方法とその意味を示す。なお，地盤内の応力には6種類ある (9章) が，本章では水平面に作用する鉛直応力 σ_z を対象にする。この場合，有効応力は鉛直有効応力 σ'_z になるが，本節では添え字の z は省略し，

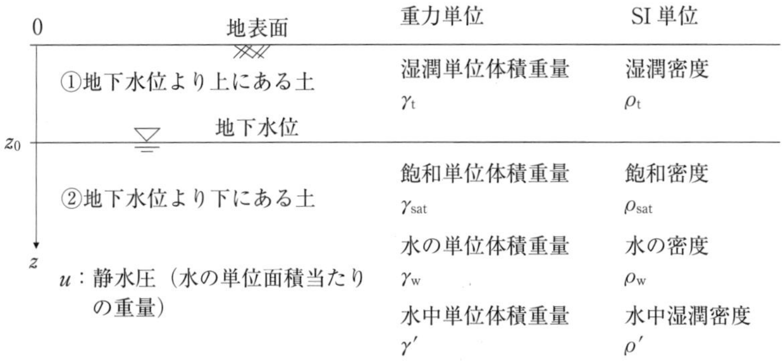

3.4 多様な条件による鉛直応力

	重力単位	SI単位
①地下水位より上にある土	湿潤単位体積重量 γ_t	湿潤密度 ρ_t
②地下水位より下にある土	飽和単位体積重量 γ_{sat}	飽和密度 ρ_{sat}
u：静水圧（水の単位面積当たりの重量）	水の単位体積重量 γ_w	水の密度 ρ_w
	水中単位体積重量 γ'	水中湿潤密度 ρ'

図**3.7** 地盤構造と土質特性の基本

全応力 σ と有効応力 σ' で表記する。

さて，図3.7は基本的な地盤構造と土質特性であるが，地表面を原点とした深度方向を z 軸として，地下水位の深度を z_0 とする。地下水位より上は湿潤単位体積重量（あるいは湿潤密度）であり，地下水位より下は飽和単位体積重量（同飽和密度）である。ここで水中単位体積重量（同水中湿潤密度）は，水の単位体積重量（同密度）により，式（3.6）の関係がある。

$$\gamma' = \gamma_{sat} - \gamma_w \quad \text{あるいは} \quad \rho' = \rho_{sat} - \rho_w \tag{3.6}$$

なお，以下では重力単位で表記する。

3.4.1 地下水位がない地盤

地盤条件の基本として，図3.8の地下水位が無い地盤を考える。この場合，

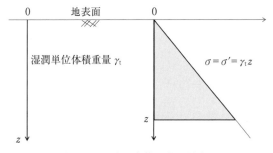

図**3.8** 地下水位がない地盤

間隙水圧はゼロと考え，全応力，有効応力は式（3.7）になる．

$$\sigma = \sigma' = \gamma_t z \tag{3.7}$$

式（3.7）から，全応力は単位体積重量を比例定数として，深度 z に比例して増加する．

3.4.2 複数の土層から成る地盤

図3.9のように，地下水位が無く，異なる土質特性の2層で構成された地盤を考える．2層目の深度 z の全応力は式（3.8.1）で表記される．同様にして，3層で構成される地盤の3層目の深度 z では式（3.8.2）になり，n 層で構成される地盤の n 層目では式（3.8.3）になる．なお，z_i は i 番目の層の下面の深度である．また，地下水位がある場合（3.4.3項）は，地下水位より下の層は，水中単位体積重量を用いる．

$$\sigma_2 = \gamma_{t1} z_1 + \gamma_{t2}(z - z_1) \tag{3.8.1}$$

$$\sigma_3 = \gamma_{t1} z_1 + \gamma_{t2}(z_2 - z_1) + \gamma_{t3}(z - z_2) \tag{3.8.2}$$

・・・・・・

$$\sigma_n = \gamma_{t1} z_1 + \gamma_{t2}(z_2 - z_1) + \cdots + \gamma_{tn}(z - z_{n-1}) \tag{3.8.3}$$

ここで，各層の土質特性が全応力の分布特性に及ぼす影響について，図3.10の3ケースの全応力の分布図から，以下のことが読み取れる．まず，ケース①とケース②の比較では，層2における z 軸に対する全応力の傾きが同じであるが，層1の傾きはケース①が大きい．ここで，傾きは単位体積重量を表

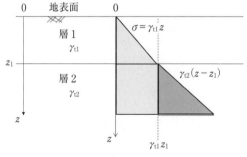

図 **3.9** 複数（2層）の土層の地盤

3.4 多様な条件による鉛直応力

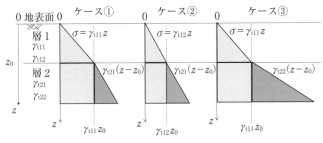

図 **3.10** 応力分布の特徴

すので，層1のケース①の単位体積重量 γ_{t11} はケース②の γ_{t12} より大きいことが分かる．また，ケース①とケース③の比較では，層1における z 軸に対する全応力の傾きが同じであるが，層2の傾きはケース③が大きい．従って，層2のケース③の単位体積重量 γ_{t22} はケース①の γ_{t21} より大きいことが分かる．

これらのことは，単位体積重量が全応力の分布直線の傾きを意味していることから判別できる．

3.4.3 地下水位がある地盤

地盤内の深度 z_0 に地下水位がある地盤の応力は図 3.11 になる．地下水位より上の全応力は，式 (3.7) で表記される．

$$\sigma = \gamma_t z \qquad (3.7) 再掲$$

また，地下水位より下の全応力，間隙水圧および有効応力は，式 (3.9) で表記される．

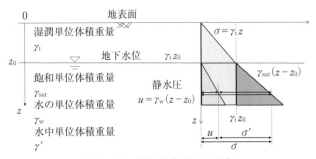

図 **3.11** 地下水位がある地盤

$$\sigma = \gamma_t z_0 + \gamma_{sat}(z - z_0) \tag{3.9.1}$$

$$u = \gamma_w(z - z_0) \tag{3.9.2}$$

$$\sigma' = \sigma - u = \gamma_t z_0 + (\gamma_{sat} - \gamma_w)(z - z_0) = \gamma_t z_0 + \gamma'(z - z_0) \tag{3.9.3}$$

3.4.4 水底の地盤

貯水池などの水底の地盤内の応力は図 3.12 になる。水底面より下の地盤の全応力，間隙水圧，有効応力は，式（3.10）で表記される。

$$\sigma = \gamma_w z_0 + \gamma_{sat}(z - z_0) \tag{3.10.1}$$

$$u = \gamma_w z \tag{3.10.2}$$

$$\sigma' = \sigma - u = (\gamma_{sat} - \gamma_w)(z - z_0) = \gamma'(z - z_0) \tag{3.10.3}$$

さて，図 3.12 の水深が z_0 から z_1 に変わった（$z_0 \leq z_1$）とすると，水底の地盤内の応力は，式（3.11）となる。

$$\sigma = \gamma_w z_1 + \gamma_{sat}(z - z_1) \tag{3.11.1}$$

$$u = \gamma_w z \tag{3.11.2}$$

$$\sigma' = \gamma'(z - z_1) \tag{3.11.3}$$

従って，式（3.10.3）と式（3.11.3）から，水底からの深度 $z - z_0$ と $z - z_1$ が同じであれば，有効応力は同じであり，水深には無関係である。例えば，水

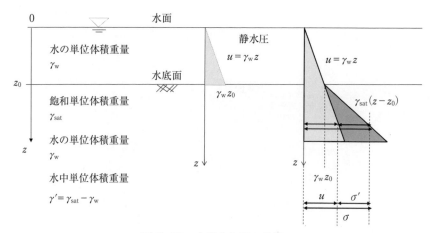

図 **3.12** 水底より下の地盤

深が 3m の池でも水深が 5,000m の深海でも水底面からの深度が同じであれば，有効応力は同じである．

3.4.5 地下水位が変化する地盤

図 3.13 の地下水位がある地盤で，地下水位が変化した場合の応力の変化を考える．この場合，地下水位の下が砂質土層か，粘性土層かにより応力の変化が異なることに注意が必要である．

まず，全応力は地下水位の低下に関わらず，変化しない．また，間隙水圧は，透水性が良い砂質土層では，排水により地下水位が低下すると同時に，低下した地下水位の静水圧になる．一方，透水性が悪い粘性土層では，地下水位の低下から長時間経過し，排水が終了した後に，間隙水圧は低下した地下水位の静水圧になる．以上から，全応力，間隙水圧，有効応力は式（3.12）で得られる．

$$\sigma = \gamma_t z_i + \gamma_{sat}(z - z_i) \tag{3.12.1}$$

ここで，z_i は地下水位の深度であり，地下水位低下によって $z_0 \to z_1$ となる．
なお，砂質土地盤あるいは長時間経過後の粘性土地盤では，

$$u = \gamma_w(z - z_1) \tag{3.12.2}$$
$$\sigma' = \sigma - u = \gamma_t z_1 + \gamma'(z - z_1) \tag{3.12.3}$$

一方，地下水位の低下直後の粘性土地盤では，

$$u = \gamma_w(z - z_0) \tag{3.12.4}$$
$$\sigma' = \sigma - u = \gamma_t z_0 + \gamma'(z - z_0) \tag{3.12.5}$$

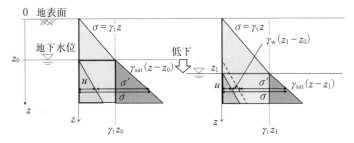

図 **3.13** 地下水位が低下した地盤

いずれにしても，地下水位低下によって最終的には有効応力が $\Delta\sigma' = (\gamma_t - \gamma')(z_1 - z_0)$ だけ増加することになり，これが地下水汲み上げによる地盤沈下の原因となる．

3.4.6 地表面に載荷がある地盤

図3.14の地下水位がある地盤で，地表面に等分布荷重 p が作用する場合の応力の変化を考える．この場合，前節の地下水位の低下の場合と同様に，地下水位下が砂質土層か，粘性土層かにより応力の変化が異なる．

まず，等分布荷重が作用すると，全応力は地盤全体で一様に p だけ増加する（図の破線）．全応力の上昇と同時に，間隙水圧も p だけ上昇する．この時，砂質土層は透水性が良いために，上昇した間隙水圧は瞬時に低下しゼロになる．また，粘性土層は，荷重の作用から長時間が経過し，排水が進むと，上昇した間隙水圧は低下し，ゼロになる．このとき，全応力は一定なので，低下した間隙水圧は有効応力の増加に置き換わる．従って，間隙水圧は，低下した地下水位に相当する静水圧になる．一方，荷重の作用直後の粘性土地盤は，排水し難いので，間隙水圧が p 上昇し，その後，排水により低下する．

以上から，全応力，間隙水圧，有効応力は式（3.13）で得られる．

$$\sigma = \gamma_t z_0 + \gamma_{sat}(z - z_0) + p \tag{3.13.1}$$

なお，砂質土地盤あるいは長時間経過後の粘性土地盤では，

$$u = \gamma_w (z - z_0) \tag{3.13.2}$$

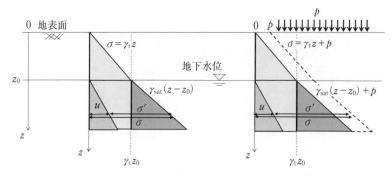

図 **3.14** 地表面に等分布荷重が載荷された地盤

$$\sigma' = \gamma_t z_0 + \gamma'(z-z_0) + p \qquad (3.13.3)$$

一方,荷重の作用直後の粘性土地盤では,

$$u = \gamma_w(z-z_0) + p \qquad (3.13.4)$$

$$\sigma' = \gamma_t z_0 + \gamma'(z-z_0) \qquad (3.13.5)$$

3.5 地下水位・浸潤面の影響

地下水位あるいは浸潤面が上昇すると,次のような土質力学,地盤工学に関わる様々な影響が発生するので,注意が必要である。しかし,見方を変えると,地下水位や浸潤面を低下させることにより,これらの影響を抑制することが期待できる。なお,本書でそれぞれの影響が関係する章を併記するので,関連付けて考えられたい。

1) 堤防における浸透,透水の促進（5章）
2) 堤防,掘削地盤におけるパイピング・ボイリングの発生（5, 11章）
3) 土圧の増加（11章）
4) 盛土,斜面のすべりに対する不安定化（12章）
5) 砂質土層の液状化の発生（13章）
6) 地中構造物の浮き上がりの不安定化（13章）

一方,地下水位の低下の影響には,地下水の汲み上げによる粘性土層の圧密（6章）による地盤沈下が特筆できるが,近年,我が国で厳しくなっている地下水の汲み上げの規制により,地下水位が上昇して,上記の6）が問題になっている。

参考文献
・地盤工学会：不飽和地盤の挙動と評価, 223p., 2004.
・石原研而：土質力学（第2版）, 丸善, 295p., 2001.

第4章　締固め特性

古代より人類は，身近にある土を締固めることにより，古墳，ため池など様々な土構造物を造ってきた。これらの多くは，長い年月を経た現在においても立派に機能している。良い土を用いて適切な締固め方法で十分に締固めた盛土は，鉄やコンクリート構造物と比較にならないほど耐用年数が長い。また古くから，水締めという言葉に代表されるように，土に含まれる水の量が締固め具合を左右する決定的な要因となる。最近では，締固め不足の宅地・鉄道盛土・道路盛土が，地震や豪雨により壊れる事故が後を絶たない。土は締固めるにつれて硬くなり，強くなるため，安全で耐久性に優れた盛土を造るためには，材料としての土を十分に締固めることが重要である。

一般に，土の締固めの度合いは，その土の乾燥密度 ρ_d を指標として判定し，同じ土の場合，締固め後の ρ_d が大きいほど締固め効果が高い（良い締固めである）とみなす。現場での土の締固めには，タイヤローラー，振動ローラー等の締固め用の各種施工機械を用いて土の表面にエネルギーを与える。この締固めエネルギーの伝達量は，深さ方向に急激に減少するため，一回の締固めエネルギーが大きいほど，施工機械の走行回数（転圧回数）が多いほど，そして一回に締固める土の層厚（まき出し厚という）が小さいほど，よく締固めることができる。本章では土の締固めの力学的メカニズム，室内締固め試験方法，土の締固め特性などの，土の締固めに関する基本事項を示す。

4.1　土の締固めの力学的メカニズム

同じ土の場合，最も良く締固めができる含水比が存在する。同じエネルギーを与えて締固めた場合，土を最も締固めることができる含水比は，図4.1に示すような不飽和状態でみられる。よって，土の締固め特性を理解するために

4.1 土の締固めの力学的メカニズム

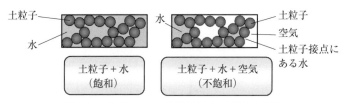

図 4.1 飽和土および不飽和土の構造の概念

は，不飽和土に特有な力学特性を知る必要がある。

図4.2は，直径Dの球状土粒子の接点に水が付着している様子である。粒子接点における間隙水には表面張力Tが作用している。また，毛管力により間隙水の圧力u_wは負の値を示し，一般に$p_a - u_w$（p_a：大気圧）をサクションという。このサクション効果により，土粒子を互いに押さえつけ合う接触力Nが作用する。メニスカス（表面張力の作用により，表面がくぼんだ形の水の曲面）の半径をrとすると，図4.2のA-A面での二次元の力の釣り合いから，土粒子の接触力Nは次式で与えられる。

$$N = 2T\sqrt{1 + \frac{D}{r}} \tag{4.1}$$

このように，同じ土の場合rが小さいほど（飽和度あるいは含水比が低いほど）Nは大きくなる。図4.3に示すように，土粒子の内力としての接触力Nは，土粒子を互いにずらせようとする外力に対して抵抗するため，Nが大きいほど締固めにくくなる。一方，土が飽和状態に近づくと，間隙水の圧縮性が土骨格の圧縮性と比較してはるかに小さいため，締固めエネルギーが土粒子骨格に十分に伝達されないので締固めにくくなる。この傾向は，粒子が細かく透水性の悪い土において，より顕著である。このような二つの相反するメカニズムが存在するため，最も良く締固めができる飽和度あるいは含水比が存在すると考えられる。

良い土とは締固め易い土のことであり，一般に，粒度分布が良くて（均等係数U_cが大きくて），排水し易い（透水係数が大きい）土，すなわち粒度分布の良い粒径の比較的大きな砂質土がこれに合致する。粒子の細かなシルト質土

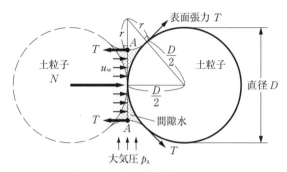

図 4.2　不飽和土の土粒子間に作用するサクションによる粒子間の接触力

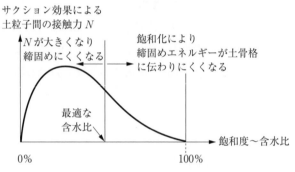

図 4.3　含水状態による不飽和土の粒子間接触力

や粘性土は，透水性が低くて土粒子の接触力が大きいため，締固めにくい悪い土といえる．一方，適切な締固め方法とは，土に大きな締固めエネルギーを与えることができる方法であり，接地圧が大きくて（重くて），地盤に振動を与えることができる施工機械が締固めには優れている．

4.2　土の締固め曲線

　同じ土の含水比 w を変えて一定のエネルギーで締固めたときに得られる乾燥密度 ρ_d の変化は図 4.4 のようになり，これを土の締固め曲線と呼ぶ．前節の力学的なメカニズムにより，締固め曲線はピークを示し，このピークに対応する乾燥密度を最大乾燥密度 $\rho_{d\,max}$，そのときの含水比は締固めるに最適な含

4.2 土の締固め曲線

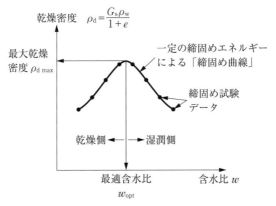

図 **4.4** 土の締固め曲線

水比である意味から最適含水比（optimum water content）w_{opt} という。土の締固め特性における最適含水比の存在は，最初に米国のプロクター（Proctor）により発見された。また，最適含水比より含水比が小さい領域を乾燥側，大きい領域を湿潤側と呼び，湿潤側において含水比が大きくなると乾燥密度と含水比の関係はほぼ線形となる。

ここで，土の乾燥密度は，飽和度 S_r を用いて式（4.2）で表せる。

$$\rho_d = \frac{G_s \cdot \rho_w}{1+e} = \frac{G_s \cdot \rho_w}{1+\dfrac{w \cdot G_s}{S_r}} = \frac{1}{\dfrac{1}{G_s}+\dfrac{w}{S_r}} \rho_w \tag{4.2}$$

土粒子の比重 G_s は一定であるから，図 4.5 に示すように，それぞれの飽和度に応じた乾燥密度と含水比の関係が得られる。この中で，$S_r = 100\%$ の場合の曲線は，土が飽和（間隙に空気がない）状態にあることから，ゼロ空気間隙曲線（ゼロ空隙曲線）と呼ばれている。室内試験による土の締固め曲線は，含水比の大きいところでこのゼロ空気間隙曲線に漸近してゆく。つまり，土の種類によらず，ゼロ空気間隙曲線は乾燥密度と含水比の関係の上限となる。これは，締固め試験結果を整理する上で大変便利な性質であるから，通常，締固め曲線と併用してゼロ空気間隙曲線（$S_r = 100\%$）を含む S_r の曲線群を描く。こ

第4章　締固め特性

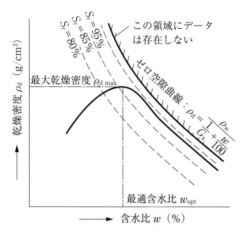

図 4.5　土の締固め曲線の特性

うすれば，締固め曲線上の任意の点における乾燥密度，含水比および飽和度を図上で即座に読み取ることができる。

4.3　室内締固め試験

　室内試験から土の締固め曲線を求める場合，装置や試験者によって試験結果が異なるようでは無用な混乱を招く。そこで，土の締固め特性は，日本工業規格 JIS 1210（1990）の突き固めによる土の締固め試験方法で規定された方法により求める。この試験に用いる器具は，円筒形をした金属性のモールドおよび土を突き固めるために用いるランマーである（図4.6）。表4.1に示すように，モールドは，内径10cm，容積1,000cm^{3}のタイプと，一回り大きなタイプ（内径15cm，容積2,209cm^3）の2種類があり，いずれも土がモールドの外にこぼれないようにカラー（仕切りリング）を使用する。ランマーも質量2.5kgと4.5kgの2種類があり，それぞれ落下高さを規定値（30cmおよび45cm）どおりに調節できるガイドが備わっている。これら2種類のモールドと2種類のランマーを試験の目的と土試料の最大粒径に応じて，5通り（A法〜E法：表4.1）に組み合わせて使用する。同じ土を同じ条件で締固める場合，4.5kg

4.3 室内締固め試験

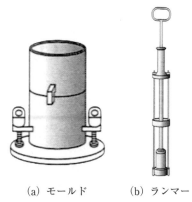

(a) モールド　　(b) ランマー

図 4.6　突き固め試験用のモールドとランマー[1]

表 4.1　締固め試験の方法と種類[1]

呼び名	ランマー質量 (kg)	ランマー落高 (cm)	モールド内径 (cm)	モールド容積 (cm³)	突固め層数	各層の突固め回数	許容最大粒径 (mm)	準備する試料の必要量		
								乾燥法繰返し法	乾燥法非繰返し法	湿潤法非繰返し法
								a	b	c
A	2.5	30	10	1000	3	25	19	5kg	3kg×n	3kg×n
B	2.5	30	15	2209	3	55	37.5	15kg	6kg×n	6kg×n
C	4.5	45	10	1000	5	25	19	5kg	3kg×n	3kg×n
D	4.5	45	15	2209	5	55	19	8kg	—	—
E	4.5	45	15	2209	3	92	37.5	15kg	3kg×n	6kg×n

注）n：試験の個数

のランマーの方が締固めエネルギーが大きいため，土がより締まるのは明らかである。試験に用いる土試料は，乾燥あるいは湿潤状態，そして繰返して使用できる場合と繰返し使用を許さない場合（締固めにより大量の土粒子が破砕する土の場合）の二通りが規定されている。

締固めに要したエネルギーの指標として，単位体積あたりの締固めに要したエネルギーE_cを式（4.3）で定義する。

$$E_c = (W_R \times H \times N_b \times N_L)/V \tag{4.3}$$

ここに，W_R：ランマーの重量，H：落下高さ

N_b：一層当たりの突き固め回数，N_L：層数，V：モールドの体積

標準的な試験（表4.1のA法；$W_R = 2.5$kgf，$H = 30$cm，$N_b = 25$，$N_L = 3$，$V = 1,000$cm^3）では，$E_c = 5.625$cm・kgf/cm^3（約550kJ/m^3）である。一方，4.5kgのランマーを用いるD法では，$E_c \fallingdotseq 25.3$cm・kgf/cm^3（約2,500kJ/m^3）であり，A法の4倍以上のエネルギーで土を締固める。欧米では，前者をプロクター試験，後者を修正プロクター試験と呼ぶ。

図4.7は，3層に分けて詰めた試料の突き固め回数を各層15回～100回の範囲で変えた一連の試験結果である。締固めエネルギーが大きい（突き固め回数が多い）ほど$\rho_{d\,max}$が大きくなり，w_{opt}が小さくなる。

実際の締固め試験では，土の含水比を変えて突き固め試験を行い，試験後に湿潤密度$\rho_t = W/V$と含水比wを測定し，乾燥密度ρ_dを式（4.4）により求める。試験結果は図4.4の黒点のデータで求められるので，それらを曲線で結び締固め曲線を描く。

$$\rho_d = \frac{\rho_t}{1 + \dfrac{w}{100}} \tag{4.4}$$

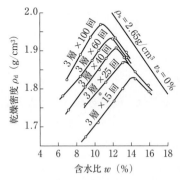

図 **4.7** 締固め曲線におよぼす締固めエネルギーの影響[1]

4.4 土の締固め特性に及ぼす粒度の影響

土の種類によって，締固め特性は大きく異なる．図4.8に示すように，平均粒径 D_{50} の大きい粒度配合のよい土（良配合という．例えば，①）では $\rho_{d\,max}$ が大きくなるが，細粒分の多い粒度配合の悪い土（貧配合という．例えば，⑤）では $\rho_{d\,max}$ が小さくなる．また，細粒分の多い粘性土やシルト質土で

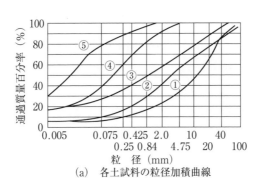

(a) 各土試料の粒径加積曲線

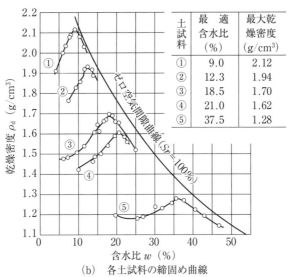

土試料	最適含水比（％）	最大乾燥密度（g/cm³）
①	9.0	2.12
②	12.3	1.94
③	18.5	1.70
④	21.0	1.62
⑤	37.5	1.28

(b) 各土試料の締固め曲線

図 **4.8** 粒度配合の異なる土の締固め曲線

は，締固め曲線が平坦になっている．一方，砂分を多く含む土の締固め曲線は明確なピークを示し，最適含水比も小さくなっている．4.1 節でも述べたように，締固め効果の高い土は，粒度分布が良くて，排水し易くて，サクションが小さい土，すなわち粒度分布の良い粒径の大きな砂質土であることがこの試験結果からもわかる．

4.5 盛土の締固め

盛土の締固め施工において，盛土が所定の品質を有することを確認するために，盛土の締固め管理を行う．土の締固め管理には，締固めた土の品質（例えば，乾燥密度）で管理する方式（品質規定）と，施工方法を規定して工法で規定する方法（工法規定）がある．

品質規定では，使用する予定の土の締固め曲線 $\rho_{d\,max(室内)}$ をあらかじめ室内試験により求めておく．現場で締固め後に測定した乾燥密度を $\rho_{d(現場)}$ とすると，盛土の締固め度 D_c は，

$$D_c = \rho_{d(現場)} / \rho_{d\,max(室内)} \times 100 \, (\%) \tag{4.5}$$

である．実際の施工では，道路土工の施工指針に示されているように，D_c の管理値（例えば，$D_c = 90\%$）を設定して，D_c がこの管理値以上となるように締固めることにより盛土の安全を確保する（図 4.9）．このとき，現場の締固め時の含水比が w_{opt} を含む管理限界内（$w_1 \leq w \leq w_2$）にあることが重要であ

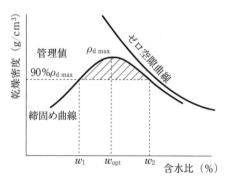

図 4.9　盛土の品質管理：品質規定

り，締固め時の含水比ができる限り最適含水比 w_{opt} に近くなるように水分量を調整して締固める。そのために，土の含水比が最適含水比よりかなり小さい場合には散水し，逆の場合には天日（太陽）で乾かす。後者の場合，細粒分が多く含水比の高い土の場合には自然乾燥に長い時間を要するため，生石灰やセメントを混合して含水比を強制的に小さくすることもある。このように良く締まった盛土を造るためには，締固め土の微妙な水分調整が必要なため，雨天時あるいは降雪地域における冬期施工は避けることが望ましい。

一般に，土取り場の土質は一定ではない。図 4.10 に示すように，実際には場所 A, B, C ごとに締固め曲線が異なるにもかかわらず，場所 B で求めた締固め曲線を基準にすると，見かけ上の締固め度が 100% を超える（場所 A）か，あるいは管理値よりも小さく（場所 C）なる。従って，土質が変化するたびに，きめ細かく締固め試験を実施して，当該地点の締固め度を求めることが必要である。この地道な努力を怠ると盛土の品質を保証することができない。

現場において締固めた土の締固め度を測定するためには，道路土工の土質調査指針で規定される置換法により乾燥密度 $\rho_{d(現場)}$ を測定する。砂置換法では，まず掘削器具を用いて盛土表面に穴を掘り，掘り出した土の全質量（m）と含水比 w を測定する。次に，図 4.11 に示すような測定器を用いて穴の中に乾燥

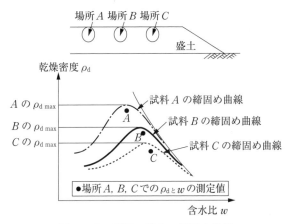

図 **4.10** 実際の盛土の締固め曲線

第 4 章 締固め特性

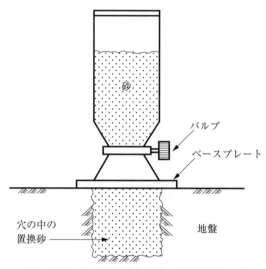

図 4.11 砂置換法に用いる測定器

した砂を入れ，穴の体積（V）を投入した砂の質量から求め，湿潤密度 ρ_t を求めて，式 (4.4) により乾燥密度 $\rho_{d(現場)}$ を推定する．砂置換法は手間がかかるため，最近では簡便で測定が迅速なラジオアイソトープ（radio isotope）の原理を利用した RI 法が多用されている．

引用文献

1) 地盤工学会：土質試験（基本と手引き），2000．

参考文献

・Proctor, R. R.: Design and construction of rolled earth dams, Engineering News Record, Vol. 1, 1933.
・地盤工学会：土質試験（基本と手引き），2000．
・地盤工学会：地盤調査の方法と解説，2004．
・日本道路協会：道路土工　施工指針，1997．
・日本道路協会：道路土工　土質調査指針，1997．

第5章　透水特性

　通常，地盤内には地下水面が存在し，地下水面下の土層は飽和している。地下水面の位置を地下水位と呼ぶ。地下水位より下の地下水は，静止しているだけでなく，地形などの自然条件や地下水の汲み上げなどの人為的作用によって，地盤内を移動，つまり，流れる。この地盤内の地下水の流れを透水と呼ぶが，この透水の特性により，ダムや堤防から漏出する漏水量，地盤からの汲み上げが可能な地下水量に関して，さらに地盤の掘削工事や降雨による斜面の地下水位上昇により発生する透水圧といった地盤の安定に関して，工学的に様々な問題が発生する。本章では，このような問題を発生させない，あるいは解決するために必要な地盤の透水特性の基礎事項を示す。

5.1　土中の流れとダルシー法則

　図5.1は地盤内の透水の概念図であるが，実線の矢印で示す地下水の流れの方向に平行な断面積Aの土中部（着色部）に着目する。仮に，地下水が流れる距離L（高度差h_L）の起点のa点と終点のb点に管を入れると，図のようにそれぞれ高さh_1およびh_2の水位で自由水面が上昇する。上昇高さは各点で作用している水圧の大きさを示す。ここで，距離Lを流れる間に自由水面はh（$=h_1-h_2-h_L$）だけ低下するが，このhは後述（5.4節）する全水頭の差であり，流れの発生結果であると同時に，流れの発生原因である。ここで，式（5.1）で定義する流れる距離に対する全水頭の差の比は，動水勾配と呼ぶ。同式から分かるように，動水勾配は無次元量であり，全水頭の変化量が大きいほど動水勾配は大きい。ここで，hは流れに沿った高さを表すので，正の値である。

$$i = h/L \tag{5.1}$$

第5章　透水特性

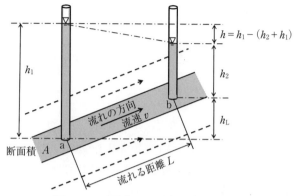

図 **5.1**　地盤内の地下水の流れの概念

ここに，i：動水勾配，h：全水頭の差（>0），L：流れる距離

さて，断面積 A の土中の流れが層流であるとき，ダルシー（Darcy）は土中の流速 v が動水勾配に比例することを実験的に明らかにした。この関係は式（5.2）で表記され，ダルシーの法則と呼ぶ。

$$v = ki \tag{5.2}$$

ここで，比例定数 k は透水係数と呼ぶが，式（5.2）から分かるように，流速は透水係数に比例し，透水係数が大きいほど流速が大きくなる。なお，透水係数の次元は流速であり，cm/s，m/s，m/day などで表記されるので，流量（例えば，m³/s，m³/day），断面積などの諸量の単位を整合させることに注意する。

また，断面積 A の土中部を流れる流量（単位時間当たり）は，式（5.3）で与えられる。

$$Q = vA = kiA \tag{5.3}$$

ここに，Q：流量，v：流速，A：断面積，k：透水係数，i：動水勾配

式（5.3）によれば，流量は透水係数，動水勾配あるいは断面積に比例するが，透水係数が大きい土（例えば，砂質土）ほど流量が大きい。言い換えると透水し易く，透水性が高いことを示す。なお，ある時間 T の間に流れる全流量は，式（5.3）の流量に時間を掛けた QT である。

5.2 室内透水試験

前節では土中の透水における透水係数の重要性が示されたが,透水を考える場合,まず検討対象の土層の透水係数を求めることが必要である。その方法は室内透水試験および現場透水試験(後述,5.9節)に大別されるが,本節では室内透水試験によって透水係数を算出する方法を示す。

室内透水試験には,以下に示す定水位透水試験と変水位透水試験(あるいは,降水位透水試験)があるが,詳細は土質試験法[1]を参照されたい。

5.2.1 定水位透水試験

本試験法の概要を図5.2(a)に示す。まず,透水係数を求めたい土試料を断面積A,高さLの円筒容器(通常,内径10cm,高さ12cm)に詰めるが,土試料を採取した現地の土層と同じ状態にするため,不攪乱試料を用いるか,密度を合わせるように締固める。そして,土試料に通水して飽和した後,水の供給側の水位と流出側の水位を固定して,水位差hを一定に保つ。つまり定水位の状態で土試料を透水する。流出する流量が定常になってから単位時間当たり流量Qを計測する。ここで,図5.1での動水勾配は一定なh/Lであるの

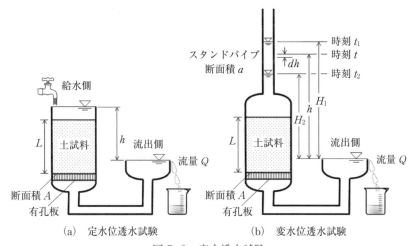

図 **5.2** 室内透水試験

で，式 (5.3) から，透水係数 k は式 (5.4) で算出できる．

$$k = \frac{Q}{A} \cdot \frac{L}{h} = \frac{QL}{Ah} \tag{5.4}$$

5.2.2 変水位透水試験

本試験法の概要を図 5.2 (b) に示す．図のように，断面積 a の管（例えば，内径 2cm）のスタンドパイプが連結された円筒容器（例えば，内径 6cm，長さ 6cm）に，透水係数を求めたい土試料を断面積 A，長さ L で詰める．そして，スタンドパイプの上端から給水して，土試料を飽和させるとともに，容器全体を水で満たす．流出側の水位を固定して越流させたまま給水を停止すると，土試料および容器内の透水により，スタンドパイプ内の水位がゆっくり降下を始める．

ここで，水位の降下途中のある時刻 t における流出側の固定水位とスタンドパイプ内の水位差を h とする．そして，時刻 t から微小時間 dt の時間経過によりスタンドパイプ内の水位が dh だけ降下したとする．このとき，dh の水位変化によるスタンドパイプ内の流量 dQ は式 (5.5) である．

$$dQ = -adh \tag{5.5}$$

ここで注意すべきは，dQ が正の値であるのに対して，dh は水位の減少を表す負の値であるため，左右辺の正負を合わせるために，右辺にマイナス（−）を付していることである．

定水位透水試験と異なり，水位差 h は変化するので透水中の動水勾配も変化するが，$t+dt$ における動水勾配を時刻 t での h/L と同じと見なすと，dt の間に土試料を透水した流量は，式 (5.3) から式 (5.6) で与えられる．

$$dQ = k\frac{h}{L}Adt \tag{5.6}$$

ここで，式 (5.5) のスタンドパイプ内の流量と式 (5.6) の土試料内の透水量は等しいので，式 (5.7) が成立し，これを解いた式 (5.8) が得られる．

$$-adh = k\frac{h}{L}Adt \tag{5.7}$$

$$\ln(h) = -\frac{kA}{aL}t + C \tag{5.8}$$

ここで，C は定数であるが，透水試験において，ある時刻 t_1 および t_2 で計測した水位差 h が，それぞれ H_1 および H_2 であったとすると，これらを条件として式（5.8）を解くと式（5.9）が得られ，土試料の透水係数が算出できる。

$$k = \frac{aL}{A(t_2-t_1)}\ln\left(\frac{H_1}{H_2}\right) = \frac{2.3aL}{A(t_2-t_1)}\log\left(\frac{H_1}{H_2}\right) \tag{5.9}$$

なお，式（5.9）の自然対数 $\ln$ は，常用対数の表記では $2.3\log$ である。

さて，定水位透水試験と変水位透水試験では，試験時の透水量は前者で多く，後者は少ない。これは，前者は透水性が良い。言い換えれば透水係数の大きい土，つまり，粒径の大きい粗粒土を対象とした試験法であり，後者は粒径の小さい細粒土を対象に適した試験法であることを意味する。ここで，両試験法を適用する土試料の境界の目安は，透水係数では 10^{-3}（cm/s）とされ，これより大きい土には定水位透水試験を用いる。

5.3 透水係数の特性

前節で求めた透水係数の意味を考えよう。さて，透水係数は土中の間隙水の流れの難易の程度を表す指標である。1章の図1.7や図1.9で概観したように，間隙（比）が大きいほど，水が流れ易い。つまり透水性が良い。高いと評価するが，透水係数に影響する要因には他にもある。

透水係数に関係する主要因とその影響は，式（5.10）で表わされる。

$$k = f(1/\mu, \ T, \ n, \ S_r, \ D) \tag{5.10}$$

ここに，μ：間隙液（水など）の粘性係数，T：間隙液の温度，n：間隙率，S_r：飽和度，D：粒径（例えば，D_{10}：10％粒径）であり，式（5.10）は，透水係数は間隙液の粘性係数が大きいと小さく，他方，液温が高い，間隙率，飽和度あるいは粒径が大きいと大きくなることを意味する。

透水係数は前節の室内試験などから直接求めることが最良であるが，直接求められない場合，経験式から間接的に求められる。例えば，式（2.25）のヘ

表 5.1　透水係数と土質および透水性

	10^{-7}cm/s 10^{-9}m/s		10^{-3}cm/s 10^{-5}m/s	
10^{-8}	10^{-6}	10^{-4}	10^{-2} 10^{0}	(cm/s)
	8.64×10^{-5}m/day		8.64×10^{-1}m/day	(m/day)
粘土	シルト，微細砂，粘土，シルト・砂の混合土		きれいな砂　きれいな礫	
不透水性	透水不良		透水良好	

ーゼンの式によれば水温と10％粒径（2乗で考慮）から，クレーガーによる表2.3を用いると土質分類に応じた20％粒径から求められる。

ここで，透水係数は土質と対応しているので，おおよその数値を知っておくことが必要である。表5.1は透水係数と土質あるいは透水性の関係であるが，10^{-7}cm/s以下の粘性土は不透水性，これと10^{-3}cm/sの間のシルトなどは透水不良，10^{-3}cm/s以上の砂や礫は透水良好と判断できる。なお，表5.1では透水係数の単位が幾つか併記してあるが，例えば，k(cm/s)＝(1/100m)/(1/(60×60×24)day)・$k=10^{-2}\times60\times60\times24\cdot k=8.64\times10^{2}\cdot k$(m/day) のように単位を変換する。

5.4　水頭と水圧

粘性を持たない液体の流管内の定常流では，式（5.11）で定義される水理学のベルヌーイの定理が成り立つ。

$$\gamma_w \frac{v^2}{2g} + \gamma_w z + u = 一定 \tag{5.11}$$

ここに，γ_w：液体の単位体積重量（kN/m³），v：液体の流速（m/s），g：重力加速度（m/s²），z：標高（m），u：圧力（液圧）（kN/m²）

式（5.11）の左辺の3項目は，それぞれ式（5.12）の3種類のエネルギーに対応し，それらの総和が一定であることを意味する。

$$運動（速度）のエネルギー＋位置のエネルギー＋圧力のエネルギー＝一定 \tag{5.12}$$

5.4 水頭と水圧

ここで、土中の透水では流速が小さいので、運動エネルギーを無視（$v^2 \simeq 0$）する。さらに、式（5.11）を水の単位体積重量γ_wで除すと式（5.13）になる。

$$z + \frac{u}{\gamma_w} = 一定 \tag{5.13}$$

注目すべきは、式（5.13）の左辺の第1項は高さを表し、第2項も高さの次元である点である。前者は位置水頭、後者は圧力水頭と呼ばれる。つまり、式（5.13）は、位置水頭と圧力水頭の和は一定であることを示す。両水頭の和を全水頭と呼ぶが、これらの関係は式（5.14）で表記される。

$$h = h_e + h_p \quad (= 一定) \tag{5.14}$$

ここに、h：全水頭、h_e：位置水頭、h_p：圧力水頭

式（5.14）から、水頭とは長さの次元であり、圧力水頭はその位置の水圧による水の上昇高さを意味する。これは、図5.1で示したa点とb点の管内水位に相当するので、h_1およびh_2は各点の圧力水頭である。

なお、土中の流れでは、透水とともに摩擦によりエネルギーが失われるので、全水頭は減少し、式（5.14）は一定ではない。これは、水理学と異なる点であり、土中では全水頭が大きい方から小さい方に流れる。図5.1では、a点の高さを位置エネルギーの基準高さと考えた場合、a点およびb点の位置水頭（＝基準高さからの高さ）は、それぞれ0およびh_Lであるので、全水頭h_aおよびh_bは、それぞれ式（5.15.1）および式（5.15.2）になる。

$$h_a = h_{ea} + h_{pa} = 0 + h_1 \tag{5.15.1}$$
$$h_b = h_{eb} + h_{pb} = h_L + h_2 \tag{5.15.2}$$

ここで、b点に対するa点の全水頭の差は式（5.16）であり、差hは＋値であるので、全水頭の大きいa点から小さいb点に向かって流れが発生している。

$$h_a - h_b = h_1 - (h_L + h_2) = h \quad > 0 \tag{5.16}$$

さて、後述するように、土中の水圧は地盤の安定に関係するので、土中の任意の点における水圧が求められると便利である。ここで、圧力水頭は$h_p = u/\gamma_w$で定義されるので、圧力水頭が求められると、式（5.17）によって、その位置の水圧uが求まることになる。

$$u = h_p \gamma_w \tag{5.17}$$

そこで，水頭の概念を用いて，圧力水頭，さらに水圧を求める方法を示す。図5.3は鉛直に置かれた断面積 A，長さ4m（$z = 1 \sim 5$m）の土試料であるが，その上端（Uで表記）は水深1m（$z = 6$m）の定水位で給水側に，下端（Lで表記）は1m高い位置（$z = 2$m）の定水位で排水側に繋がっており，透水により定常状態にあるとする。位置水頭の基準位置を $z = 0$m に設定する。

まず，土試料の上端に着目すると，上端の高さは $z = 5$m であるので，位置水頭 h_{eU} は5m であり，給水側の自由水面からの水深が1m であるので，圧力水頭 h_{pU} は1m である。従って，全水頭 h_U は位置水頭と圧力水頭の和の6m になる。次に，下端に着目すると，下端の高さは $z = 1$m であるので位置水頭 h_{eL} は1m であり，給排水側の自由水面からの水深が1m であるので，圧力水頭 h_{pL} は1m である。従って，全水頭 h_L は位置水頭と圧力水頭の和の2m になる。

以上は土試料の上下端での水頭であるが，土試料の任意の位置の水頭を求めるためには，水頭の分布が必要である。図5.4は水頭の分布図であり，縦軸は土試料の土層内高さであり，横軸は水頭である。図中には，上記で求めた上端と下端の全水頭，位置水頭および圧力水頭が記載されている。ここで，全水頭は上端と下端のそれを結んだ直線 h で描く。また，位置水頭は土試料内の z 座標から図中の直線 h_e で描ける。その結果，圧力水頭は，全水頭 − 位置水頭

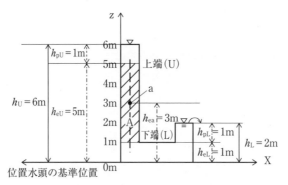

図 **5.3** 水頭を求める透水モデル

5.5 流れの基礎方程式と二次元流

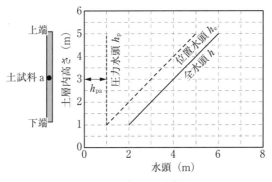

図5.4 水頭の分布図

から得られる直線 h_p で求まり，この h_p 線から土試料内の任意の高さにおける圧力水頭が得られる．本例の場合，圧力水頭は土試料内で一定の 1m である．従って，土試料中央の a 点での水圧は，$u = \gamma_w h_{pa} = 0.1\,\mathrm{kgf/cm^2} = 9.81\,\mathrm{kN/m^2}$ となる．

以上から，水頭の特性および分布を求める方法は，以下の通りである．
1) 位置水頭の基準位置は任意に決めてよい．
2) 水の流れは全水頭に支配され，全水頭の大きい方から小さい方に流れる．
3) 等質，等断面の土中では，全水頭は一定の割合（直線）で減少する．
4) 圧力水頭の基準は大気圧とし，自由水面位置で 0 である．
5) 圧力水頭は自由水面との高低差であり，自由水面が高い場合は正の値であり，低い場合は負の値である．
6) 土中部の境界において位置水頭と圧力水頭から全水頭を求め，土中部内では全水頭と位置水頭の差から圧力水頭を求める．

5.5 流れの基礎方程式と二次元流

図1.6に示したように，地盤は三次元であるので，一般的に透水も三次元方向に発生する．ここで，x，y および z の直交座標系を考え，ダルシー法則が成り立つ流れ場を考える．すると，全水頭を h (>0) とした3方向の透水

について，動水勾配は式（5.18），流速は式（5.19）で表わされる。

$$i_x = -\frac{\partial h}{\partial x} \quad i_y = -\frac{\partial h}{\partial y} \quad i_z = -\frac{\partial h}{\partial z} \tag{5.18}$$

$$v_x = -k_x\frac{\partial h}{\partial x} \quad v_y = -k_y\frac{\partial h}{\partial y} \quad v_z = -k_z\frac{\partial h}{\partial z} \tag{5.19}$$

図5.5のように，Δx, Δy および Δz の長さの辺を持つ微小六面体要素における流入量 Q_{in} および流出量 Q_{out} は次式で与えられる。

$$Q_{in} = v_x \Delta y \Delta z + v_y \Delta z \Delta x + v_z \Delta x \Delta y \tag{5.20.1}$$

$$\begin{aligned}Q_{out} &= \left(v_x + \frac{\partial v_x}{\partial x}\Delta x\right)\Delta y \Delta z + \left(v_y + \frac{\partial v_y}{\partial y}\Delta y\right)\Delta z \Delta x \\ &+ \left(v_z + \frac{\partial v_z}{\partial z}\Delta z\right)\Delta x \Delta y\end{aligned} \tag{5.20.2}$$

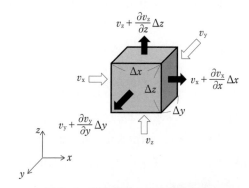

図 **5.5** 流れ場における微小要素

ここで，水の連続性を考慮すると，流入量と流出量は等しくなるため，次式の連続式が与えられる。

$$\frac{\partial v_x}{\partial x} + \frac{\partial v_y}{\partial y} + \frac{\partial v_z}{\partial z} = 0 \tag{5.20.3}$$

ここで，地盤の透水性が等方である，つまり $k_x = k_y = k_z$ であるとし，式（5.19）を式（5.20.3）に代入すると，式（5.21）になる。

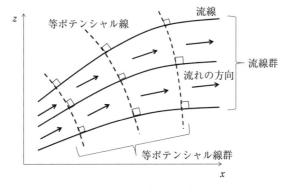

図 **5.6** 二次元流の解

$$\frac{\partial^2 h}{\partial x^2} + \frac{\partial^2 h}{\partial y^2} + \frac{\partial^2 h}{\partial z^2} = 0 \tag{5.21}$$

式（5.21）はラプラス（Laplace）の方程式と呼ばれ，定常状態の土中の三次元流の基礎方程式である．通常，透水は簡易な鉛直面内の二次元流で模擬することが多いが，鉛直-水平方向の x-z 座標系の基礎方程式は式（5.22）になる．

$$\frac{\partial^2 h}{\partial x^2} + \frac{\partial^2 h}{\partial z^2} = 0 \tag{5.22}$$

式（5.22）による流れの場の意味付けは他書[2]に譲るが，二次元流は相互に直交する2種類の曲線群で表わされる．その一つは等ポテンシャル線（群）であり，もう一つは流線（群）と呼ばれ，流れの場は図5.6のように，等ポテンシャル線群と流線群で区切られるが，これをフローネット（flow net：流線網）と呼ぶ．ここで，等ポテンシャル線群は全水頭の等高線分布を表し，同じポテンシャル線上の全水頭は等しく，隣接するポテンシャル線では流れの方向に全水頭が低下する．他方，流線は流れの方向に平行であり，隣接する流線の間を透水し，流線と交差して流れることは無い．

5.6 フローネットによる透水量・水圧

前節の二次元流の等ポテンシャル線群と流線群によるフローネットを用い

第5章 透水特性

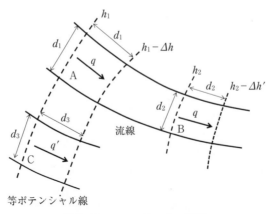

図 **5.7** フローネットの特徴

て，土中の透水量あるいは水圧を簡易に求める図解法がある．ここでは，図解法により，土中の透水量あるいは水圧を求める方法を示す．

図5.7はフローネットの一部（単位奥行き当たり）であるが，A，BおよびCのネットの形は正方形に近似させて描き，辺の長さをそれぞれ d_1, d_2 および d_3 とする．また，AとBのネットおよびCのネットを形成するポテンシャル線の全水頭を，それぞれ h_1 と $h_1 - \Delta h$ および h_2 と $h_2 - \Delta h'$ とする．ここで，AとBのネットでは流量 q が同じであり，動水勾配および断面積は，それぞれ $\Delta h/d_1$, $d_1 \cdot 1$ および $\Delta h'/d_2$, $d_2 \cdot 1$ であるので，ダルシーの法則から式（5.23）が成り立つ．

$$q = k\frac{\Delta h}{d_1}(d_1 \cdot 1) = k\frac{\Delta h'}{d_2}(d_2 \cdot 1)$$
$$q = k\Delta h = k\Delta h'$$
(5.23)

また，Cのネットの流量を q' とすると，動水勾配は $\Delta h/d_3$, 断面積は $d_3 \cdot 1$ であるので，ダルシーの法則から式（5.24）が成り立つ．

$$q' = k\frac{\Delta h}{d_3}(d_3 \cdot 1) = k\Delta h \tag{5.24}$$

式（5.23）と式（5.24）から，$\Delta h = \Delta h'$ であること，$q = q'$ であることが分

かる。これは，ネットを正方形になるように描いた結果であり，前者はネットの大きさに拘わらず，隣接するポテンシャル線間の全水頭の低下量が等しいことを意味する。また，後者はネットの大きさに拘わらず，流線間を流れる流量は，いずれの流線間でも同じであることを意味する。

以上のフローネットの特性から，フローネットを利用した図解法により，土中の透水量あるいは水圧を簡易に求めることができるが，図 5.8 の例図により，手順を示す。図 5.8 は不透水層の上にある透水地盤の中間（先端 o）まで矢板で仕切ったところ，左右の水位差により，水位の高い左側から低い右側に向かって，地盤内を透水している状況である。

まず，既知のポテンシャル線（ab，cd）および流線（bo，co，a′d′）を設定する。次に，透水地盤を等ポテンシャル線群と流線群により描画する。この際の留意点は，(1) 透水の場の幾何学的な対称軸（oo′）に関して同一形状にする，(2) 等ポテンシャル線と流線は直交させる，(3) ネットの形状は正方形に近似させるなどである。ここで，端部のネットを正方形にすることは困難であるが，流量に対する影響は小さいので，正方形でなくともよい。

以上によりフローネットが描けたら，等ポテンシャル線による区画数（N_d）

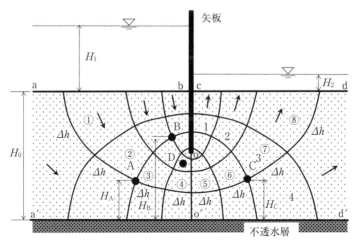

図 **5.8** フローネットによる簡易図解法

および流線による区画数（N_f）を数える。図 5.8 の場合，$N_d=8$，$N_f=4$ である。ここで，各流線の間の流量 q は式（5.23）であるが，隣接するポテンシャル線間の全水頭の低下量が等しいので $\Delta h=(H_1-H_2)/N_d$ であり，全流量 Q は流線間の流量の合計であるので，式（5.25）により算出できる。

$$Q = qN_f = k\frac{H_1-H_2}{N_d}N_f = k(H_1-H_2)\frac{N_f}{N_d} \tag{5.25}$$

ここで，等ポテンシャル線と流線は任意に設定できるので，N_f と N_d は変動するが，その変動範囲内の流量の誤差は許容されていると言える。また，流量 Q は単位時間，単位奥行き当たりであるので，透水時間あるいは奥行き長を考える場合は，それぞれ透水時間あるいは奥行き長を掛ければよい。

次に，フローネットにより土中内の水圧を求めてみよう。図 5.8 の透水地盤の下面を位置水頭の基準とした場合，水頭の分布図は図 5.9 になる。矢板左側の水底 ab における全水頭は H_0+H_1 であり，矢板右側の水底 cd に至る透水による全水頭の等ポテンシャル線間の低下量は $\Delta h=(H_1-H_2)/N_d$（図では $N_d=8$）である。従って，図 5.8 の A 点の全水頭は $H_0+H_1-2\Delta h$，位置水頭は H_A であるので，圧力水頭は，h_{pA} ＝全水頭－位置水頭＝$(H_0+H_1-2\Delta h)-$

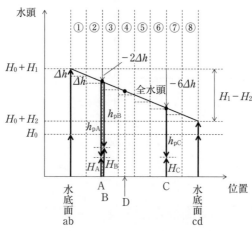

図 **5.9** フローネットによる水圧の算出例

H_A となる。従って，A点の水圧は $\gamma_w h_{pA}$ で算出できる。また，図5.8のB点およびC点の圧力水頭も図5.9のように算出できるが，B点はA点と同じポテンシャル線上にあるので，全水頭の低下量は同じであるものの，位置水頭が H_B（$>H_A$）であるので，圧力水頭は h_{pB}（$<h_{pA}$）となり，A点より小さい。他方，A点と同じ流線上にあるC点は，A点から4つ目のポテンシャル線上にあるので，全水頭の低下量は $6\Delta h$ である。ここで，A点などはフローネットの交点にある場合であるが，ネットの任意の位置にある場合（図5.8のD点），そのネットでの Δh の低下量は2つの等ポテンシャル線との相対的な位置関係から線形補間して求める。

5.7 成層地盤の透水係数

1章の地盤の形成過程によれば，通常，地盤は水平な成層構造が主体であるので，図1.9に示す地盤の異方性のために，土中の透水性も流れの方向により異なる。ここで，二次元流でも360°の方向に流れがあるが，通常は代表的な水平方向と鉛直方向の2方向で考え，他の方向はこれらの組合せとする。5.2節は単一層の透水係数であったが，実際の地盤は図1.6のように複数層で構成されているので，成層構造における透水性が課題となる。そのため，本節では，成層地盤の平行方向および直交方向の透水係数の求め方を示す。

5.7.1 成層地盤の平行方向の透水係数

図5.10（a）は n 層で構成される成層地盤（単位奥行き）における，層に平行方向の透水の場合である。i 層の層厚（＝断面積）および透水係数を，それぞれ d_i および k_i，全層厚を D とする。透水長および透水の原因となる全水頭の差は，各層で同じであり，それぞれ L および h である。従って，各層の動水勾配は $i=h/L$ で等しい。ここで，透水量は各層で異なり，q_i とすると式（5.26）で与えられる。

$$q_i = k_i i d_i \tag{5.26}$$

ここで，n 層の全体地盤の透水量 q は，各層の透水量の合計であるので，式（5.27）である。

第 5 章 透水特性

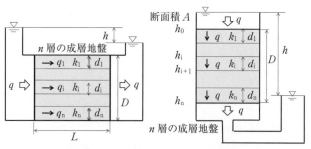

(a) 水平方向の透水係数　(b) 直交方向の透水係数

図 **5.10** 成層構造地盤の透水係数

$$q = \sum q_i = \sum k_i i d_i = i \sum k_i d_i = iD \sum \frac{k_i d_i}{D} \tag{5.27}$$

ここに，単位奥行きで考えているので，$D = \sum d_i$ は断面積であるが，地盤全体の平行方向の透水係数を k_H とすると，透水量 q は式（5.28）で表記できる。

$$q = k_H iD \tag{5.28}$$

式（5.27）と式（5.28）を対比すると，透水係数 k_H は式（5.29）である。

$$k_H = \sum \frac{k_i d_i}{D} \tag{5.29}$$

ここに，k_H：成層地盤の平行方向の透水係数，k_i：各層の透水係数，d_i：各層の層厚，D：成層地盤厚

5.7.2 成層地盤の直交方向の透水係数

図 5.10（b）は n 層で構成される成層地盤（単位奥行き）における，成層の直交方向の透水の場合である。i 層の層厚および透水係数を，それぞれ d_i および k_i，全層厚を D，流れに直交する透水断面積を A とする。ここで，平行方向と違う点は，透水の原因となる全水頭が各層（の上面）で異なり，h_i とする。一方，平行方向と違い，透水量 q は各層で同じであり，式（5.30）で与えられるので，式（5.31）の関係がある。

$$q = k_i \frac{h_i - h_{i+1}}{d_i} A \quad i = 0 \sim n \tag{5.30}$$

5.7 成層地盤の透水係数

$$h_i - h_{i+1} = \frac{qd_i}{k_i A} \tag{5.31}$$

ここで，各層の全水頭の差 $(h_i - h_{i+1})$ の和＝成層全体の全水頭の差であるので，式（5.32）の関係がある．

$$\sum (h_i - h_{i+1}) = h_0 - h_n \tag{5.32}$$

さらに，$h_0 - h_n$ は成層地盤全体の透水に関係する全水頭 h であり，式（5.31）と式（5.32）から，式（5.33）が得られる．

$$h_0 - h_n = h = \sum q \frac{d_i}{k_i A} = \frac{q}{A} \sum \frac{d_i}{k_i} \tag{5.33}$$

ここで，成層地盤全体の動水勾配は h/D であるので，式（5.33）から流量 q は式（5.34）で与えられる．

$$q = hA / \sum d_i/k_i = iAD / \sum d_i/k_i \tag{5.34}$$

さて，地盤全体の直交方向の透水係数を k_V とすると，透水量 q は式（5.35）で表記できる．

$$q = k_V iA \tag{5.35}$$

式（5.34）と式（5.35）を対比すると，透水係数 k_V は式（5.36）である．

$$k_V = \frac{D}{\sum d_i/k_i} \tag{5.36}$$

ここに，k_V：成層地盤の直交方向の透水係数，k_i：各層の透水係数，d_i：各層の層厚，D：成層地盤厚

以上の成層地盤の平行方向および直交方向の透水係数の相互の関係については，通常，$k_H \geq k_V$ の大小関係があるが，さらに以下の特徴がある．

1）成層状態が明確なほど，k_H と k_V の差は大きい．
2）シルト，粘土などの細粒分で形成される自然地盤は，粒子構造が均一的であるので，k_H と k_V の差は小さい．
3）地盤全体の水平方向の透水係数は，最も大きい透水係数の層に，他方，直交方向のそれは，最も小さい透水係数の層に支配される（k が近い）．

5.8 デュプイの仮定による準一様流

図 5.11(a) は土で造られた締切堤内の浸透であるが，堤内の透水部分の上面を浸潤面という。図 5.11(b) は拡大図であるが，堤内の透水は x 方向と z 方向に流れの成分を持つ二次元流である。ここで，図中の曲線 ab 上の任意の点における全水頭 h は，浸潤面からの深さである圧力水頭と不透水層上面からの位置水頭の和であるが，これは b 点の高さになり，曲線上で一定である。ただし，曲線で決まる b 点の高さは変則である。また，流水長 Δs は曲線 ab 上で変化し，変則である。

ここで，浸潤面の勾配はなだらかであるので，曲線 ab は鉛直に近く，曲線 ab と曲線 cd の間隔はほぼ一定であると見なすことができる。つまり，図 5.11(b) のように，曲線 ab は鉛直線 ab′ に，流水長 Δs は水平距離 Δx に近似すると考える。その結果，式 (5.37) が成り立つ。

$$h = z, \quad \Delta s = \Delta x \tag{5.37}$$

これは，デュプイ (Dupuit) の仮定と呼ばれる。式 (5.37) によれば，流速は式 (5.38) で与えられるが，鉛直線 ab′ 上の全水頭は同じであるので，流速 v は z に無関係であり，鉛直線上では一様になる。

$$v = k \frac{\Delta h}{\Delta s} \simeq k \frac{\Delta z}{\Delta x} \tag{5.38}$$

以上の近似により，上記の変則性は無くなり，流れは水平成分だけになるの

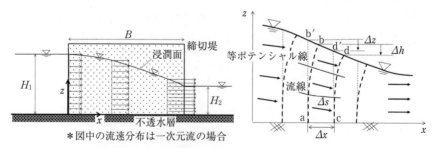

(a) 締切堤の流れ：一次元流併記　　(b) Dupuit の仮定

図 **5.11** 二次元流の擬似一次元流化

で，二次元流は図5.11 (a) に併記したように，単純な一次元流（準一様流と呼ばれる）に置き換えられ，以下のように簡易に流量を算出できるようになる。

ここで，図5.11 (a) の準一様流の，流量の算出をする。流れが定常状態にあるとすると，堤内の各断面（断面積 $z \cdot 1$）で一定値の流量 Q は式 (5.39) で与えられる。

$$Q = vz = -kz\frac{dz}{dx} \qquad (5.39)$$

式 (5.39) の積分により，式 (5.40) となる。ここで，C は定数である。

$$Qx = -kz^2/2 + C \qquad (5.40)$$

ここで，$x=0$ で $z=H_1$，$x=B$ で $z=H_2$ の境界条件から，式 (5.41) により流量が得られる。

$$Q = \frac{k(H_1^2 - H_2^2)}{2B} \qquad (5.41)$$

5.9　揚水と現場透水試験

地盤内の地下水は揚水して，飲料水などに利用される。図5.12は不透水層上の滞水層に井戸を掘り，地下水を揚水している状態であるが，汲み上げにより周囲の地盤から地下水が井戸に向かって集水される。揚水により井戸周囲の地下水面（a図）あるいは水圧面（b図）は低下するが，時間経過に伴ってそれらの位置が変化しない定常状態になる。図5.12 (a) は地下水面下の滞水層に掘った井戸であり，重力井戸と呼ぶ。他方，図5.12 (b) は不透水層が地表

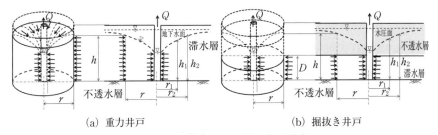

(a) 重力井戸　　　　　　　　(b) 掘抜き井戸

図 **5.12**　揚水による地下水の透水

面近くにあり，上下2層の不透水層に挟まれた滞水層から揚水する井戸であり，掘抜き井戸と呼ぶ．

ここで，地下水面あるいは水圧面の勾配が小さいとすると，前節のデュプイの仮定が成立し，準一様流の近似により井戸の揚水時の地盤内の透水を簡易に扱える．本節では，揚水試験による現地地盤の透水係数の求め方を示す．なお，本文は定常揚水を扱うが，定常状態に至る過渡的な段階，つまり地下水面あるいは水圧面が変化している非定常状態は非定常揚水である．

5.9.1 重力井戸

図5.12（a）のように，定常状態で井戸の中心から距離rの位置の地下水面の高さをhとする．そして，半径r，高さhの円筒の側面から集水すると考える．ここで，動水勾配iはdh/dr（>0），距離rの位置にある円筒側面の透水断面積Aは$2\pi rh$であるので，ダルシーの法則から，この円筒側面から流入する流量Qは，式（5.42）であり，これから式（5.43）が得られる．

$$Q（一定） = kiA = k\frac{dh}{dr} \cdot 2\pi rh \tag{5.42}$$

$$\frac{Q}{r}dr = 2\pi khdh \tag{5.43}$$

今，図5.12（a）のように，距離r_1とr_2における観測井で地下水位h_1およびh_2が計測されたとする．この2つの条件により，式（5.43）を解くと，

$$k = \frac{Q}{\pi(h_2^2 - h_1^2)}\ln\frac{r_2}{r_1} \tag{5.44}$$

により地盤の透水係数kが算出できるが，必要な測定値はQ，(r_1, h_1)および(r_2, h_2)の3項目である．

5.9.2 掘抜き井戸

図5.12（b）のように，滞水層の厚さをD，定常状態で井戸の中心から距離rの位置の水圧面の高さをhとする．そして，半径r，高さDの円筒の側面から集水すると考える．ここで，動水勾配iはdh/dr（>0），距離rの位置の円筒側面の透水断面積Aは$2\pi rD$であるので，ダルシーの法則から，この円筒側

面から流入する流量 Q は式（5.45）であり，これから式（5.46）が得られる．

$$Q（一定）= kiA = k\frac{dh}{dr} \cdot 2\pi rD \tag{5.45}$$

$$\frac{Q}{r}dr = 2\pi kDdh \tag{5.46}$$

今，図5.11（b）のように，距離 r_1 と r_2 における観測井で水圧面 h_1 および h_2 が計測されたとする．この2つの条件により，式（5.46）を解くと，

$$k = \frac{Q}{2\pi(h_2 - h_1)D}\ln\frac{r_2}{r_1} \tag{5.47}$$

により地盤の透水係数 k が算出できるが，必要な測定値は Q，(r_1, h_1) および (r_2, h_2) の3項目である．

5.10 浸透圧と浸透破壊

透水では透水量を求める他に，透水により発生する浸透圧およびその影響を考えることが必要である．図5.13は断面積 A，高さ L の容器に入った飽和単位体積重量 γ_{sat} の砂試料を示している．砂試料の上端側の水位は一定に保たれており，下端側の水位を（a），（b），（c），（d）のように変化させる．（c）の状態では砂試料の上端と下端の水位差がないので浸透流は発生しない．試料中

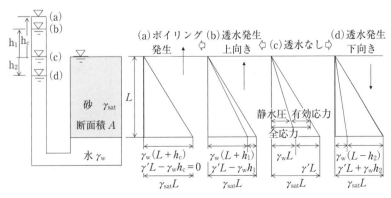

図 **5.13** 浸透による砂地盤のボイリングの発生機構

の静水圧と有効応力は直線分布となるが，試料下端では，それぞれ $\gamma_w L$ およ
び $(\gamma_{sat} - \gamma_w) L \gamma = \gamma' L$ の鉛直応力となる。また，それらの合力である全応力
は $\gamma_{sat} L$ である。下端側の水位が変動しても，試料の高さは変わらないので全
応力は変化しない。なお，γ_w, γ' および γ_{sat} は，それぞれ水の単位体積重量，
水中単位体積重量および飽和単位体積重量である。以下では，砂試料の下端側
の水位の変化を単位体積重量を使って説明する。

まず，(c) の状態から下端側の水位を h_2 だけ低下させた状態 (d) を考え
る。この時の下端での静水圧は $\gamma_w(L-h_2)$ になる。全応力は $\gamma_{sat} L$ で変わらな
いので有効応力は $\gamma' L + \gamma_w h_2$ になる。つまり，水位変化によって $\gamma_w h_2$ だけ静
水圧が減少し，他方，有効応力が増加する。このことは有効応力の分布直線の
傾きが $\gamma_w h_2 / L$ だけ増加したことを意味している。ここで，h_2 は全水頭の差，
h_2/L は動水勾配 i であることを考慮すれば，砂試料に作用する単位体積当た
りの浸透力は $\gamma_w i$ となることが分かる。なお，状態 (d) での浸透流は全水頭
の高い上端から下端へと下向きに発生する。

次に，(c) の状態から下端側の水位を h_1 上昇させた状態 (b) を考える。こ
の時の下端での静水圧は $\gamma_w(L+h_1)$ となる。全応力は $\gamma_w L$ であるので有効応
力は $\gamma' L - \gamma_w h_1$ となる。つまり，水位変化によって $\gamma_w h_1$ だけ静水圧が増加し，
他方，有効応力は減少する。ここで，浸透流は全水頭の高い下端から上端へと
上向きに発生する。さらに水位が上昇すると，試料内の有効応力がゼロになる
(a) の状態に至る。有効応力がゼロの状態では砂粒子同士は接触しておらず，
水中に浮遊し，沸騰したような状態になるので，ボイリング（あるいは類似現
象のパイピング）と呼ばれる。ボイリングは浸透による地盤の破壊現象であ
り，地盤の支持力がゼロになるので工学的に重要な問題である。(c) の状態か
ら (a) のボイリングが生じる状態に至るまでに上昇した水位を h_c とすると，
式 (5.48) が成り立つ。

$$\gamma' L - \gamma_w h_c = 0 \tag{5.48}$$

従って，h_c は式 (5.49) で与えられる。

$$h_c = (\gamma'/\gamma_w) L \tag{5.49}$$

5.10 浸透圧と浸透破壊

ここで，ボイリングが生じたときの動水勾配（限界動水勾配と呼ぶ）を i_c とすれば，式（5.49）により式（5.50）で与えられる。この i_c は理論上，1で破壊となるが，例えば，堤防では $i_c = 0.5$ をパイピングの発生の有無を判断する設計上の限界動水勾配にしている。

$$i_c = \frac{h_c}{L} = \frac{\gamma'}{\gamma_w} \tag{5.50}$$

また，式（2.12）から $\gamma_{sat} = \dfrac{\gamma_s + e\gamma_w}{1+e}$ であるので，式（5.50）は式（5.51）になる。

$$i_c = \frac{\dfrac{\gamma_s}{\gamma_w} - 1}{1+e} = \frac{G_s - 1}{1+e} \tag{5.51}$$

ここに，γ_s は土粒子の単位体積重量，$G_s (= \gamma_s / \gamma_w)$ は比重である。ボイリングは砂質土地盤に特有な現象であり，粘性土地盤の場合は粘着力があるために，粒子間の接触が外れるようなボイリングは発生しない。その代わり，浸透圧によって地盤がふくれあがる盤膨れという現象が生じる。

図 5.14 は浸透による地盤の破壊過程の概念であるが，砂質土地盤と粘性土地盤における流量と動水勾配の変化の関係を比較している。流量が増加する，つまり，動水勾配が増加し，限界の動水勾配に近づくと流量が急増するが，こ

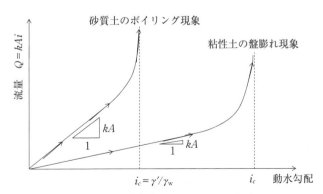

図 **5.14** 浸透破壊：ボイリングと盤膨れ

の急増点が砂質土地盤の場合はボイリング，粘性土地盤の場合は盤膨れの発生に相当する。なお，同図から，粘性土は砂質土よりも透水係数が小さいので流量の増加率（kA）は砂質土より小さく，盤膨れの発生に必要な限界動水勾配はボイリングのそれより相当大きい（数十倍）ので発生しにくいことが分かる。なお，砂質土地盤のボイリング，粘性土地盤のヒービングの発生は，10章の土留めの設計，施工に関係する。

参考文献
1）地盤工学会：土質試験の方法と解説，第6編，第2章．2004．
2）石原研而：土質力学（第2版），丸善，295p.，2001．

第6章　圧密特性

道路盛土，河川堤防，埋立地などの人工的な構造物を造成する場合，それらの下にある地盤には，盛立て土などの重量が新たな荷重として付加されることになる。そして，地盤は付加された上載荷重により影響を受けて変状を発生することがある。代表的な変状は粘土層から構成される地盤の圧密による沈下であり，沈下の規模が大きい場合は構築される構造物や周辺に影響を及ぼすことになる。従って，地盤上に構造物を構築する場合，地盤の沈下の発生の有無，時間変化あるいは沈下量を予測し，さらには沈下対策が必要となる。

本章では，土あるいは地盤に特有な現象のひとつである圧密について，その発生機構，進行過程，圧密理論およびそれに基づく沈下量などの圧密特性の予測，圧密試験を示す[1]。なお，圧密の対策は14章を参照されたい。

6.1　圧密の機構

地盤を構成する土の種類は2章で学んだように多種多様であるが，圧密の対象となる土は細粒土，つまり細粒分が多いシルトあるいは粘土の粘性土である。1章の図1.7と図1.9で比較したように，粗粒土と細粒土は土粒子の骨格構造が異なり，細粒土は間隙が多い。この間隙の多さが圧密に関係している。

従って，砂や礫といった粗粒土の地盤では通常，圧密は考えなくてよいので，本章では粘土，粘土層と呼ぶが，圧密が対象となるのは粘性土層あるいは粘性土地盤である。

圧密とは，上載荷重により上昇した間隙水圧により，間隙水が排水されて，土が体積収縮する変形の時間的遅れ現象であり，体積収縮（＝圧縮）により密度が増加することに由来する。圧密の発生機構を分かりやすく模擬した概念図が図6.1である。つまり，奥行き方向が一様である剛な容器に入った飽和粘

第 6 章　圧密特性

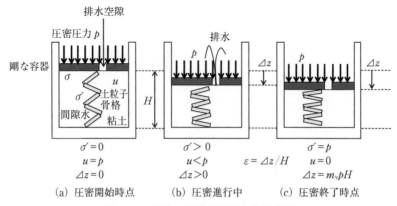

(a) 圧密開始時点　　(b) 圧密進行中　　(c) 圧密終了時点

図 **6.1**　圧密の機構を模擬した概念図

　土の鉛直一次元方向の圧密を考える。飽和粘土は間隙水および連結した土粒子骨格で模擬し，土粒子骨格はバネのように圧縮変形をして荷重を支持する。粘土の上には間隙水が排水される空隙をもった剛な蓋がある。まず，(a) 図は圧密圧力 p の載荷時点，圧密開始時点であるが，瞬間的には非排水状態であるので，圧密圧力は発生する過剰間隙水圧 u に支持され，有効応力 σ' や沈下 Δz は発生しない。次に，(b) 図は圧密の途中であるが，排水により間隙水圧は低下し，沈下が進行し，有効応力は上昇する。(c) 図は圧密終了時点であるが，間隙水圧がゼロになって排水および沈下が止まり，圧密圧力と等しくなった有効応力により圧密圧力は支持される。

6.2　圧密による応力，変形の変化

6.2.1　全応力，間隙水圧，有効応力，鉛直ひずみの変化

　圧密により粘土層の応力や変形の特性が時間変化する。応力では全応力 σ，間隙水圧 u および有効応力 σ' が，変形では鉛直ひずみ ε がある。ここで，圧密に伴う時間変化の概念は図 6.2 の粘土のように表現できる。まず，(a) 図は全応力であり，荷重が加わって圧密が開始する時刻を原点としているが，時間経過により全応力は変化せず，圧密圧力と等しく一定である。(b) 図の間

6.2 圧密による応力,変形の変化

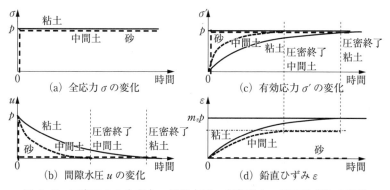

図 **6.2** 圧密による全応力,間隙水圧,有効応力,鉛直ひずみの変化

隙水圧は圧密開始時点で圧密圧力と等しく,時間経過,つまり排水の進行により減少し,圧密終了時点では 0 になる。一方,全応力と間隙水圧の差である有効応力は (c) 図のように変化する。つまり,間隙水圧の減少分だけ有効応力が増加するので,圧密開始時点では有効応力の増分は 0 であるが,圧密終了後は全応力に等しい p となる。さらに,(d) 図の鉛直ひずみは圧密開始から終了まで増加し,最終鉛直ひずみ $m_v p$ (m_v は体積圧縮係数,後述)に至る。

なお,図 6.2 には圧密が発生しない砂および砂と粘土の中間的な工学的特性を有する中間土の時間変化を併記してある。砂の場合,圧密しないので間隙水圧および鉛直ひずみは 0 であり,全応力と有効応力は上載荷重の載荷と同時に圧密圧力 p になる。また,中間土では,各特性は砂と粘土の中間で変化する。ただし,圧密終了時点の鉛直ひずみあるいは沈下量は粘土より小さく,圧密終了時刻は粘土より早くなる。このような粘土を含めて,圧密が対象となる粘性土の圧密時間,沈下量の差異は,後述する透水係数,圧密係数,体積圧縮係数などの土の特性に起因しており,それらによって差異が区別できる。なお,圧密終了時点とは,後述 (6.6.3 項) する一次圧密が終了した時点である。

6.2.2 体積圧縮係数

図 6.3 は一次元圧密する土層を三次元形状とし,圧密圧力 p による圧密により発生する鉛直方向の体積変化および圧密量(=沈下量)の概念である。同

第6章　圧密特性

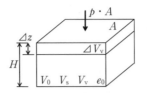

図 **6.3**　体積圧縮係数の定義

図において，圧密前の圧密土層の層厚を H，面積を A とすると，体積は $V_0 = H \cdot A$ であり，圧密により減少する体積は飽和した間隙部分の変化だけなので，$\Delta V_v = \Delta z \cdot A$ であることから，単位荷重当たりの体積ひずみで定義される体積圧縮係数 m_v は，結果的に式（6.1）のように鉛直ひずみ ε で表わされる。

$$m_v = (\Delta V_v / V_0)/p = (\Delta z/H)/p = \varepsilon/p \tag{6.1}$$

6.3　圧密の進行過程

6.3.1　$e \sim \log p$ 曲線

図 6.4 は圧密圧力 p_0 で圧密が終了している土層に対して，新たに圧密圧力の増分 Δp が作用した場合の間隙比の変化を比較している。なお，鉛直ひずみは圧密の場合が＋であり，増加（＝膨張）が＋である間隙比は，圧密では－の値となる。ここで，圧密前の土層の間隙比を e_0，全体積を V_0，土粒子の体積を V_s，間隙の体積を V_v とすると，$V_0 = (1 + e_0)V_s$ であり，$e = V_v/V_s$ であるので，圧密による間隙比の変化は $-\Delta e = \Delta V_v/V_s$ となる。圧密による土層の体積変化量は $\Delta V_v = -\Delta e \cdot V_s$ であり，鉛直ひずみの変化量は式（6.2）の間隙比の変化量で表される。従って，以降では鉛直ひずみでなく，間隙の大きさを表す間隙比により圧密を考える。

$$\begin{aligned}\varepsilon &= \Delta z/H = \Delta z \cdot A/(H \cdot A) = \Delta V_v/V_0 \\ &= -\Delta e \cdot V_s / \{(1+e_0)V_s\} = -\Delta e/(1+e_0)\end{aligned} \tag{6.2}$$

図 6.4 における圧密圧力と間隙比の関係を $e \sim p$ で表すと図 6.5（a）となる。両者の関係は曲線になるが，図のように圧密前後で直線を引くと，直線の勾配 a_v が得られるが，これは圧縮係数と呼ばれ，式（6.1）の $m_v = \varepsilon/\Delta p$ と式（6.2）から式（6.3）で表される。

6.3 圧密の進行過程

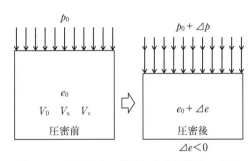

図 **6.4** 圧密圧力の増分による間隙比の変化

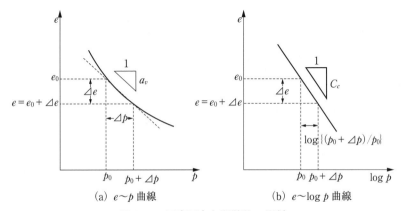

(a) $e \sim p$ 曲線   (b) $e \sim \log p$ 曲線

図 **6.5** 圧密圧力と間隙比の関係

$$a_v = -(\Delta e / \Delta p) = m_v(1+e_0) \tag{6.3}$$

他方，圧密圧力と間隙比の関係を $e \sim \log p$ 曲線で表すと，図 6.5（b）のように両者の関係は直線関係になる．この直線は式（6.4）で表されるが，係数の C_c（>0）を圧縮指数と呼ぶ．通常の粘土の圧縮指数は 0.2〜0.9 の範囲の値をとることが多い．

$$e - e_0 = C_c \log(p_0/p) \tag{6.4}$$

ここで，$e = e_0 + \Delta e$，$p = p_0 + \Delta p$ である．図 6.6 は圧縮指数の大小による差異を示すが，圧縮指数が大きい場合は，圧密圧力の増分が小さくとも間隙比の減少量が大きいので，圧密性，圧縮性が大きい土である．

87

第 6 章　圧密特性

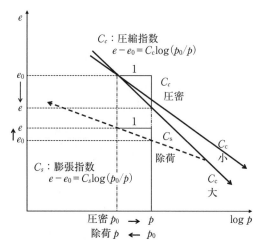

図 **6.6**　圧縮指数と膨張指数

6.3.2　正規圧密と過圧密

実際の地盤の圧密の進行過程は図 6.7 で表される．同図は土の堆積過程を示すが，過去のある A 時点における地表面に対して，運積土などにより長年に渡り堆積が行われ，堆積による上載荷重により圧密が進行した結果として，現在（B 時点）の地表面があることになる．また，B 時点で過去最高の位置で地表面が形成された後，現在までに洗掘や掘削が行われて，上載荷重が除荷された D 時点の地表面が現在である場合もある．これらの堆積状態の変化過程において，地盤内のある深さの土の要素（間隙比 e）に圧密圧力 p が作用しているとする．ここで，圧密の状態として，A 時点から B 時点，さらに B 時点から D 時点へと経時的に変化した 3 段階の状態（e_A，e_B，e_D および p_A，p_B，p_D）を考える．なお，土要素の上載荷重の大きさ，つまり地盤の厚さから $p_B > p_D > p_A$ である．

また，三次元方向に無限の広がりを持つ地盤における圧密では，鉛直方向の圧密圧力が増加しても，水平方向に土の要素が変形していないと考えることができるが，このように水平方向の変形がゼロの状態での圧密を K_0 圧密と呼ぶ．静止土圧係数（10 章）は K_0 圧密状態にある自然地盤での土圧係数である．

6.3 圧密の進行過程

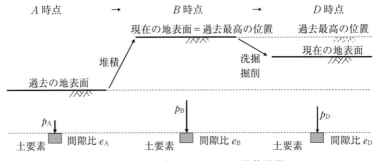

図 **6.7** 原地盤における土の堆積過程

図 6.7 の圧密および除荷の過程は，図 6.8 の $e \sim \log p$ の関係図において，それぞれ A 点，B 点および D 点を対応させている．同時に，$A \sim B$ は原位置での堆積過程，$B \sim D'$ は原位置から土をサンプリングした除荷過程，$D' \sim E \sim F$ はサンプリングした土を用いた室内での圧密試験による圧密過程が対応している．ここで，B 点の既往最大の圧密圧力 p_B は先行圧密応力と呼ばれ，圧密試験から得られる $D' \sim E \sim F$ の曲線は圧縮曲線，同曲線の勾配が急に増える点の応力は圧密降伏応力 p_c と呼ばれる．p_c の求め方は 6.6 節の圧密試験を参照されたい．一方，現在，原位置において受けている圧密圧力は，土の要素の深度や上層の単位体積重量から算出できる有効土被り圧 p_0 である．ここで，通常 p_c は先行圧密圧力と等しいので，先行圧密応力として p_c が用いられる．p_c と p_0 とを比較した場合，一致する場合と異なる場合があるので，式 (6.5) で定義する過圧密比 OCR（オーシーアール）により両者の大小関係を表わすことが行われる．

$$\mathrm{OCR} = p_c / p_0 \tag{6.5}$$

ここで，p_c は p_0 以上であるので過圧密比は 1 以上の数値となる．過圧密比が 1 である粘土は正規圧密粘土と呼ばれ，現在，原地盤で受けている圧密圧力が既往最大であるので，現在までに掘削や洗掘などの除荷作用を受けていないことを意味する．他方，過圧密比が 1 より大きい粘土は過圧密粘土と呼ばれ，過去において地形の改変などの影響を受けていることを意味する．なお，過圧密粘土は，ダイレイタンシー特性（7章），静止土圧係数（10章），浅い基礎の

第6章　圧密特性

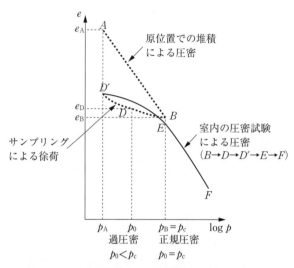

図 **6.8**　圧密過程および正規圧密，過圧密の関係

荷重〜沈下関係（11章）などが正規圧密粘土と異なることに注意が必要である。

なお，図6.8における $B \sim D'$ の除荷過程では，圧密圧力の減少に伴い間隙比が増加するが，圧密過程と同様に $e \sim \log p$ の関係では直線で近似できる。これを示したのが図6.6であるが，この直線は式（6.6）で表され，係数の C_s は膨張指数（>0）と呼ぶ。通常の粘土の膨張指数は 0.02〜0.10 の範囲の値をとることが多い。

$$e - e_0 = C_s \log(p_0/p) \tag{6.6}$$

6.4　圧密の理論

6.4.1　圧密理論

図6.9のように奥行きが単位幅で左右に半無限に広がる地盤において，層厚が一様な H で地下水位以下にある飽和した粘土層が，上部の透水性の高い砂層と下部の不透水層の間にあるとする。今，この地盤の地表面に，新たに盛土などの構造物による一様な荷重 p が作用したとする。水平方向に一様な地盤に，十分な幅で荷重が作用するので，荷重 p は鉛直方向に一様に伝達する。ど

6.4 圧密の理論

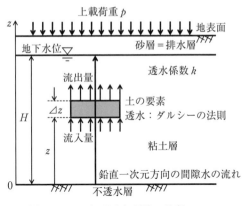

図 **6.9** 一次元圧密理論の地盤モデル

の深度でも同じ荷重pが作用する粘土層では図6.1の圧密が発生し，粘土層内の間隙水の排水による圧密の結果，地下水位および地表面では沈下が発生する．この圧密はどの鉛直面内でも同じように発生するので，深度方向に一次元の現象となる．

粘土層の圧密では図6.2の時間変化があり，それが粘土層内の深度で異なる．このような深度方向の変化と時間経過による圧密の進行を表す理論式を導いたのがテルツァーギであり，テルツァーギの一次元圧密理論と呼ばれる．本書では詳細な誘導過程は省き，主要な結果のみを以下に示す．

図6.9の粘土層内の間隙水（単位体積重量γ_w）は，荷重の載荷により発生した間隙水圧uにより粘土層の下方から上方の排水層に向かって移動，つまり排水される．図中の土の要素（深度z）では間隙水が下面から上面にダルシーの法則（5章）に基づいて透水し，時間差Δtにおける下面からの流入量と上面からの流出量の差が，土の要素からの間隙水の排水量となる．

ここで，深度zにおける全水頭をh，$z=0$を位置水頭の基準とすると，圧力エネルギーは静水圧と間隙水圧（u）から成り，位置エネルギーは$\gamma_w z$であるので，式（6.7）の関係が得られる．

$$h = \{\gamma_w(H-z) + u\}/\gamma_w + z = H + u/\gamma_w \tag{6.7}$$

そして，動水勾配 i は全水頭 h の透水方向（鉛直上方）の変化であるので式 (6.8) になり，間隙水圧の透水方向の変化に関係する（前述，5.5節）。なお，流速 $v = ki$（k：透水係数）である。

$$i = -dh/dz = -(1/\gamma_\mathrm{w}) \cdot du/dz \qquad (\geqq 0) \tag{6.8}$$

一方，土の要素からの排水により土の骨格が収縮するが，この収縮は間隙比 e の減少に起因する。ここで，土の要素は飽和しているので，土の要素の排水量は骨格の収縮量と等しくなければならないことから，間隙水圧 u と間隙比 e の関係である圧密の基本式が式 (6.9) として導出される。

$$\frac{1}{\gamma_\mathrm{w}} \frac{\partial}{\partial z}\left(k \frac{\partial u}{\partial z}\right) = \frac{1}{1+e_0} \frac{\partial e}{\partial t} \tag{6.9}$$

式 (6.9) に対して，独立変数として過剰間隙水圧 u を用いることにして，間隙比 e を u の関数で表わした結果が式 (6.10) である。

$$\frac{\partial u}{\partial t} = \frac{1}{m_\mathrm{v}} \frac{1}{1+e_0} \frac{\partial e}{\partial t} \tag{6.10}$$

式 (6.10) を式 (6.9) に代入し，さらに透水係数が粘土層内の深度にかかわらず一定，体積圧縮係数 m_v および圧密荷重が圧密に際して変化しないとすると，式 (6.11) が得られる。

$$\frac{\partial u}{\partial t} = c_\mathrm{v} \frac{\partial^2 u}{\partial z^2} \tag{6.11}$$

$$c_\mathrm{v} = \frac{k}{m_\mathrm{v} \gamma_\mathrm{w}} \tag{6.12}$$

これが，テルツァーギによる圧密方程式である。ここで，$u = u(z, t)$ であり，ある時間の深度方向の分布である。なお，c_v は圧密係数と呼ばれ，圧密の進行の速さを表し，同じ透水係数 k の土では圧縮性（m_v）が大きいほど，同じ圧縮性の土では透水係数が小さいほど，c_v は小さくなり圧密に時間がかかることになる。

なお，式 (6.11) に対して，独立変数として鉛直ひずみ $\varepsilon = \varepsilon(z)$ を用いて，間隙比 e を ε の関数で表わして導いた式 (6.13) がある。三笠の提案式である

が，圧密に際してm_v，k，圧密の荷重が変動しても（ただし，$\bar{c}_v$ 一定の範囲で）成立する。ここで，$k(z)$，$m_v(z)$は深度zの関数を示す。

$$\frac{\partial \varepsilon}{\partial t} = \bar{c}_v \frac{\partial^2 \varepsilon}{\partial z^2} \tag{6.13}$$

$$\bar{c}_v = \frac{k(z)}{\gamma_w m_v(z)} = 一定 \tag{6.14}$$

6.4.2 圧密方程式の解

圧密方程式を解くことにより，圧密により発生する間隙水圧や沈下の深度分布あるいは時間変化を知ることができる。なお，本書では詳細な誘導過程（参考文献を参照）は省き，テルツァーギの圧密方程式（6.11）の解法における要点のみを以下に示す。

図6.9において，境界条件は i ）粘土層下面では鉛直方向の流れがないこと，ii）粘土層上面では間隙水圧は常に0であることである。また，初期条件は$t=0$で荷重が作用したときに発生する初期の間隙水圧の深度分布$u_0(z)$であり，図6.9のように一様な分布荷重pの場合は，粘土層の全層で$u_0(z)=p$の一様な間隙水圧となる。ここで，荷重条件などにより間隙水圧が一様でない場合は$u_0(z)$で初期条件を与える。

$u_0(z)$を初期条件として，間隙水圧uが深度zだけの関数$Z(z)$と時間tだけの関数$X(t)$の積として，$u=Z(z)\cdot X(t)$で表わされると仮定する変数分離法を用いて，境界条件と初期条件を満足するように圧密方程式が解かれる。得られた式（6.15）は圧密方程式の一般解である。

$$u(z,t) = \frac{2}{H}\sum_{n=1}^{\infty}\left[\exp\left\{-\left(\frac{2n-1}{2}\pi\right)^2 \cdot T_v\right\} \cdot \cos\left(\frac{2n-1}{2}\pi\frac{z}{H}\right) \\ \times \int_0^H u_0(z)\cos\left(\frac{2n-1}{2}\pi\frac{z}{H}\right)dz \right] \tag{6.15}$$

ここで，式中のT_vは式（6.16）で定義される時間係数（無次元量）であるが，時間tと比例関係にある。従って，式（6.15）は時間tにおける深度zの間隙水圧を表す。

$$T_v = \frac{c_v t}{H^2} \tag{6.16}$$

なお，$u_0(z)=p$ の場合，これを式 (6.15) に代入して式 (6.17) が得られる．

$$u(z,t) = \frac{4p}{\pi}\sum_{n=1}^{\infty}\frac{(-1)^{n+1}}{(2n-1)}e^{-\left(\frac{2n-1}{2}\pi\right)^2 T_v}\cdot\cos\left(\frac{2n-1}{2}\pi\frac{z}{H}\right) \tag{6.17}$$

式 (6.17) の u を図化すると図 6.10 になるが，圧密開始時（$t=0$）の $u_0(z)$ $=p$ の一様分布から始まり，時間 t，つまり時間係数 T_v の増加に伴って，粘土層の下面（$z/H=0$）から上面（$z/H=1$）に向かって減少する形状の曲線分布が，縮小しながら圧密終了時（$T_v=\infty$）の $u/p=0(u=0)$ に至ることが分かる．

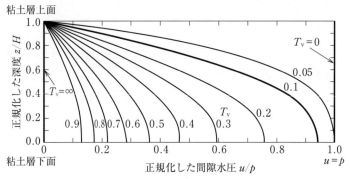

図 6.10 正規化した深さ方向に対する正規化した間隙水圧分布の時間変化

6.5 圧密の予測

6.5.1 圧密度の定義

圧密の開始から終了までの間の圧密の進行度合いは，有効応力 σ'，間隙水圧 u，鉛直ひずみ ε および後述する沈下量 S のいずれかの特性に基づく圧密度で定義される．これらの4特性による圧密の進行の概念を図 6.11 に示す．圧密開始時で $\sigma'=0$，$u=u_0$，$\varepsilon=0$，$S=0$，圧密終了時で $\sigma'=\sigma_f'$，$u=0$，$\varepsilon=\varepsilon_f$，$S=S_0$ とすると，圧密度はそれぞれの特性を用いて，式 (6.18) で定義される．

6.5 圧密の予測

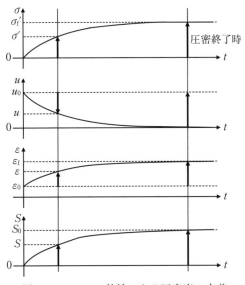

図 **6.11** 4つの特性による圧密度の定義

$$U = \frac{\sigma'}{\sigma_\mathrm{f}'} = \frac{u_0 - u}{u_0} = \frac{\varepsilon - \varepsilon_0}{\varepsilon_\mathrm{f} - \varepsilon_0} = \frac{S}{S_0} \tag{6.18}$$

ここで，図6.10のように圧密の進行度合いは深度zで異なり，式（6.18）もある深度の圧密度である．さらに，工学的には粘土層全体の圧密の度合いが必要となるが，式（6.20）で定義される粘土層全体の平均的な間隙水圧を式（6.18）に適用すると，粘土層全体の圧密度$U(T)$が式（6.19）で求まる．

$$U(T_\mathrm{v}) = \frac{\bar{u}_0 - \bar{u}}{\bar{u}_0} = 1 - \frac{\int_0^H u(z)dz}{\int_0^H u_0(z)dz} \tag{6.19}$$

ここで，式（6.15）のuを用いた式（6.20）の平均的な間隙水圧は，時間係数T_vだけの関数になるので，式（6.19）の圧密度はTの関数になっている．

$$\bar{u}_0 = \frac{1}{H}\int_0^H u_0(z)dz, \quad \bar{u} = \frac{1}{H}\int_0^H u(z)dz \tag{6.20}$$

式（6.19）の圧密度は，圧密開始時に発生する間隙水圧分布$u_0(z)$が与え

られれば算出できる．代表的な間隙水圧分布として $u_0(z)=p$ を考える場合，これを式（6.19）に代入すると，圧密度は式（6.21）で得られる．

$$U(T_\mathrm{v}) = 1 - \frac{8}{\pi^2} \sum_{n=1}^{\infty} \frac{1}{(2n-1)^2} e^{-\left(\frac{2n-1}{2}\pi\right)^2 \cdot T_\mathrm{v}} \tag{6.21}$$

式（6.21）を図化すると図6.12になるが，片面排水の粘土層で，$u_0(z)=p$ の場合である．代表的な時間係数に対する圧密度が数値で表示してあるが，圧密開始の $T_\mathrm{v}=0$ から時間係数が増加して時間が経過すると，圧密度が増加することが分かる．ここで，$T=1.0$ では $U(T_\mathrm{v})=0.931$ であるが，これは圧密（沈下など）が93.1%完了していることを示す．これによると，$T_\mathrm{v}=3.0$ でも $U(T_\mathrm{v})=0.9995$ であり，圧密は終了していないことになるが，例えば，圧密度0.994である $T_\mathrm{v}=2.0$ を式（6.16）に適用すると，式（6.22）により圧密がほぼ完了（99.4%）する時間 $t_{0.994}$ が予測できる．

$$t_{0.994} = \frac{2H^2}{c_\mathrm{v}} = \frac{2\gamma_\mathrm{w} m_\mathrm{v}}{k} H^2 \tag{6.22}$$

なお，図6.12に記載するように，圧密度が0.5（50%）および0.9（90%）のときの時間係数は，それぞれ0.197および0.848であるが，両者の関係は後述の圧密試験での $\sqrt{t}$ 法（ルートティー）や $\log t$ 法（ログティー）で用いられる．

6.5.2 排水条件，初期間隙水圧の特性による圧密度

これまでは粘土層の片面排水の下で，初期の間隙水圧の分布形状が一様である矩形分布を想定していたが，図6.12の $U(T_\mathrm{v})$〜T_v の関係が粘土層の上下面の排水条件や初期の間隙水圧の分布形状により，どう影響されるかを考える．

まず，図6.13のように間隙水圧 p の矩形分布の圧密度を $U_1(T_\mathrm{v})$ とし，間隙水圧を αp とした場合の圧密度 $U_{11}(T_\mathrm{v})$ に対する α の影響をみる．ここで，式（6.15）は式（6.23）のように，変数の関数で簡略化して表記する．

$$u(z) = \sum g(T_\mathrm{v}) f(z) \int u_0(z) f(z) dz \tag{6.23}$$

ここに，$g(T_\mathrm{v}) = \dfrac{2}{H} \exp\left\{-\left(\dfrac{2n-1}{2}\pi\right)^2 \cdot T_\mathrm{v}\right\}$, $f(z) = \cos\left(\dfrac{2n-1}{2}\pi \dfrac{z}{H}\right)$

圧密度 $U(T_\mathrm{v})$ は定義式（6.19）および式（6.21）により式（6.24）で表記

6.5 圧密の予測

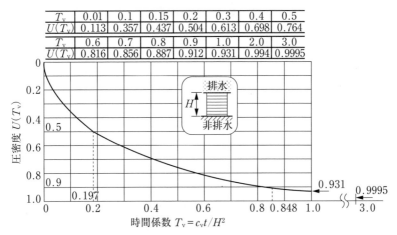

図 **6.12** 圧密度 $U(T_v)$ と時間係数 T_v の関係例（片面排水，u_0 一様分布）

できる。

$$U(T_v) = 1 - \int \{\sum g(T_v)f(z)\int u_0(z)f(z)dz\}dz/\int u_0(z)dz \quad (6.24)$$

ここで，$u_0(z) = p$ の矩形分布では，

$$U_1(T_v) = 1 - \int \{\sum g(T_v)f(z)\int pf(z)dz\}dz/\int pdz \quad (6.25)$$

一方，$u_0(z) = \alpha p$ の矩形分布では，

$$U_{11}(T_v) = 1 - \int \{\sum g(T_v)f(z)\int \alpha pf(z)dz\}dz/\int \alpha pdz \quad (6.26)$$

となり，分子と分母の α が消え，$U_1(T_v) = U_{11}(T_v)$ となり，α には無関係となる。従って，片面排水の場合，$U(T_v)$ は矩形分布の間隙水圧の規模には無関係である。

次に，図 6.13 のように，間隙水圧 p' の三角形分布の圧密度を $U_2(T_v)$ とした場合の圧密度 $U_1(T_v)$ との差異の有無をみる。三角形分布は $u_0(z) = p'(1-z/H)$ であるので，式（6.27）となる。

第6章 圧密特性

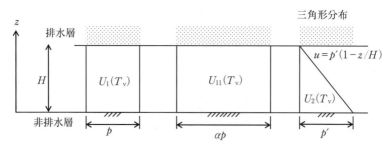

図 **6.13** 初期の間隙水圧の規模と分布形状の影響（片面排水）

$$U_2(T_v) = 1 - \int \{\Sigma\, g(T_v) f(z) \int p'(1-z/H) f(z) dz\} dz / \int p'(1-z/H) dz \quad (6.27)$$

従って，p' の影響はないが矩形分布の $U_1(T_v)$ とは異なる。従って，片面排水の場合，三角形分布の $U(T_v)$ は矩形分布と異なる。なお，逆三角形分布も同様に異なる。さらに，矩形分布と同様に，間隙水圧の規模には無関係であり，逆三角形の場合も同様である。

次に，図 6.14 のように矩形分布の場合で層厚 $2H$ の両面排水と層厚 H の片面排水の圧密度の関係を見る。ここで，両面排水は上半分と下半分の片面排水の合成であり，排水の方向が上か下かの違いだけなので，それぞれの圧密度 $U_{121}(T_v)$ と $U_{122}(T_v)$ は，層厚 H の片面排水の圧密度 $U_1(T_v)$ と同じである。従って，矩形分布の場合，層厚 $2H$ の両面排水の $U_{12}(T_v)$ と層厚 H の片面排水の $U_1(T_v)$ は同じである。なお，片面排水と同様，α による大きさにも無関係である。なお，両面排水の三角形分布あるいは逆三角形分布も矩形分布と同じになる。

以上から，排水条件と間隙水圧の分布形状による圧密度を比較したのが図 6.15 である。代表的な 5 種類の間隙水圧の形状分類を示すが，形状分類が同じであれば，同じ圧密度 $U(T_v)$ と時間係数 T_v の関係が適用できる。

6.5 圧密の予測

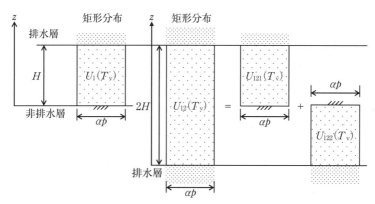

図 **6.14** 圧密度に及ぼす排水条件の影響

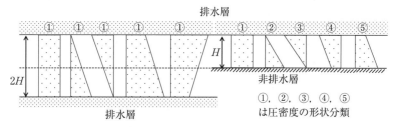

図 **6.15** 圧密度が同じ排水条件と間隙水圧の分布形状の分類

6.5.3 排水条件，間隙水圧の分布特性による $U(T_v) \sim T_v$ 関係

片面排水で矩形分布の間隙水圧の場合，圧密度 $U(T_v) \sim$ 時間係数 T_v の関係は図 6.12 となるが，他の分布形状の分類の $U(T_v) \sim T_v$ を考えてみる。図 6.16 は 4 種類の間隙水圧分布の分類であるが，組み合わせにより他の圧密度が推算できる。例えば，矩形分布の $U_1(T_v)$ と三角形分布の $U_2(T_v)$ から，逆三角形分布の $U_3(T_v)$ は式 (6.28) で定式化できる。これは，逆三角形は矩形から三角形を除いた形状と考えればよい。

$$U_3(T_v) = 2U_1(T_v) - U_2(T_v) \tag{6.28}$$

また，$U_1(T_v)$ と $U_2(T_v)$ を用いて台形分布の $U_4(T_v)$ は式 (6.29) で定式化できる。これは，台形は矩形と三角形を足した形状から求められる。なお，式中の $\eta = p'/p$ であるが，η がゼロに近いと逆三角形，1 であると矩形，かな

第 6 章 圧密特性

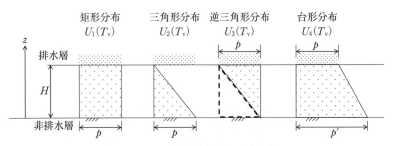

図 **6.16** 圧密度 $U(T_v)$ の相互関係

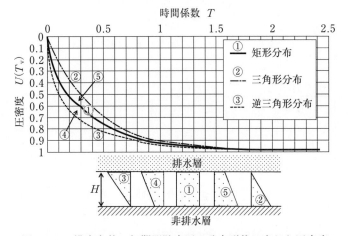

図 **6.17** 排水条件，初期間隙水圧の分布形状に応じた圧密度 $U(T)$〜時間係数 T の関係

り大きい（$1/\eta \to 0$）と三角形の形状に近づくことを表す指標と見ることもできる。

$$U_4(T_v) = [2U_1(T_v) + (\eta-1)U_2(T_v)]/(1+\eta) \tag{6.29}$$

図 6.17 は図 6.15 の 5 種類の形状分類の排水条件，間隙水圧の分布形状に応じた $U(T_v)$〜T_v 関係を対比している．ここで，式（6.29）によれば，形状①は形状②と形状③の中点にあり，形状④は形状③と形状①の間，形状⑤は形状①と形状②の間にあると推定できる．

6.5.4 圧密沈下量

圧密による影響で最も重要なのは沈下である．沈下量の推定方法には幾つかあるが，初期の間隙水圧分布に基づく方法は以下の通りである．

ある時間の粘土層全体の沈下量 S は，全層（$z=0 \sim H$）の鉛直ひずみ $\varepsilon(z)$ の積分であるので，式（6.1）において $p = \sigma'(z)$ とすると式（6.30）が成立する．

$$S = \int_0^H \varepsilon(z) \cdot dz = m_v \int_0^H \sigma'(z) dz \tag{6.30}$$

一方，圧密に伴い増加する有効応力 $\sigma'(z)$ と減少する間隙水圧 $u(z)$ の和は初期の間隙水圧 $u_0(z)$ と等しいので，式（6.31）の関係が常に成立する．

$$\sigma'(z) + u(z) = u_0(z) \tag{6.31}$$

式（6.31）を式（6.30）に代入して，式（6.20）の関係から式（6.32）が得られ，式（6.19）から圧密度で表した沈下量の算定式（6.33）が得られる．

$$S = m_v H (\bar{u}_0 - \bar{u}) \tag{6.32}$$
$$S = m_v H \bar{u}_0 U(T_v) \tag{6.33}$$

ここで，圧密終了時では圧密度 $U(T_v) = 1.0$ であるので，最終沈下量 S_0 は式（6.34）で，また，式（6.17）で定義した沈下量による圧密度は式（6.35）で表記できる．

$$S_0 = m_v H \bar{u}_0 \tag{6.34}$$

$$U(T) = \frac{S}{S_0} = \frac{S}{m_v H \bar{u}_0} \tag{6.35}$$

式（6.34），式（6.35）によれば，沈下量は圧密開始時に発生する間隙水圧の平均値（例えば，$u_0(z) = p$ の場合，$\bar{u} = p$）が得られれば容易に求められるが，これ以外の方法による沈下量の算出には，以下に列記する方法がある．

(1) 間隙比 e の変化から求める方法

$$S = \Delta e \cdot H / (1 + e_0) \tag{6.36}$$

ここに，e_0：圧密開始時の間隙比，Δe：圧密による間隙比の減少量（>0）

(2) 含水比 w の変化から求める方法

$$S = \rho_s \cdot \Delta w \cdot H / (100\rho_w + \rho_s w_0) \tag{6.37}$$

ここに，w_0：圧密開始時の含水比，

Δw：圧密による含水比の減少量（>0），

ρ_s：粘土の密度，ρ_w：水の密度

(3) 有効上載圧 p の変化から求める方法

$$S = H \cdot C_c / (1 + e_0) \times \log[p_2/p_1] \tag{6.38}$$

ここに，p_1：圧密開始時の有効上載圧，p_2：圧密進行時の有効上載圧，

C_c：圧縮指数（式（6.4）参照），e_0：圧密開始時の間隙比

以上では，図6.18（a）の粘土層厚が H の片面排水での圧密を考えているが，実地盤では図6.18（b）のような粘土層の下方に砂層があり，下面も排水層になる場合がある。このような両面排水の場合，粘土層の上下面から同じように排水されるので，粘土層の中央を境にして，上半分では上向きに，下半分では下向きに排水が行われる。従って，両面排水の圧密時間は図6.18（c）の層厚が $H/2$ の片面排水と同じになるので，式（6.16）の圧密時間 t は $H/2$ を適用して算出する。このように，両面排水の場合は同じ層厚の片面排水の圧密時間の1/4になる。ただし，圧密量は層厚が同じであるので，片面排水と両面排水は同じである。

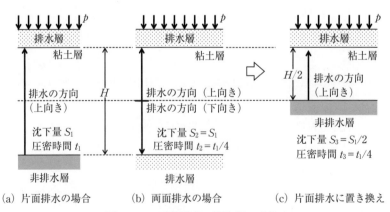

(a) 片面排水の場合　　(b) 両面排水の場合　　(c) 片面排水に置き換え

図 **6.18** 両面排水の取り扱い方法

6.6 圧密試験

6.6.1 圧密試験の方法

圧密沈下量を予測するためには，粘土の圧密係数 c_v が必要であるが，圧密試験[1]により求める。図 6.19 は圧密試験装置の概要であり，断面図を示す。粘土の供試体を入れる圧密リングは内径 6cm，高さ 2cm であり，供試体の上下面は透水性が高く，目詰まりしない多孔版があり，上部の多孔板の上には多孔で剛な加圧板，下部の多孔板の下には多孔で剛な底板が配されている。加圧板には所要の圧密荷重が加えられ，圧密量はダイヤルゲージや電気式変位計で計測する。通常，圧密圧力は 9.8，19.6，39.2，78.5，157，314，628，1256kN/m^2 のように 2 倍ずつ 8 段階で増加させ，それぞれの荷重の下で，6，9，12，18，30，42 秒，1，1.5，2，3，5，7，10，15，20，30，40 分，1，1.5，2，3，6，12，24 時間の間隔で変位計を読む。各段階では 24 時間で圧密が終了するとして止め，次の荷重段階に移る。なお，圧密試験は両面排水であるが，圧密時間は高さの 2 乗に比例するので，高さ 2cm の供試体の室内での圧密は，実地盤の粘土層が 2m の場合，実地盤の圧密時間の 1/10,000 の短時間で終了できることになる。

6.6.2 圧縮曲線と圧密降伏応力

圧密圧力ごとの載荷による圧密終了時の間隙比を縦軸（算術目盛），圧密圧力を横軸（対数目盛）として測定点を落とし，これらの点を結んで図 6.20 の圧縮曲線を描く。まず，圧縮曲線の直線部で 2 点をとり，圧縮指数を式

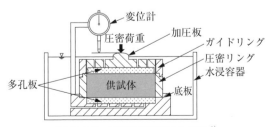

図 6.19 圧密試験装置の概要[1]

第6章 圧密特性

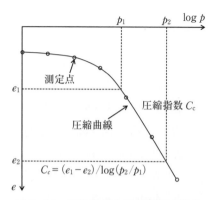

図 **6.20** 圧縮曲線と圧縮指数の算出

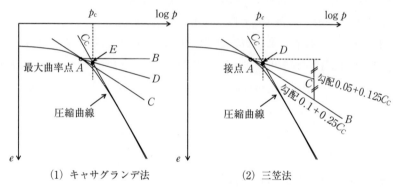

(1) キャサグランデ法　　　　(2) 三笠法

図 **6.21** 圧密降伏応力を算出する2法

(6.39) で算出する。

$$C_c = (e_1 - e_2)/\log(p_2/p_1) \tag{6.39}$$

次に，圧密降伏応力 p_c を求めるが，図6.21のキャサグランデ（Casagrande）法と三笠法がある。

(1) キャサグランデ法

圧縮曲線の最大曲率点 A を求め，A 点を通る水平線 AB と接線 AC を引く。次に，2つの直線の二等分線 AD と圧縮指数を求めた直線との交点 E を求め，E 点の横座標 p_c を圧密降伏応力とする。

104

(2) 三笠法

圧縮指数から勾配が $0.1+0.25C_c$ である直線と圧縮曲線の接点 A を求める。次に，この直線 AB の 1/2 の勾配をもつ直線 AC と圧縮指数を求めた直線との交点 D を求め，D 点の横座標 p_c を圧密降伏応力とする。

6.6.3 $\sqrt{t}$ 法と $\log t$ 法

圧密試験で計測された変位計の読み d と経過時間 t を整理して，圧密係数を求める方法には，$\sqrt{t}$ 法と $\log t$ 法の 2 方法がある。$\sqrt{t}$ 法は圧密度 $U=90\%$ の時間係数が $T=0.848$ であること，$\log t$ 法は圧密度 $U=50\%$ の時間係数が $T=0.197$ であることを利用する方法である。

(1) $\sqrt{t}$ 法

$\sqrt{t}$ 法では図 6.22 のように，縦軸に変位計の読みを算術目盛，横軸に経過時間を対数目盛とした圧密量〜時間曲線の d〜$\sqrt{t}$ 曲線を描く。まず，この曲線の初期直線 AC を描き，圧密開始時間での変位 d_0 を求める。次に，A 点を

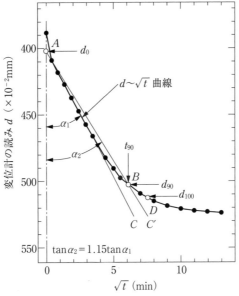

図 **6.22** $\sqrt{t}$ 法による圧密係数の求め方

通って初期直線の角度 α_1 による $\tan\alpha_1$ を 1.15 倍した $\tan\alpha_2$ の角度 α_2 の直線 AC' を描く。この直線と曲線との交点が圧密度 90% の位置であり，これにより t_{90} が得られ，式 (6.40) により圧密係数が算出できる。

$$c_v = T_v H^2/t = 0.848\, H^2/t_{90} \qquad (6.40)$$

ここで，$\tan\alpha_2 = 1.15\tan\alpha_1$ としているのは，圧密の初期段階では式 (6.41) のように，圧密度が時間 T_v の平方根に比例するという関係に基づく。

$$U(T_v) = (2/\sqrt{\pi})\sqrt{T_v} \qquad (6.41)$$

まず，圧密初期の直線部分の角度を α_1 とすると，式 (6.41) と $t = TH^2/c_v$ から式 (6.42) が成り立つ。

$$\begin{aligned}\tan\alpha_1 &= \{\sqrt{t}/(d_{100}U(T_v))\}_{t=0} = H/(d_{100}\sqrt{c_v})\{\sqrt{T_v}/U(T)\}_{t=0}\\ &= \sqrt{\pi}/2\cdot\{H/(d_{100}\sqrt{c_v})\} = 0.886H/(d_{100}\sqrt{c_v})\end{aligned} \qquad (6.42)$$

ここで，$U(T_v) = 0.9$ の B 点の角度を α_2 とすると，$\sqrt{T_v} = \sqrt{0.848}$ であるので，

$$\begin{aligned}\tan\alpha_2 &= \{\sqrt{t}/(d_{100}U(T_v))\}_{t=t_{90}} = H/(d_{100}\sqrt{c_v})\{\sqrt{T_v}/U(T)\}_{t=t_{90}}\\ &= (\sqrt{0.848}/0.9)H/(d_{100}\sqrt{c_v}) = 1.023H/(d_{100}\sqrt{c_v})\end{aligned} \qquad (6.43)$$

式 (6.42) と式 (6.43) から $\tan\alpha_2 = (1.023/0.886)\tan\alpha_1 = 1.15\tan\alpha_1$ となる。

(2) $\log t$ 法

$\log t$ 法では図 6.23 のように，縦軸に変位計の読みを算術目盛，横軸に経過時間を対数目盛とした圧密量～時間曲線の d～$\log t$ 曲線を描く。S 字形の下に凸な部分を挟んだ 2 本の接線の交点 A が圧密の終了時点 $(d_{100},\ t_{100})$ である。次に，圧密の初期段階で $t_2:t_1 = 4:1$ となるように t_2 と t_1 を決め，それぞれの d_2 と d_1 を求める。次に，$(d_s + d_2)/2 = d_1$ となる圧密開始時点の変位計の読み d_s を求める。さらに，$(d_s + d_{100})/2 = d_{50}$ により d_{50} を求めて B 点を決める。B 点が圧密度 50% の位置であり，これにより t_{50} が得られるので，式 (6.44) により圧密係数を算出する。

$$c_v = T_v H^2/t = 0.197\, H^2/t_{50} \qquad (6.44)$$

なお，$t_2:t_1 = 4:1$ とする根拠は，$\sqrt{t}$ 法と同様に，式 (6.41) および式

参考文献

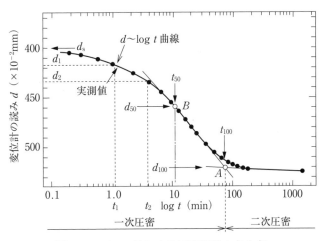

図 **6.23** $\log t$ 法による圧密係数の求め方

(6.33) の $S = m_v H \bar{u}_0 U(T_v)$ から導出できる。

さて，図6.22あるいは図6.23に示す圧密量～時間曲線において，圧密理論による圧密度100%までの時間以降でも圧密は進行している。圧密度100%までの領域を一次圧密，それ以降の領域を二次圧密と呼ぶ。圧密理論では土の粘性を考慮していないが，二次圧密は粘性を示す土粒子骨格の圧縮に起因して発生し，一定の応力の下で時間経過とともに進行するクリープ現象に似た現象ともいえる。

引用文献

1） 地盤工学会：土質試験（基本と手引き），2003.

参考文献

・石原研而：土質力学（第2版），丸善，295p.，2001.

第7章　せん断特性

　土は粒々(つぶつぶ)の集まりであるから，圧縮には強いがゆがみやずれには弱く，引っ張りには極端に弱い。外力や自重の作用によって，地盤の内部にせん断応力が発生すると，土要素のゆがみ，すなわちせん断変形が生じる。この現象を土のせん断という。地盤内のせん断応力が小さくて土のせん断抵抗とバランスしている間は安全であるが，せん断応力が増加すると地盤内にせん断破壊が生じる。斜面のすべり破壊，基礎地盤の破壊などは，地盤内のどこかでせん断応力（正しくは，有効応力による直応力に対するせん断応力の比）が過剰に大きくなることが原因となって生じる。

　図7.1は，6章で学んだ圧密問題とせん断問題の比較である。地盤上の広大な範囲に盛土を行った場合，地盤中央部の土要素は一次元的に圧縮され，その圧縮量の積分値として地表面が沈下する。このような水平方向に変形しない変形モードでは，土要素の水平面には盛土による鉛直応力が新たに作用するものの，土要素はそれ程ゆがまない。一方，斜面のすべりや基礎地盤の支持力問題では，地盤内のどこかでせん断応力が著しく増加する。このとき地盤は漫然と壊れるのではなく，ゆがみが集中したせん断層を挟んでブロック状の塊(かたまり)とし

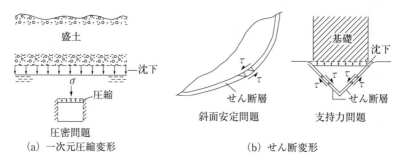

(a) 一次元圧縮変形　　　　　　(b) せん断変形

図 **7.1**　圧密問題とせん断問題

て移動し，せん断による破壊が生じる。このせん断層の厚さは，土の平均粒径の10〜20倍程度と極めて薄いため，地盤の破壊問題では，通常厚さをもたない面として取り扱われ，すべり面と呼ばれる。

　土のせん断現象の解明は，後章で取り扱う土圧，支持力，斜面安定などの地盤工学の重要問題に欠くことのできない課題であり，古くから実験的にも理論的にも数多くの研究が行われてきている。せん断に対する土の強さと変形性は，土の種類，排水条件，応力履歴，密度，せん断の方向，初期せん断，せん断の速度など実に様々な要因に影響を受け，その全体像の解明は日進月歩である。本章では，土のせん断特性に関する古くからの経験式や実験結果は，限られた土質および試験条件から得られたものであるため，これらは最小限に留め，土のせん断の本質を理解するための現象の説明と基礎理論に重点をおいている。

7.1　モールの応力円

　図7.2は，基礎による荷重が地盤に局所的に作用している様子である。図に示すような2次元の座標系 (x, z) を考える。地盤内に正方形の土要素を想定するとき，外力（この場合は基礎荷重）によりこの土要素に新たに作用する応力成分は，$\sigma_z, \sigma_x, \tau_{zx}, \tau_{xz}$ の4つである。σ_z と σ_x は，それぞれ水平面（$=z$面）および鉛直面（$=x$面）に作用する直応力である。土は圧縮に対して強く，圧縮問題を取り扱う場合がほとんどであるため，圧縮応力を正とする。τ_{zx} と τ_{xz} は，それぞれ土要素の z 面上で x 方向に，x 面上で z 方向に作用するせん断応力である。一般に，せん断応力に関しては反時計まわりを正とする。従って，図中のベクトル表示のせん断応力 τ_{zx} と τ_{xz} は，それぞれ正および負となる。また，土要素は回転しないので，例えばO点の力の回転モーメントがゼロになるという条件から，τ_{zx} と τ_{xz} は，大きさが互いに等しく，土要素を回転させる方向がそれぞれ逆のせん断応力であり，両者を共役せん断応力という。このように，2つの直応力 σ_z, σ_x と1つのせん断応力 $\tau_{zx}, (=-\tau_{xz})$ の3つの成分が求まれば，互いに直交する水平面（z面）と鉛直面（x面）で規定

第7章 せん断特性

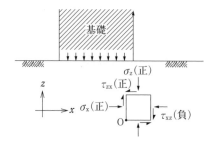

図 **7.2** 土要素の応力

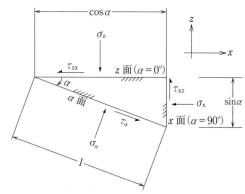

図 **7.3** 土の三角形要素による応力変換

される土要素に作用する応力の組み合わせが分かる。

　土要素の任意の方向の面に作用する応力成分を求める問題を考える。まず，図7.3に示す三角形要素の力の釣り合いを考える。z面に作用する2つの応力（σ_z, τ_{zx}）とx面に作用する2つの応力（σ_x, τ_{xz}）が与えられているとする。次に，z面から角度α傾いたα面に作用する2つの応力（$\sigma_\alpha, \tau_\alpha$）を求める。ここで，3つのせん断応力はすべて時計回り（正の方向）に表記していることに注意されたい。z面とx面に対して直角方向に作用する力は，それぞれ$\sigma_z \cos\alpha, \sigma_x \sin\alpha$，同じく平行に作用する力は，$\tau_{zx} \cos\alpha, \tau_{xz} \sin\alpha$，$\alpha$面に作用する力は$\sigma_\alpha, \tau_\alpha$である。$\tau_{xz} = -\tau_{zx}$が常に成り立っていることに注意して，$\sigma_\alpha$方向と$\tau_\alpha$方向の力の釣り合いから式（7.1）を得る。

7.1 モールの応力円

$$\begin{aligned}\sigma_\alpha &= \sigma_z \cdot \cos^2\alpha + \sigma_x \cdot \sin^2\alpha + 2\tau_{zx} \cdot \sin\alpha \cdot \cos\alpha \\ \tau_\alpha &= -(\sigma_z - \sigma_x)\sin\alpha \cdot \cos\alpha - \tau_{zx}(\sin^2\alpha - \cos^2\alpha)\end{aligned} \quad (7.1)$$

さらに，2倍角の公式を利用して整理すると，

$$\begin{aligned}\sigma_\alpha &= \frac{(\sigma_z + \sigma_x)}{2} + \frac{(\sigma_z - \sigma_x)}{2} \cdot \cos 2\alpha + \tau_{zx} \cdot \sin 2\alpha \\ \tau_\alpha &= -\frac{(\sigma_z - \sigma_x)}{2} \cdot \sin 2\alpha + \tau_{zx} \cdot \cos 2\alpha\end{aligned} \quad (7.2)$$

となる。この式により，互いに直交するz面とx面に作用する3つの応力成分（$\sigma_z, \sigma_x, \tau_{zx}$）が与えられたとき，任意の方向にある面（$\alpha$面）に作用する直応力とせん断応力（$\sigma_\alpha, \tau_\alpha$）を求めることができる。

一方，式（7.2）から，

$$\left(\sigma_\alpha - \frac{\sigma_z + \sigma_x}{2}\right)^2 + \tau_\alpha^2 = \left(\frac{\sigma_z - \sigma_x}{2}\right)^2 + \tau_{zx}^2 = R^2 \quad (7.3)$$

となる。図7.4は，$\sigma_z > \sigma_x$における式（7.3）の関係である。応力（$\sigma_\alpha, \tau_\alpha$）は$\alpha$の関数であり，$\alpha$が変化したときの（$\sigma_\alpha, \tau_\alpha$）の軌跡は半径$R$の円となることを示している。これをモール（Mohr）の応力円という。ここで，図中の点P_Pは面に対する極であり，モールの応力円上の点（σ_z, τ_{zx}）を通りσ_zが作用している面の方向の直線とモール円の交点として求める。面に対する極P_Pの性質を利用すると，任意の方向の面上の応力成分を図解法（用極法と呼ぶ）により簡単に求めることができる。なお，z面，x面は，それぞれ$\alpha = 0°$，$90°$の面に対応する。同様に，直応力の方向に関する極P_Dを利用して，任意の面上に作用する直応力の方向を求めることができる。ここで，直応力は面に直角に作用するから，P_DとP_Pは図7.5に示すような位置関係にある。

せん断応力がゼロの面を主応力面といい，主応力面に作用する直応力を主応力という。主応力面は，図7.6に示すように2つある。式（7.2）において，$\tau_\alpha = 0$とおくと，

第7章 せん断特性

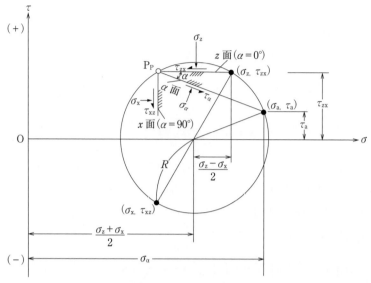

図 **7.4** モールの応力円

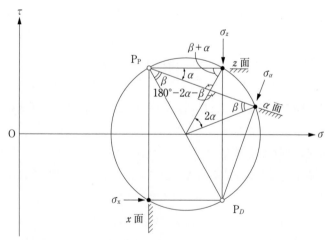

図 **7.5** 直応力の作用面に対する極 P_P と方向に対する極 P_D

7.1 モールの応力円

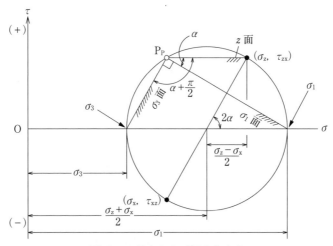

図 **7.6** 最大および最小主応力

$$\tan 2\alpha = \frac{\tau_{zx}}{\dfrac{\sigma_z - \sigma_x}{2}} \tag{7.4}$$

となり，式（7.4）より2つの主応力面がz面となす角度αと$\alpha+\pi/2$が求まる。図7.6において，z面と角度αをなす面上の直応力を最大主応力σ_1，$\alpha+\pi/2$の面上の応力を最小主応力σ_3といい，$\sigma_1>\sigma_3$である。

図7.7に示すように，z面とx面がそれぞれ最大主応力面と最小主応力面である場合には，最大主応力面と角度αをなす面上の応力は式（7.5）になる。

$$\begin{aligned}\sigma_\alpha &= \frac{\sigma_1 + \sigma_3}{2} + \frac{\sigma_1 - \sigma_3}{2}\cdot\cos 2\alpha \\ \tau_\alpha &= -\frac{\sigma_1 - \sigma_3}{2}\cdot\sin 2\alpha\end{aligned} \tag{7.5}$$

平均的な直応力が大きい程，土は強くて固くなる性質があるため，式（7.6）の平均主応力σ_mを定義しておくと便利である（図7.4，図7.7参照）。

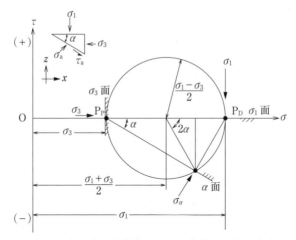

図 **7.7** 主応力面を基準にとった任意の面上の応力

$$\sigma_m = \frac{\sigma_1 + \sigma_3}{2} = \frac{\sigma_z + \sigma_x}{2} \tag{7.6}$$

同様に，モールの応力円におけるせん断応力の最大値は，

$$\tau_{max} = \frac{\sigma_1 - \sigma_3}{2} = \sqrt{\left(\frac{\sigma_z - \sigma_x}{2}\right)^2 + \tau_{zx}^2} \tag{7.7}$$

となる。最大せん断応力が作用する面は，最大主応力面と $\pi/4 (=45°)$ の角度をなす（図 7.7 参照）。

7.2 せん断変形とダイレイタンシー

せん断による土要素のゆがみであるせん断変形について考える。図 7.8 は，土要素が 2 通りのパターンでせん断されたときの変形の様子である。初期に等方応力状態（$\sigma_z = \sigma_x$）にあり，その後 σ_x が一定のままで σ_z のみが増大した結果，z 方向に圧縮され，x 方向に膨張したとする（(a) 図）。この場合，z 面および x 面上の直応力はそれぞれ最大主応力 σ_1 および最小主応力 σ_3 となり，対応する z，x 方向の縮みと伸びを表す直ひずみは，それぞれ最大および最小主ひずみ $\varepsilon_1 (>0,\ 圧縮)$，$\varepsilon_3 (<0,\ 膨張)$（$\varepsilon_1 > \varepsilon_3$）となる。ここで，最大せん断

7.2 せん断変形とダイレイタンシー

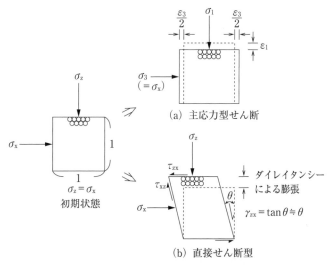

図 **7.8** 主応力載荷型と直接せん断型の変形モード

応力 τ_{max} に対応する土要素のゆがみを,式(7.8)による最大せん断ひずみで表す.

$$\gamma = \varepsilon_1 - \varepsilon_3 \tag{7.8}$$

土要素に生じるひずみが非常に小さいとき(0.001%程度以下),土は弾性体とみなせるから,土のせん断弾性係数 G を式(7.9)と定義する.

$$G = \frac{\tau}{\gamma} \tag{7.9}$$

この種のせん断試験は,主応力を載荷することにより土要素をせん断することから,主応力載荷型せん断試験といえ,後述する一軸圧縮試験,三軸圧縮試験がこれに該当する.

一方,せん断応力を土要素の境界面上に直接与える試験を,直接せん断型試験という((b)図).直接せん断型試験では,土要素のゆがみの角度を θ とすると,せん断ひずみ γ_{zx} は

$$\gamma_{zx} = \tan\theta \tag{7.10}$$

となる.変形が小さいときには $\tan\theta \approx \theta$ であるから,せん断ひずみは要素の

ゆがみ角そのものとなる。このときのせん断弾性係数は式 (7.11) で表される。

$$G = \frac{\tau_{zx}}{\gamma_{zx}} \tag{7.11}$$

弾性体では，直応力 σ_z, σ_x が一定（すなわち，平均主応力 σ_m が一定，式 (7.6) 参照）であり，せん断応力のみが変化したときに体積は変化しない。ところが，初期状態で密に詰まった土がせん断変形を受けると土粒子の乗り越え現象が発生するため，体積が膨張する（図 7.8（b）参照）。土のような粒状体に特有なこの変形特性を（正の）ダイレイタンシーという。逆に，ゆるい状態にある土がせん断されたときには体積が収縮する。これを負のダイレイタンシーと呼ぶこともある。通常，ダイレイタンシーはせん断ひずみが 0.1％ 程度を越えると観察される。

図 7.9 は，土のせん断強度（あるいはせん断抵抗力）を求めるための直接せん断型試験の代表格である室内一面せん断試験である。まず，正方形（あるいは円形）の剛な二つ割れ容器に土試料を入れ，所定の鉛直荷重を載荷する。このとき，上せん断箱と土供試体との摩擦の影響により，水平せん断面上に作

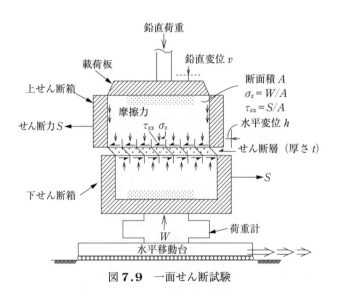

図 **7.9** 一面せん断試験

7.2 せん断変形とダイレイタンシー

用する鉛直力 $W=A\sigma_z$ (σ_z：水平せん断面上に作用する鉛直応力，A：供試体の断面積) は与えた鉛直荷重とは等しくならない．ところが，摩擦力の方向によらず，下せん断箱直下で測定した荷重と常に一致する．次に，W を一定に保ったままの状態で，固定した上せん断箱に対して下せん断箱を一定速度で水平移動させることにより，せん断力 S が発生する．せん断中は，上・下せん断箱のずれ（水平変位 h）と載荷版の上下動（鉛直変位 v）を測定する．

このような定圧一面せん断試験では，上・下せん断箱の隙間を通る水平方向にせん断変形が集中するせん断層（厚さ t）が発生する．せん断中は，σ_z に変化はなく，せん断層以外の土供試体の鉛直方向の変形はゼロであるため，vA はせん断層の体積変化に等しい．よって，鉛直方向のひずみ $\varepsilon_z = -v/t$（ただし，v は膨張を正）である．同様に，せん断層の $\gamma = h/t$ となる（式7.10 参照）．

図7.10 は，乾燥した豊浦標準砂（平均粒径0.16mm）を用いた定圧一面せん断試験の結果である．ここで，せん断層の厚さは平均粒径の 10～20 倍程度であるから，t は数 mm ときわめて薄いことに留意する必要がある．密な状態にある試料（例えば，初期間隙比 $e=0.65$）では，せん断初期に圧縮し，その

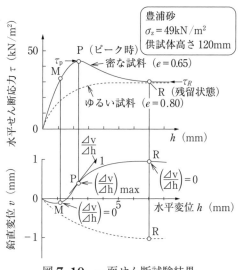

図 **7.10** 一面せん断試験結果

117

後膨張に転じて $\tau \sim h$ 関係はP点においてピークを示す。さらにせん断すると、τ は一定値に収束し残留状態（R点）に至る。一方、ゆるい試料では、一貫して体積収縮（負のダイレイタンシー）が生じ、大変形時に残留状態に至る。また、収縮から膨張に転じるM点の τ は、R点の τ にほぼ等しい。

　これらの実験結果から、土のせん断強度はダイレイタンシー特性と密接に関連していることが分かる。密な試料では、ダイレイタンシー $\Delta v/\Delta h$ が最も大きくなる（最も膨張する）ときにピーク値 τ_p（ピーク強度）を示し、ダイレイタンシーがゼロの残留状態ときに下限のせん断強度 τ_R となる。一方、ゆるい試料では、ダイレイタンシーがゼロのときの τ_R が残留状態のせん断強度（残留強度）となる。このように、乾燥した砂のせん断強度は、密度が小さいほどピーク時のダイレイタンシー量が小さくなり、τ_p から τ_R へと減少する。

　このようなせん断強度に及ぼすダイレイタンシー効果は、一面せん断供試体のせん断層（図 7.9 参照）におけるエネルギーの釣り合いを考察することにより定量的に評価できる。供試体外部からせん断層に与えられる仕事量は、$(\tau_{zx}\Delta h - \sigma_z \Delta v)A$（ここで、$\sigma_z$ は圧縮が正、Δv は膨張が正）である。一方、土の粒子間に水平方向に働く摩擦応力を τ_F とすると、土が Δh だけ変形する間に供試体内部で失われる摩擦仕事は、$\tau_F \Delta h A$ となる。熱によるエネルギーの損失がないと仮定すると、両者を等しいと考えて式 (7.12) が得られる。

$$\tau_F = \tau_{zx} - \sigma_z (\Delta v / \Delta h) \tag{7.12}$$

　式 (7.12) は、土のせん断におけるエネルギー補正式と呼ばれるが、ダイレイタンシーを示す土のせん断において、純粋に土粒子間の摩擦に起因するせん断応力は、実測値 τ_{zx} からダイレイタンシー効果による成分を差し引いた値となることを示している。

7.3　モール・クーロンの破壊規準

　土が壊れる法則は、固体間の摩擦法則と類似である。図 7.11 において、固体ブロックに変位 δ を与えたとき、ブロックがまさにすべり出そうとするときのせん断応力の大きさは、押さえつける応力 σ の大きさに比例し、このとき

7.3 モール・クーロンの破壊規準

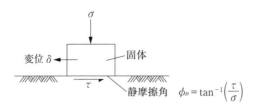

図 **7.11** 個体間の摩擦

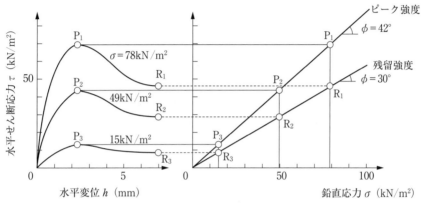

図 **7.12** 砂の一面せん断挙動におよぼす鉛直応力の影響

の静摩擦角は $\phi_\mu = \tan^{-1}(\tau/\sigma)$ となる。

図 7.12 は，乾燥した豊浦砂の定圧一面せん断試験の結果である（図 7.9，図 7.10 参照）。3 つの供試体をそれぞれ $\sigma = 15, 49, 78 \mathrm{kN/m^2}$ と一定に保った状態でせん断したところ，3 つのピーク点（P_1, P_2, P_3）は，$\tau \sim \sigma$ 関係図上で原点を通る傾き 42° の直線となった。同様に残留状態の点（R_1, R_2, R_3）は，傾き 30° の直線となった。試料は乾燥したきれいな砂であるから，押さえつける力がゼロのときにはサラサラの状態であり，せん断応力は実質的にゼロ，すなわち原点（$\sigma = 0, \tau = 0$）を通ることが容易に想像できる。

一方，土粒子間に付着力（セメンテーション）がある場合（例えば，土にセメントを混ぜた改良土，岩盤が弱風化した土）には，破壊点を連ねた直線は式（7.13）で与えられる（図 7.13）。

第7章 せん断特性

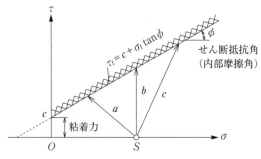

図 **7.13** クーロンの破壊規準

$$\tau_f = c + \sigma_f \tan\phi \tag{7.13}$$

ここで，c を粘着力，ϕ をせん断抵抗角（あるいは内部摩擦角）という．また，式（7.13）をクーロン（Coulomb）の破壊規準という．なお，図 7.12 の乾燥砂を用いた一面せん断試験結果では，ピーク強度は $c = 0$, $\phi = 42°$，残留強度は $c = 0$, $\phi = 30°$ の直線となる．破壊規準線の外側（図 7.13 のハッチ部分の領域）の応力は存在できず，任意の S 点からどのような (τ, σ) の経路（図中の a, b, c）をたどっても，破壊規準線に到達したときに土は破壊する．

一面せん断試験のような直接せん断型試験では，せん断面の方向およびせん断面上の応力は既知であるが，主応力の方向と大きさは未知である（図 7.8 参照）．そこで，主応力載荷型せん断試験における破壊規準について考える．図 7.14 に示すように，せん断前に等方拘束圧 σ_3 を受けており，鉛直方向に軸差応力 $(\sigma_1 - \sigma_3)$ が載荷される場合を考える．図 7.15 に示すように，応力〜ひずみ関係は拘束圧の影響を受け，σ_3 が大きいほど破壊時の軸差応力が大きく，モールの応力円の直径も大きくなる．これらのモールの応力円群を包み込む線を破壊包絡線という．破壊包絡線を直線で近似した場合をモール・クーロン（Mohr-Coulomb）の破壊規準といい，式（7.14）で表す．

$$\sigma_{1f} - \sigma_{3f} = 2c \cdot \cos\phi + (\sigma_{1f} + \sigma_{3f})\sin\phi \tag{7.14}$$

ここで，σ_{1f}, σ_{3f} は，それぞれ破壊時の最大主応力および最小主応力である．クーロンの破壊規準の場合と同様に，破壊規準線の外側（図 7.15 のハッチ部

7.3 モール・クーロンの破壊規準

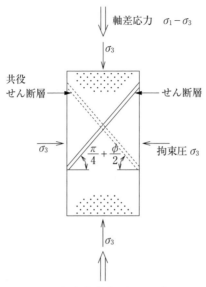

図 **7.14** 主応力載荷型せん断における土要素の破壊

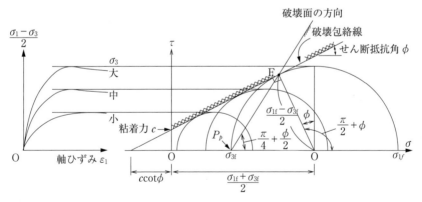

図 **7.15** モール・クーロンの破壊規準

分の領域）に応力は存在できない．

図 7.15 に示すように，モールの応力円と破壊包絡線が接する破壊面は，水平面（＝最大主応力面）から（$\pi/4+\phi/2$）傾いている．従って，破壊面上の

第 7 章　せん断特性

点 F の応力は，

$$\sigma_f = \frac{\sigma_{1f} + \sigma_{3f}}{2} - \frac{\sigma_{1f} - \sigma_{3f}}{2}\sin\phi$$
$$\tau_f = \frac{\sigma_{1f} - \sigma_{3f}}{2}\cos\phi \tag{7.15}$$

となる。式（7.15）の σ_f, τ_f をクーロンの破壊基準式（7.13）に代入すると，モール・クーロンの破壊規準の式（7.14）が得られる。

7.4　間隙圧係数

前節までは，あえて全応力 σ と有効応力 σ' を区別しなかった（なぜなら，乾燥土では $\sigma = \sigma'$）。しかし，実際問題では飽和土あるいは不飽和土（図 4.1 参照）が対象となる場合が多い。土の強さと硬さは，全応力ではなく有効応力に支配されるため，全応力の変化に伴う土の間隙水圧の変化を知る必要がある。

図 7.16 は，地表面より z の深さの土要素に作用する応力を示している。地表面に載荷重がなく地下水の流れがない場合，間隙水圧 $u_0 = \gamma_w \cdot z$（γ_w：水の単位体積重量），有効応力 $p'_0 = \gamma' \cdot z$（γ'：土の水中単位体積重量）であり，これらはともに等方的な（方向により大きさが変化しない）応力であるとする。地表面に建物の基礎を置き，鉛直および水平方向の全応力がそれぞれ $\Delta\sigma_1$, $\Delta\sigma_3$ だけ増加したとする。ここで，荷重の載荷直後において，土の透水性が低く，間隙水が全く移動しない状況（これを非排水状態という）を想定する。このような場合，土要素に生じる過剰間隙水圧 Δu は，式（7.16）になる。

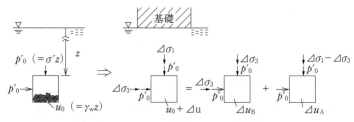

図 **7.16**　全応力の変化による過剰間隙水圧

7.4 間隙圧係数

$$\Delta u = B\{\Delta\sigma_3 + A(\Delta\sigma_1 - \Delta\sigma_3)\} \qquad (7.16)$$

ここで，係数 A, B はスケンプトン（Skempton）の間隙圧係数と呼ばれる。間隙圧係数 B は，

$$B = 1/\{1 + n(C_w/C_s)\} \quad (0 \leq B \leq 1) \qquad (7.17)$$

で表される。ここで，n は間隙率，C_w/C_s は水の圧縮率（m^2/kN）と土骨格の圧縮率（m^2/kN）の比である。普通の土の C_w/C_s は $0.0001 \sim 0.01$ のオーダーであるから，間隙が水で完全に満たされている飽和土の場合には，近似的に $B = 1.0$ となる。一方，間隙に空気が存在すると，飽和度が小さくなるにつれて，間隙部分の圧縮率が大きくなるため B 値が減少し，乾燥土では $B = 0$ となる。

間隙圧係数 A は，軸差応力の変化に対する過剰間隙水圧の発生量を表わす係数である。飽和土の場合，図 7.17 に示すように，式 (7.16) は，$\Delta u_f = \Delta u_B (= \Delta\sigma_{3f}) + \Delta u_A \{= A(\Delta\sigma_{1f} - \Delta\sigma_{3f})\}$ と表現できる。また，有効応力のモールの応力円が有効応力表示の破壊線（式 (7.14) 参照）に接したときに破壊する。軟らかい粘土やゆるい砂のせん断では，正の過剰間隙水圧が発生して A の値は $0.5 \sim 1.0$ 程度となる。一方，過圧密粘土や充分に締固めた密な砂質土では負の値（すなわち，せん断すると負の間隙水圧が発生）を示す。このように間隙圧係数 A は，せん断に伴う土のダイレイタンシー特性（軟らかい粘

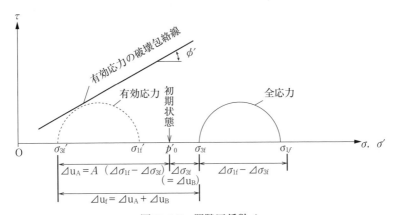

図 **7.17** 間隙圧係数 A

土やゆるい砂質土では体積が収縮し，過圧密粘土や密な砂質土では膨張）と表裏一体の関係にある（図7.8参照）。

7.5 せん断試験

7.5.1 目的と種類

　せん断試験の目的は，地盤や土構造物の安定性を予測あるいは評価するために，原地盤のせん断強度を求めることにある（図7.1参照）。従って，現場の応力の変化の仕方や排水条件をできる限り忠実に再現することが何より重要である。せん断試験には，現場で実施する原位置せん断試験，現場から採取した土試料を用いた室内せん断試験の2種類がある。さらに，前述したように主応力載荷型試験，直接せん断型試験の2通りに分類される（図7.8参照）。ここでは，室内における主応力載荷型試験の代表格である一軸圧縮試験と三軸圧縮試験を示す。

　図7.18は，一軸圧縮試験機の例である。円柱状の土供試体を上下加圧板の間に挟み，圧縮装置により下方加圧板を固定された上方加圧板に対して一定速度で上昇させることにより，供試体を圧縮して破壊させる。試験時には，軸圧縮力 P と軸変形量 $\varDelta H$ を測定し，供試体が円柱形を正しく保持していること，

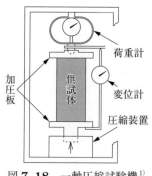

図 **7.18** 一軸圧縮試験機[1]

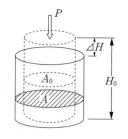

$\varepsilon = \varDelta H/H_0 \times 100$
$A = A_0/(1-\varepsilon/100)$
$\sigma = P/A$

図 **7.19** 圧縮応力と圧縮ひずみ[1]

7.5 せん断試験

体積が変化しないことの二つを仮定して，圧縮応力 σ と圧縮ひずみ ε を算定する（図7.19）。

この試験では，図7.20に示すように，$\sigma \sim \varepsilon$ 関係の σ の最大値を一軸圧縮強度 q_u とする。また，$\sigma = q_\mathrm{u}/2$ での割線変形係数として，

$$E_{50} = \frac{q_u}{2 \times \dfrac{\varepsilon_{50}}{100}} \tag{7.18}$$

を求める。E_{50} は地盤の弾性係数として，便宜的に設計に用いられる。

図7.21は，三軸試験装置の例である。三軸試験では，一軸圧縮試験と同じく円柱供試体を用いるが，供試体は薄いゴムスリーブ（ゴム製の筒）で覆われ，さらにOリングによりペデスタルとトップキャップの間で密封されている。供試体は，水で満たしたセルと呼ばれる密閉された容器内に設置され，地盤内での全応力に相当するセル圧（＝拘束圧）がゴムスリーブを介して加えられる。一方，供試体の内部には，ポーラスストーンを介して地盤内での水圧に相当する背圧（はいあつ）を加える。実際には十分に大きい背圧を与えることにより，供試体の間隙中の残存空気を圧縮飽和度を上昇させ，間隙圧係数 B（式7.16参照）を1.0に近づける。この措置により，飽和土としての試験結果の解釈が可能となる。セル圧と背圧の差が，供試体に作用する有効拘束圧 p'_0（図7.16参照）となる。

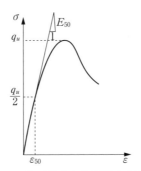

図 **7.20** 一軸圧縮強度と割線変形係数 E_{50}[1]

第 7 章　せん断特性

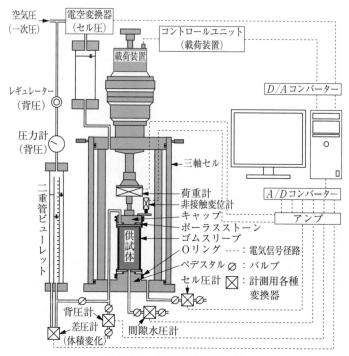

図 7.21　三軸試験装置の例

　供試体のせん断は，三軸セル上板に設置した載荷装置（モーター）により，供試体を一定速度で圧縮することにより行う。このとき，キャップ上に設置した変位計を用いて，供試体の軸変形量を測定する。せん断中に供試体の排水を許す排水試験の場合には，二重管ビューレットの水位の変化により体積変化を測定する。一方，供試体からの水の出入りを許さない非排水試験の場合には，二重管ビューレットへ通じるバルブを閉め，間隙水圧計により供試体の間隙水圧を測定し，せん断開始時からの間隙水圧の増加を過剰間隙水圧とする。このように，三軸試験は供試体の有効拘束圧，排水条件の両方をコントロールし，供試体の体積変化あるいは間隙水圧を逐次，測定できることに特長がある。

　非排水試験では，一軸圧縮試験と同様な方法で供試体の圧縮ひずみ（＝最大主ひずみ ε_1）を算定する（図 7.19 参照）。一方，排水試験では供試体の体積

ひずみ $\varepsilon_{vol} = \Delta V/V_0$（$\Delta V$：供試体の体積変化，$V_0$：供試体の初期体積）を測定し，微小変形を仮定して，

$$\varepsilon_{vol} = \varepsilon_1 + 2\varepsilon_3 \tag{7.19}$$

より，直径方向のひずみ $\varepsilon_3 = \Delta D/D_0$（$\Delta D$：供試体の直径の変化で圧縮を正，$D_0$：供試体の初期直径）および軸応力 $\sigma_1 \left(= \dfrac{4P}{\pi(D_0-\Delta D)^2}\right)$ を算定する。また，軸変形量が小さいとき土は弾性体とみなせるため，有効拘束圧一定の排水試験から，軸方向の有効応力の微小な増加 $\Delta\sigma'_1$ と軸ひずみの微小な増加 $\Delta\varepsilon_1$ を測定してヤング弾性係数 E' を式（7.20）より求める。

$$E' = \frac{\Delta\sigma'_1}{\Delta\varepsilon_1} \tag{7.20}$$

7.5.2 排水条件の影響

土の強さと硬さは，土粒子間に作用する有効応力の大きさに依存するため，せん断中に土供試体の排水を許すか許さないか（過剰間隙水圧 Δu の発生を許さないか許すか）により大きく異なる。ここでは，軟らかい飽和粘土（式7.14において $c=0$，式7.16において $B=1.0$，$A>0$）を対象として，供試体の排水条件の違いによるせん断強度の解釈の仕方を示す。

(1) 非圧密非排水（UU）試験

軟らかい飽和粘土では，含水比と有効応力の両方が変化しなければ強度は変わらない。よって，理想的な非圧密（Unconsolidated）非排水（Undrained）試験（以下，UU試験）では，せん断強度は変化しない。一軸圧縮試験はこの性質を利用して，原地盤の土要素が非排水状態でせん断されたときの非排水せん断強度 c_u を式（7.21）より求める。

$$c_u = \frac{q_u}{2} \tag{7.21}$$

図 7.22 に示すように，c_u は破壊時のモールの応力円の半径となる。

一軸圧縮試験では間隙水圧を測定しないが，有効応力による結果の解釈を考えてみよう。まず，図 7.16 の等方応力状態 p'_0（>0）にある原地盤からサンプラー（採取容器）を用いて試料を採取する。このとき，粘性土は透水係数が

第7章 せん断特性

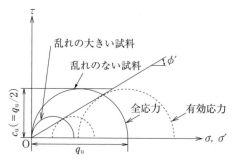

図 **7.22** 一軸圧縮試験のモールの応力円

小さいので，含水比は変化しない。また，室内では全応力がゼロとなる。従って，試料内部には負の間隙水圧（サクションという）$u_0 = -p'_0$ が生じるために供試体は自立できる。このような理想的な試料を用いた一軸圧縮試験は，初期の有効拘束圧 p'_0 に対応する有効応力のモールの応力円が，破壊線に接したときに破壊すると解釈できる（図7.22参照）。実際には，試料の採取時，運搬時の振動等の影響により試料が乱れて，供試体の有効応力 p' が低下する。乱れの影響により q_u, E_{50}（式7.18参照）ともに小さくなる。

一方，原地盤における粘土粒子の配列構造が乱れることにより，強さと硬さが低下する場合もある。図7.23に示すように，乱さない試料と室内で含水比が変化しないように手で練返した試料の一軸圧縮試験を実施し，鋭敏比 S_t を

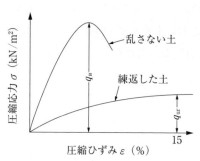

図 **7.23** 乱さない土と練返した土の応力～ひずみ曲線[1]

7.5 せん断試験

式 (7.22) で定義する。

$$S_t = \frac{q_u}{q_{ur}} \tag{7.22}$$

ここで, q_{ur} は練返した試料の一軸圧縮強度である。図 7.24 は, 液性指数, 非排水せん断強度 c_u および鋭敏比の関係を利用した粘土の分類である。同図に示すように, 液性指数が 1.0 よりも大きい（不安定な状態にある）割にはせん断強度が大きく, さらに鋭敏比が大きい（10 程度以上）粘土を超鋭敏粘土と呼ぶ。

供試体を拘束しない一軸圧縮試験では, 前述のように試料の乱れの影響により, 原地盤の非排水せん断強度を実際よりも小さく評価する恐れがある。そこで, 排水を許さない状態で供試体に $\varDelta \sigma_3$ の側圧を加えた後に, 圧縮せん断する試験を UU 三軸試験という。図 7.25 に示すように, 理想的な飽和土では, 初期の側圧の増加分が過剰間隙水圧の増加に等しくなるため, 有効応力による破壊時のモールの応力円は $\varDelta \sigma_3$ によらずただひとつである。従って, 全応力

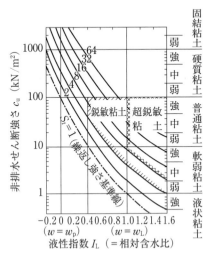

図 **7.24** 土の状態図（鋭敏比と液性指数の相関）[1]

第7章 せん断特性

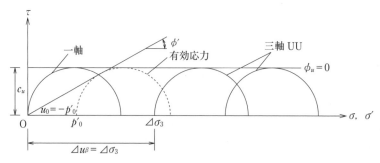

図 7.25 非圧密非排水 (UU) 試験のモールの応力円

のモールの応力円は加えた側圧の大きさによらず,一定となり,見かけ上のせん断抵抗角 ϕ がゼロとなる。つまり,UU 試験では全応力の $\phi_u=0$ となる。実際には,間隙中の残存空気が圧縮されるため,側圧が小さい領域ではモールの応力円の包絡線はやや原点側に近づく曲線となり,厳密には $\phi_u=0$ とはならない。

　北欧や東南アジアで多用されているベーンせん断試験は,軟らかい粘土地盤の非排水せん断強度を求めるための直接せん断型の原位置試験である。この試験では,地盤に十字型の金属性の羽根(直径 D,高さ H)を所定の深さまで挿入して,急速に回転させたときのトルクの最大値 M_{max} を測定する。図 7.26 に示すように,地上で測定された M_{max} は,ベーンによって切られて形成され

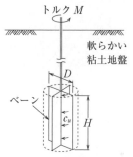

図 7.26 原位置ベーン
　　　　せん断試験

130

7.5 せん断試験

る円柱形の土の全周面に作用する c_u によって発生すると仮定して，

$$c_\mathrm{u} = \frac{M_\mathrm{max}}{\dfrac{\pi D^2 H}{2} + \dfrac{\pi D^3}{6}} \tag{7.23}$$

より c_u を求める。この試験ではベーンせん断試験でなく，せん断面付近の変形の一様性や排水条件が不明確であるため，わが国では境界条件が明確な室内せん断試験が主流となっている。

(2) 圧密非排水（CU，$\overline{\mathrm{CU}}$）試験

土を圧密すれば強くなる。地盤内の土要素は，深いほど圧密圧力が大きくせん断強度も大きいので，地盤は壊れない。このような圧密圧力による非排水せん断強度の変化を求める試験を圧密（<u>C</u>onsolidated）非排水（<u>U</u>ndrained）試験（CU 試験）といい，間隙水圧を計る場合を $\overline{\mathrm{CU}}$ 試験という。

図 7.27 は，市販の粉末粘土（液性限界 50％，塑性指数 26）に水を加え，室内で事前に圧密して得た供試体を用いた一連の $\overline{\mathrm{CU}}$ 三軸試験の結果である。3 つの供試体①，②，③をそれぞれ $p'_0 = 175, 300, 500 \mathrm{kN/m^2}$（一定）まで圧密し，側圧 σ_3 を圧密圧力 p'_0 に等しく保持したまま非排水せん断している。全応力による破壊時のモールの応力円は直線で近似でき，全応力表示によるせん断強度定数 $c_\mathrm{u} = 0$，$\phi_\mathrm{cu} = 14°$ が得られた。一方，有効応力によるモールの応力円も直線で近似でき，有効応力表示によるせん断強度定数 $c' = 0$，$\phi' = 30°$ が得られた。$\phi' > \phi_\mathrm{cu}$ となるのは，いずれの供試体も非排水せん断時に正の過剰間隙水圧 Δu_f が発生したためである。また，有効応力の破壊包絡線が直線となるのは，圧密応力によらず，破壊時の間隙圧係数 A_f が 3 つの供試体でほぼ等しいからである（$A_{f①} = 113/116 = 0.97$，$A_{f②} = 204/194 = 1.05$，$A_{f③} = 340/320 = 1.06$）。

ここで，非排水せん断強度 c_u を ϕ' と A_f を用いて表わすと，

$$c_\mathrm{u} = \frac{\sigma'_{1f} - \sigma'_{3f}}{2} = \frac{p'_0 \cdot \sin\phi' + c' \cdot \cos\phi'}{1 + (2A_\mathrm{f} - 1) \cdot \sin\phi'} \tag{7.24}$$

となる。また，粘着力がない軟らかい粘土の場合には，

第7章 せん断特性

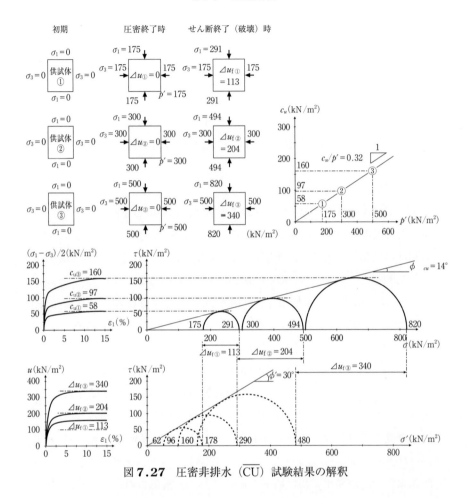

図 **7.27** 圧密非排水（$\overline{\text{CU}}$）試験結果の解釈

$$c_{\text{u}} = \frac{p'_0 \cdot \sin\phi'}{1 + (2A_{\text{f}} - 1) \cdot \sin\phi'} \qquad (7.25)$$

となる。つまり，$c_{\text{u}} = m \cdot p'_0$ となり，

$$m = \frac{\sin\phi'}{1 + (2A_{\text{f}} - 1) \cdot \sin\phi'} \qquad (7.26)$$

であるが，これを（非排水せん断）強度増加率と呼ぶ。通常，ϕ' は粘土に固有な定数であり，A_{f} も p'_0 によらずほぼ一定であるから，m も一定となる。

7.5 せん断試験

この粘土の場合には，$\phi' = 30°$，A_f の平均値 1.0 を式（7.26）に代入して，$m = 0.33$ が得られる。

(3) 圧密排水（CD）試験

CU 三軸試験と同様に，供試体を所定の圧密応力 p'_0 を用いて圧密した後に，排水状態でせん断する試験を圧密（Consolidated）排水（Drained）試験（以下，CD 試験）という。粘性土は透水係数が小さいので，間隙水圧が発生しない排水せん断を実施するためには，非常に遅い速度でせん断しければならない。

図 7.28 は，$p'_0 = 200\text{kN/m}^2$ まで圧密した 2 つの三軸供試体の非排水せん断

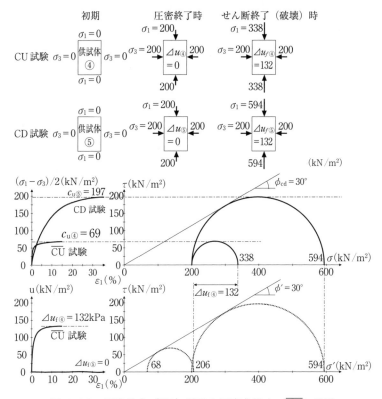

図 **7.28** 圧密排水（CD）試験と圧密非排水（$\overline{\text{CU}}$）試験

($\overline{CU}$) 試験（供試体④）と排水せん断（CD）試験（供試体⑤）の結果の比較である。$\overline{CU}$ 試験よりも CD 試験の方が，はるかに大きなせん断強度を示していること，CD 試験のせん断強度定数は $c_d=0$，$\phi_d=30°$ であり，非排水試験から求めた有効応力によるせん断強度定数 $c'=0$，$\phi'=30°$（図 7.27 参照）に等しいこと，が分かる。他の多くの粘性土においても $(c_d, \phi_d)=(c', \phi')$ となる。従って，透水性の低い粘性土では，試験時間を短縮するために $\overline{CU}$ 試験の結果から，$c'=c_d$，$\phi'=\phi_d$ として，排水状態でのせん断強度定数を求める。一方，砂質土では排水強度が問題となる場合が多く，また $\phi'<\phi_d$ となるため，排水試験から c_d，ϕ_d を直接に求める。

7.6 土のせん断挙動の実際

土のせん断挙動は，排水条件ばかりでなく，応力履歴，密度，せん断の方向，初期せん断，せん断の速度など実に様々な要因に影響される。ここでは，ごく限られた試験条件ではあるが，粘性土のせん断挙動に及ぼす応力履歴の影響，砂質土における密度の影響および粘性土の残留強度について考える。

(1) 粘性土のせん断挙動に及ぼす応力履歴の影響

正規圧密粘土は OCR=1 であり，OCR>1 の土を過圧密粘土という。

図 7.29 は，7.5 で紹介した粘土のせん断挙動に及ぼす応力履歴の影響の例である。まず，3つの供試体②，⑥，⑦を共通の圧密応力 $p'_0=300\text{kN/m}^2$ まで圧密している。供試体②は，そのまま $\sigma_3=p'_0$ 一定で非排水せん断した。供試体⑥と⑦は，それぞれ有効拘束圧 $\sigma'_3=77\text{kN/m}^2$，$\sigma'_3=40\text{kN/m}^2$ までゆっくりと減少させた後に，側圧 $\sigma_3=77\text{kN/m}^2$，$\sigma_3=40\text{kN/m}^2$ を一定に保って非排水せん断した。従って，供試体②，⑥，⑦の過圧密比（OCR）は，それぞれ 1, 3.9, 7.5 となる。正規圧密供試体②（OCR=1）は，せん断時に正の過剰間隙水圧 Δu が発生し，$\Delta u_f=204\text{kN/m}^2$ であった。一方，軽い過圧密状態の供試体⑥（OCR=3.9）は，過剰間隙水圧がほとんど発生せず，$\Delta u_f=1\text{kN/m}^2$ であった。さらに，強い過圧密粘土状態の供試体⑦（OCR=7.5）は，せん断中に負の過剰間隙水圧が発生し，$\Delta u_f=-22\text{kN/m}^2$ であった。このせん断中の

7.6 土のせん断挙動の実際

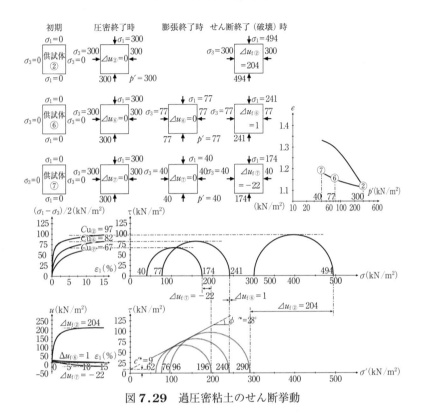

図 **7.29** 過圧密粘土のせん断挙動

Δu の変化の仕方は、土のダイレイタンシー特性の裏返しである。つまり、正規圧密粘土および過圧密粘土が非排水せん断されると、それぞれ正および負の間隙水圧が発生する（間隙圧係数 A が正および負となる）現象は、せん断に伴う土のダイレイタンシー特性（軟らかい正規圧密粘土では体積が収縮し、過圧密粘土では膨張する）と関係している（図7.8 参照）。

供試体②、⑥、⑦の c_u/p'_0 は、0.32(=97/300)、1.1(=82/77)、1.7(=67/40) である。図7.30 に示すように、正規圧密粘土の c_u/p'_0 は p'_0 によらず一定であるが、過圧密粘土ではOCRが大きくなるにつれ、式(7.27)のように指数的に増加する。

第7章 せん断特性

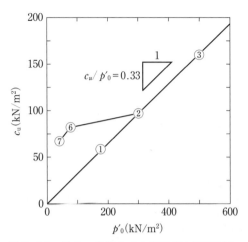

図 **7.30** 粘土の非排水せん断強度と圧密圧力の関係

$$\frac{c_u}{p'_0} = \left(\frac{c_u}{p'_0}\right)_{OCR=1} (OCR)^n \tag{7.27}$$

実験に用いた正規圧密粘土では，$(c_u/p'_0)_{OCR=1} = m = 0.33$（図7.30），$n = 0.83$ となる（図7.31）。

(2) 砂質土における密度の影響

粘性土が堆積するときには，重力作用よりも土粒子間に作用する電気的な力の方が強力である。従って，密度の変化は有効圧密圧力の変化に従順であり，正規圧密領域において，含水比（あるいは間隙比）は有効圧密圧力の対数に対して直線的に減少する（図6.8参照）。一方，砂質土の場合には，堆積時の重力や振動の影響によって密度が大きく左右されるため，応力履歴よりも堆積時の密度（あるいは間隙比）がせん断強度を支配する要因となる。つまり，堆積時に密な（間隙比が小さい）試料ほどダイレイタンシー効果が顕著となり，せん断抵抗角 ϕ_d が大きくなる（図7.10参照）。図7.32は，豊浦標準砂の試料を用いた室内せん断試験における間隙比〜ϕ_d の関係である。図の中には，CD三軸圧縮試験結果（モール・クーロン式7.14を適用）と一面せん断試験結果

7.6 土のせん断挙動の実際

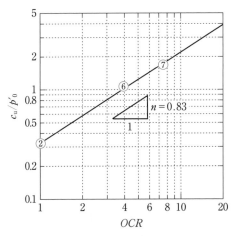

図 **7.31** 粘土の非排水せん断強度と過圧密比の関係

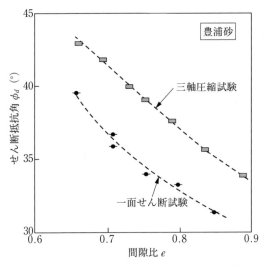

図 **7.32** 砂のせん断抵抗角と間隙比の関係

(クーロン式7.13を適用)を比較している。間隙比が小さいほど ϕ_d が増加するのは両方の試験で共通であるが，三軸圧縮試験の ϕ_d ＞一面せん断試験の ϕ_d となっている。これは，砂試料の堆積面に対するせん断層の方向の違いによる

異方性の影響および ϕ の定義の違いによるものである。ところで，非常にゆるい砂供試体の ϕ_d は，砂を撒きこぼして静かに堆積させたときにできる斜面角（安息角と呼ぶ）にほぼ等しくなる。安息角はきれいな砂の場合，32°程度となる。

(3) 土の残留強度

北欧諸国や英国のように，地盤形成において氷河の影響を強く受けた地域では，非常にゆるやかな傾斜の斜面が，長年に亘りゆっくりとすべる。土の残留強度とは，三軸試験では再現できないような大きなせん断変形を受けたとき，変形の進行に伴って土の強度が少しずつ低下し，最終的に一定値となったときのせん断強度を指す。砂質土では，残留強度に至るせん断変位は小さく，豊浦標準砂では7mm程度である（図7.12参照）。一般の土では，粘土の含有量が大きくなると残留状態に至るまでのせん断変位が大きくなる。図7.33は，ドーナツ状の試料に大きなせん断変位を与えるリングせん断試験から得られた，各種の土の残留状態でのせん断抵抗角 ϕ_R と粘土含有率の関係である。きれいな砂の ϕ_R は30°程度であり，粘土分が20%程度以上になると ϕ_R が急激に小さくなり，粘土ではおおよそ10°程度となる。ϕ_R は粒子間摩擦角そのものであるから，粘土鉱物の種類に依存し，活性度の高いベントナイト，スメククタイトでは7°程度となる。また，残留状態では，粘土粒子がせん断の方向にきちんと再配列し，鏡肌とよばれる滑らかなせん断面が観察される。

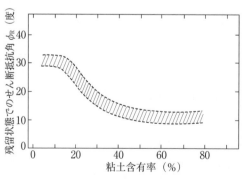

図 **7.33** 土の残留強度と粘土含有率の関係

7.7 応力経路

土に作用するせん断応力 τ が増加し，破壊に至るまでは，図 7.34 のモールの応力円が次第に大きくなり，破壊包絡線に接する（添え字 f で表わす）までの過程である。このように，破壊までの応力の変化を示す軌跡は，応力経路（ストレスパス：stress path）と呼ぶ。

ここで，応力経路を定義する応力によって，応力経路は異なるが，例えば，平均主応力 $p=(\sigma_1+\sigma_3)/2$ と最大せん断応力 $q=(\sigma_1-\sigma_3)/2$ による応力の座標 (p, q) を考える。この場合，座標 (p, q) は図 7.34 のモール円の頂点 B′，つまり最大せん断応力の作用面の全応力の軌跡になる。そして，破壊までの応力経路は直線 AB になるが，平均主応力と最大せん断応力は全応力であるので，全応力による応力経路である。なお，直線 AB の傾きは，$\tan\theta = q/(p-\sigma_3) = 1$ であるので，傾斜角 θ は $\pi/4$ である。一方，例えば，応力経路を定義する応力を，平均主応力 $p=(\sigma_1+2\sigma_3)/3$ と軸差応力 $q=\sigma_1-\sigma_3$ による座標 (p, q) とした場合は，$\tan\theta = q/(p-\sigma_3) = 3$ となる傾斜角を持つ直線になる。

また，せん断により発生する過剰間隙水圧 $\varDelta u$ を考慮した有効応力により応

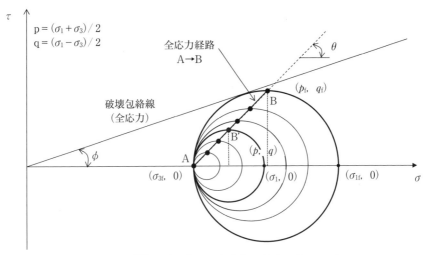

図 **7.34** 破壊に至るまでの全応力によるストレスパス

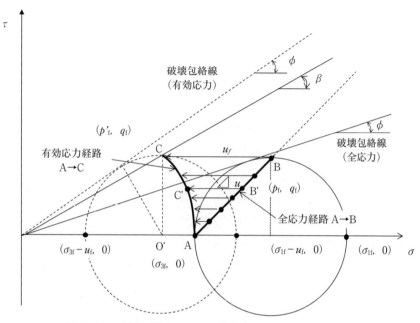

図 7.35 破壊に至るまでの有効応力によるストレスパス

力経路を表すこともできる（図7.35）。つまり，平均有効主応力 $p' = (\sigma'_1 + \sigma'_3)/2$ と最大有効せん断応力 q' を座標とすると，$p' = \{(\sigma_1 - \Delta u) + (\sigma_3 - \Delta u)\}/2 = (\sigma_1 + \sigma_3)/2 - u = p - \Delta u$, $q' = \{(\sigma_1 - \Delta u) - (\sigma_3 - \Delta u)\}/2 = (\sigma_1 - \sigma_3)/2 = q$ であるので，座標 (p', q') は $(p - \Delta u, q)$ となり，図7.34の全応力の座標 B$'(p, q)$ を Δu だけ平行移動した座標 C$'$ になる。したがって，有効応力の応力経路は曲線 AC になる。ここで，$\tan \beta = q_f/(p_f - u_f)$ である。

7.8 地盤の安定問題

粘土地盤上に盛土を施工する場合を考える。地表面に土を盛る速度がとても速く，粘土要素から水が抜ける間がなく（すなわち，非排水状態でせん断され），盛土が完成した直後から排水が徐々に始まると想定する。図7.36に示すように，盛土直下で圧縮変形をうける土要素の応力の時間履歴を考え，盛土

7.8 地盤の安定問題

荷重により土要素に生じる最大せん断応力を τ_{mob} とする。

正規圧密粘土地盤の場合（a 図），盛土荷重が増加する過程では，間隙圧係数 $A>0$ であるから正の過剰間隙水圧が蓄積し，盛土完了時の U 点における土要素のせん断に対する安全率 F_s は，要素の非排水せん断強度を c_u として，$F_{s(u)}=c_u/\tau_{mob}$ となる。その後，時間の経過につれ徐々に過剰間隙比水圧が消散し，最終的には完全排水状態に対応する D 点に到達する。このときの安全率は，排水せん断時のせん断強度を $\tau_{f(d)}$ として，$F_{s(d)}=\tau_{f(d)}/\tau_{mob}$ となる。ここで，

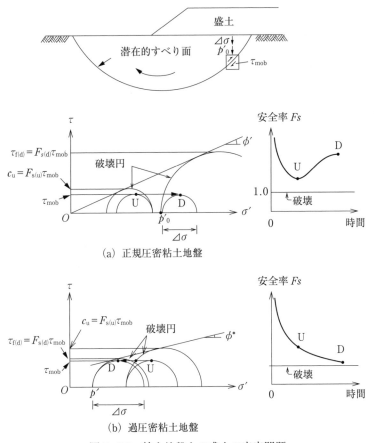

(a) 正規圧密粘土地盤

(b) 過圧密粘土地盤

図 **7.36** 粘土地盤上の盛土の安定問題

$\tau_{f(d)} > c_u$ であるから，(a) 図に示す経路 U ⇒ D を考慮すると，安全率は盛土の完成直後に最小値を示し，時間の経過とともに安全率が増加する．つまり，正規圧密粘土地盤上の盛土の安定問題では，盛土完成直後における地盤のせん断破壊の危険性が最も高くなる．

一方，強く過圧密された粘土地盤の場合 (b) 図，非排水せん断時に負の過剰間隙水圧が発生する．その後，過剰間隙水圧が消散する過程で，有効応力表示のモールの応力円が破壊線に漸近するため，安全率が引き続き減少する（経路 U ⇒ D）．つまり，過圧密粘土地盤上の盛土の安定問題では，盛土完成後から長い年月が経ってからの方がせん断破壊の危険性が高い．このように，土要素のせん断挙動を正しく理解することは，せん断破壊を伴う地盤の安定問題の理解に役立つ．

引用文献

1) 地盤工学会：土質試験（基本と手引き），2003．

参考文献

・龍岡文夫：室内せん断試験・原位置地盤調査・安定解析・模型実験・実構造物の挙動の関連について―砂地盤上の基礎の支持力問題を例にして―，わかりやすい土質力学原論，土質工学会，1992．
・龍岡文夫：土の強さと地盤の破壊入門―第 2 章「土の要素のせん断強度（材料力学）」，土質工学会，1987．
・Reynolds, O.: On the dilatancy of media composed of rigid particular in contact, *Philosophical Magazine*, 5 th Series 20, 1885.
・Shibuya, S., Mitachi, T. and Tamate, S.: Interpretation of direct shear box testing of sand as quasi-simple shear, *Geotechnique*, Vol. 46, No. 4, 1997.
・Taylor, D.W.: Fundamentals of soil mechanics, New York, Wiley, 1948.
・Skempton, A.W.: The pore pressure coefficient A and B, *Geotechnique*, Vol. 4, No. 4, 1954.

参考文献

- Shibuya, S. and Mitachi, T.: Development of a fully digitized triaxial apparatus for testing soils and soft rocks, *Geotechnical Engineering Journal*, SEAGS, Vol. 28, No. 2, 1997.
- 川口貴之，三田地利之，澁谷啓，佐野佶房：粘性土の変形特性を求めるための高精度三軸試験装置・方法の開発，土木学会論文集，No. 708, III-59, 2002.
- 三笠正人：粘性土の状態図について，第22回土木学会年次学術講演会講演概要集Ⅲ，1967.
- 龍岡文夫・プラダンテージ B. S.・Lam W. K.・堀井宣之：各種のせん断試験による砂の内部摩擦角，土と基礎，Vol. 35, No. 12, 土質工学会, 1987.
- Skempton, A.W.: Residual strength of clays in landslides, *Geotechnique*, Vol. 35, No. 1, pp3-18, 1985.

第8章　地盤特性と調査法

　地盤調査の目的は，基礎形式の選定，支持力の評価，沈下量と圧密時間の算定，液状化発生の可能性の程度や耐震設計上の地盤種別の判定，施工法の選択など行うこと，またはそのために必要な地盤情報を得ることである。

　表8.1に主な地盤調査法を示す。最初に資料調査で地形図，航空写真および地質図などを収集して，地形・地質の概況を把握する。次に地表踏査で露出している地層や地形，植生および土地利用状況を確認し，具体的な地盤調査法の計画を立案する。

　物理探査は弾性波や電気・電磁波などを用いて地下構造を把握する方法で，物理検層はボーリング孔を利用する。ボーリングはサンプリングで地下構造を直接確認でき，採取した土試料や地下水を用いて室内土質試験や土壌汚染調査を行う。ボーリング孔を利用して標準貫入試験や杭基礎の横方向支持特性を求める孔内水平載荷試験などの原位置試験，計測器の設置，地下水調査や現地計測もできる。サウンディングはロッドに付けた抵抗体を地中に挿入し，貫入，回転，引抜きなどの抵抗から強度や支持力特性を調べる方法である。平板載荷試験から直接基礎の支持特性が求められる。現場CBR試験や現場密度試験は主に施工管理で使われる。

8.1　ボーリング調査

8.1.1　標準貫入試験

　標準貫入試験で得られるN値（エヌち）とは，標準貫入試験用サンプラーを土中へ0.3m貫入させるために，ハンマー（質量$63.5±0.5$kg）を高さ76cm$±1$cmから自由落下させた回数である。乱した試料を採取できる。ボーリング掘削1m毎に，最初の0.5mを標準貫入試験に使用し，残り0.5mで柱状のサンプ

8.1　ボーリング調査

表 **8.1**　主な地盤調査法と地盤特性

種別	調査方法	検討項目											対象地盤		
		地盤構成	物理特性	地下水・透水性	締固め特性	圧密特性	強度特性	支持力特性	変形特性	施工管理	維持管理	災害調査	粘性土	砂質土	岩盤
	資料調査	◎	○	○	○	○	○	○	○	○	○	○	○	○	○
	地表踏査	◎										◎	○	○	○
物理探査	弾性波探査	○	△				○				△	△			○
	電気探査	○	○								△	△			○
	常時微動測定	△											○	○	○
	PS検層							○	△				○	○	○
	電気検層			○									○	○	○
	ボーリング，サンプリング	◎											○	○	○
サウンディング	標準貫入試験	○	○				○	◎		○			○	○	△
	簡易動的コーン貫入試験	△					○	◎					○	○	
	スウェーデン式サウンディング	△					○	◎		△	△		○	○	
	ポータブルコーン貫入試験	△					○	◎					○	○	
地下水	現場透水試験			◎							○	△	○	○	○
	揚水試験			◎									△	△	△
	ルジオン試験			◎											△
	地下水流速流向試験			○							○	○	○	○	○
載荷	平板載荷試験（地盤および道路）				○		○	◎	◎				○	○	
	現場CBR試験				○		◎	○	△				○	○	
	孔内水平載荷試験						○	◎	◎	△			○	○	○
	現場密度試験		◎							◎			○	○	
	現地計測									◎	◎	△	○	○	○
備　考		◎：頻繁に用いる　　○：用いる，△まれに用いる													

リングを行うことが多い。標準貫入試験用サンプラーの内径は約 35mm で，礫質土では礫打ちを生じて大きめの N 値が得られる場合がある。また，軟弱な粘性土（N値≦4）やゆるい砂質土（N値≦10）では，その値の信頼性は低下するとされている。

8.1.2 孔内水平載荷試験

ボーリング孔内において孔壁面に対して垂直方向に載荷し，その時の圧力と孔壁面の変位から，地盤の変形係数や降伏圧力などを求める試験である。杭基礎の水平方向地盤反力係数 k_h などが求められる。設計法とのバランスからみて N 値から求められる地盤定数の信頼性に問題がある場合，例えば，ゆるい砂質土（N 値 $\leqq 10$）や軟弱な粘性土（N 値 $\leqq 4$）が確認された場合などに杭頭から式（8.1）の β の $1/\beta \sim 1.5/\beta$ の深度で実施される。

$$\beta = \sqrt[4]{\frac{k_h B}{4EI}} \tag{8.1}$$

ここに，β：杭の特性値（m^{-1}）k_h：水平方向地盤反力係数（kN/m^3），B：杭径（m），EI：杭の曲げ剛性（kN・m^2）

8.1.3 ボーリング柱状図

図 8.1 にボーリング調査で採取したサンプル例を示す。地表から 1m は柱状サンプルを採取し，その後はボーリング掘削 1m 毎に上半分の 0.5m は標準貫入試験を行ない，下半分の 0.5m でサンプリングを行っている。ビニール袋には標準貫入試験で採取した乱した試料が入っている。柱状サンプル表面の指による陥没部分は，粘性土を示すマークである。図 8.2 に図 8.1 のボーリング柱状図を示す。同図の①の土質区分は，観察者による目視判定によるものである。2 章の地盤材料の工学的分類をベースに，地質学的名称やローカルソイル名を加えて記述される。②の相対密度とは観察による密実の程度，同様に相対稠度とは硬軟の程度を示す。③の記事は掘削作業中の記録と図 8.1 のサンプルの観察結果をまとめたものである。基礎や施工法の選定に係る礫の形状や大きさ，含水状態や湧水や逸水の有無が記入される。マトリックスとは礫間を埋める土質のことである。④の土質区分は地盤材料の工学的分類に準じた観察結果である。⑤の孔内水位はボーリング孔内で観測された水位である。掘削方法や孔壁保護方法で値が変化するため，地下水位とは異なるものである。⑥の深度は標準貫入試験の本打ち深度である。標準貫入試験は最初に 0.15m 予備打ちを行い，その後に本打ち 0.3m，最後に後打ち 0.05m の合計 0.5m で行われ

8.2 サウンディング

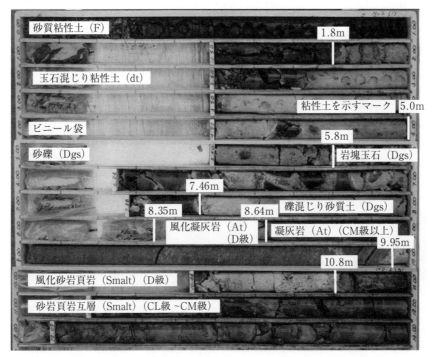

図 **8.1** 採取したサンプル例

る。例えば，深度 1m の標準貫入試験は 1.15m〜1.45m と本打ち深度で記載される。⑦に貫入 10cm 毎の打撃回数が記録されている。10cm 毎の打撃回数を比較することで，礫打ちや軟弱層による異常打撃を確認し易くしている。例えば，図の 7.25m から 3cm 貫入するに 27 回の打撃を行った（27/3 と記入）という異常が認められたため，7.15m〜7.25m の打撃回数 23 を 3 倍して補正 N 値としていることがわかる。

8.2 サウンディング

表 8.2 に主なサウンディングの一覧を示す。住宅などの小規模構造物の地盤調査で最も利用されているのがスウェーデン式サウンディング試験である。

第8章　地盤特性と調査法

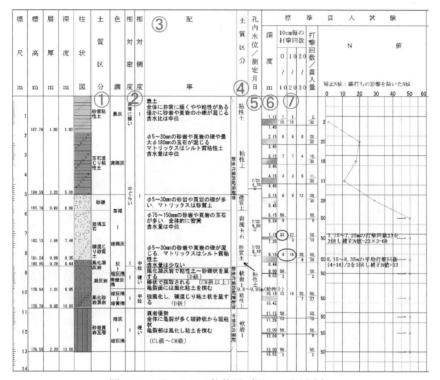

図 **8.2**　ボーリング柱状図（図 8.1 と対応）

8.2.1　スウェーデン式サウンディング試験

図 8.3 に試験装置を示す。深さ 10m 程度以浅の静的貫入抵抗を測定するものである。先端にスクリューポイントを装着したロッドを地面に垂直に設置し，1kN までの重りを段階的に載荷し，各段階で自沈の有無を観察する。1kN まで載荷しても自沈しない場合，ロッド上端のハンドルを回転させて貫入し，貫入量 0.25m 毎の半回転数を記録する。

式（8.2）および式（8.3）に N 値との関係，式（8.4）に一軸圧縮強さとの関係を示す。いずれの式もバラツキが大きいことを念頭において利用する。

$$N 値 = 0.002 W_{sw} + 0.067 N_{sw} \quad 礫・砂・砂質土の場合 \quad (8.2)$$

$$N 値 = 0.003 W_{sw} + 0.050 N_{sw} \quad 粘土・粘性土の場合 \quad (8.3)$$

8.2 サウンディング

表 **8.2** 主なサウンディング一覧

試験名	適用可能な地盤	調査可能深度 (m)	求まる内容	評価推定できる内容
スウェーデン式サウンディング	玉石・礫を除く地盤	10m 程度	W_{sw}, N_{sw}	N 値, 一軸圧縮強さ q_u, 支持力 q_a など
標準貫入試験	全ての地盤	50m 程度	N 値 乱した試料	地層構成, 地盤定数 (c, ϕ など), 支持力 q_a
簡易動的コーン貫入試験	玉石・礫を除く地盤	3m〜4m	N_d	N 値, 一軸圧縮強さ q_u, 支持力 q_a など
ポータブルコーン貫入試験	軟らかい粘性土, 緩い砂地盤	3m	コーン貫入値 q_c	地盤定数 (c_u・ϕ_u), 支持力 q_a

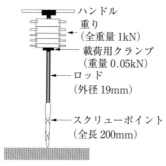

図 **8.3** スウェーデン式サウンディング試験機

ここに, W_{sw}：重りの荷重 (N), N_{sw}：貫入 1m 当たりの半回転数 (回/m)

$$q_u = 0.045 W_{sw} + 0.75 N_{sw} \tag{8.4}$$

ここに, q_u：一軸圧縮強さ (kN/m²)

さらに，式 (8.5) および式 (8.6) に平板載荷試験による許容支持力 q_a との関係を示す。これらの関係は平板載荷試験における載荷板の下 0.75m の地盤におけるものである。また，国土交通省告示第 1113 号（平成 13 年 7 月 2 日施行）に地盤の長期許容支持力度 q_a を求める式 (8.7) が示されている。ただし，基礎底部から下方 2m 以内でおもり 1kN 以下で自沈した場合，または下方 2m から 5m 以内でおもり 500N 以下で自沈した場合はこの式は使用できず，構造物に有害な損傷，変形および沈下が生じないことを確認しなくてはならない。

$q_a = 0.00003(W_{sw})^2$　　荷重（$W_{sw} \leq 1\text{kN}$）で貫入の場合　　　(8.5)

$q_a = 30 + 0.8 \times N_{sw}$　　荷重（$W_{sw} = 1\text{kN}$）の回転で貫入の場合 (8.6)

$q_a = 30 + 0.6 \times \overline{N_{sw}}$ 　　　　　　　　　　　　　　　　　　　　(8.7)

ここに，q_a：長期許容支持力（kN/m^2），$\overline{N_{sw}}$：基礎底部から下方 2m 以内の N_{sw} の平均値

　表8.3のデータシートを用いて試験結果を解説する。解説の番号①は試験開始直後の各荷重段階の貫入量の記録である。最後の 1kN を載荷した際にゆっくりと貫入する挙動が観察されている。荷重だけで貫入した地表から 1.5m はいわゆる表層部で，軟弱であることがわかる。1kN の荷重による貫入の停止を確認し，②で回転による貫入を開始した。3.5 半回転でハンドルが軽くなり，礫に当たったと判定した。③で瞬時に 35cm 貫入する自沈が発生している。深さ 2m 以浅の自沈であるため，国土交通省告示第 1113 号の式（8.7）の長期許容支持力式は使えないことになる。

　③の自沈を受けて，④では貫入荷重を求めるために全ての重りを除荷して再載荷している。0.5kN で貫入を確認し，③の許容支持力はこれと同程度（7.5kN/m^2）以下と判断している。1kN の荷重で貫入の停止を確認し，⑤で回転による貫入を開始した。砂音（ジャリジャリ）が確認され，この深度の土質は砂質土と判定できる。⑥で 15cm の自沈が発生した。この自沈を受けて，⑦で全ての重りを除荷して再載荷した結果，0.75kN で貫入を生じ，1kN で再び自沈が発生した。この自沈を受けて⑧で全ての重りを除荷して再載荷し，0.75kN から貫入を生じることを確認した。以上の⑥と⑦から，この区間（3.30m～3.85m）に軟弱層を挟み，その許容支持力は自沈深度前後の値から 16.9kN/m^2 以下と判断している。⑧で 1kN の荷重による貫入停止を確認し，⑨で回転による貫入を行った。深度 4.25m～4.75m で砂音が確認され，この範囲の土質は砂質土と判定できる。同様に深度 4.75m 以深は礫音（ガリガリ）が確認され，この深度の土質は礫質土と判定できる。⑩で 5cm 当たりの半回転数が 50 回を超えたために，貫入を終了している。

8.2 サウンディング

表 **8.3** データシート例

解説	荷重 W_{sw}(kN)	半回転数 N_a	貫入深さ D(m)	貫入量 L(cm)	1m 当たりの半回転数 N_{sw}	記事	許容支持力 q_a(kN/m²)
①	0.05		0.25	25			0.1
	0.15		0.40	15			0.7
	0.25		0.50	10			1.9
	0.50		0.70	20			7.5
	0.75		1.25	55			16.9
	1.00		1.50	25		ゆっくり貫入	30
②	同上	3.5	1.65	15	23	礫に当たる	48.4
③	同上		2.00	35		瞬時に貫入	0〜7.5
④	0.50		2.30	30			7.5
	0.75		2.40	10			16.9
	1.00		2.55	15			30
⑤	同上	4	2.80	25	16	砂音	42.8
	同上	14	3.05	25	56	砂音	74.8
	同上	6	3.30	25	24	砂音	49.2
⑥	同上		3.45	15		瞬時に貫入	0〜16.9
⑦	0.75		3.60	15			16.9
	1.00		3.85	25		瞬時に貫入	0〜16.9
⑧	0.75		4.10	25			16.9
	1.00		4.25	15			30
⑨	同上	10	4.50	25	40	砂音	62
	同上	15	4.75	25	60	砂音	78
	同上	65	5.00	25	260	礫音	238
	同上	123	5.25	25	492	礫音	424
⑩	同上	150	5.40	15	1000	礫音	830

荷重で貫入した場合：$q_a = 3 \times 10^{-5}(W_{sw})^2$，回転で貫入した場合：$q_a = 30 + 0.8(N_{sw})$

▨ ：自沈箇所を示す

8.2.2 その他

1) 簡易動的コーン貫入試験

急傾斜地などで風化度の分布確認などに利用されるもので，質量49Nのハンマーを0.5mの高さから自由落下させ，0.1m貫入させるのに必要な打撃回数 N_d 値を求める試験である。N_d 値はロッド周面の摩擦の影響を含み，調査限

151

界深度は 4m 程度とされる。式 (8.8) に示すように，N 値と関連づけられている。

$$N_d 値 = (1～3) \times N 値 \tag{8.8}$$

2) ポータブルコーン貫入試験

人力でコーン（底面積 $6.45\mathrm{cm}^2$）を貫入し，地盤のコーン貫入抵抗を求める試験である。ハンドル付きプルービングリングと1本50cmのロッドと先端コーンから構成され，軽量である。ロッドの周面摩擦を軽減するために二重管式もある。貫入方法は静的連続圧入方式であり，貫入速度 1cm/s を標準として，10cm 毎に貫入抵抗を測定する。測定した貫入抵抗をコーン底面積で割った値をコーン貫入抵抗値 q_c と呼ぶ。

8.3 平板載荷試験

平板載荷試験とは，原位置地盤に剛な載荷板を通じて荷重を加え，荷重の大きさと載荷板の沈下との関係から，載荷面より載荷板幅（通常は円形 $\phi = 0.3\mathrm{m}$）の 1.5～2 倍程度の深さまでの地盤について，変形性や強さなどの支持

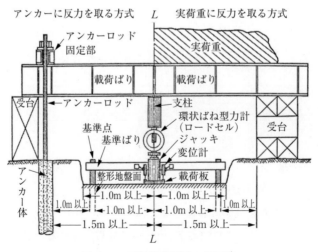

図 8.4 平板載荷試験の概要[1]

特性を調査する試験である。

基礎地盤の支持力を直接求められ，直接基礎で頻繁に利用されている。図8.4に試験方法の概要を示す。アンカーあるいは実荷重で反力をとり，油圧ジャッキにより載荷板に載荷する。載荷方式は，荷重を段階的に増加させて荷重段階ごとに載荷板の沈下量を計測する荷重制御方法が多い。試験結果から地盤反力係数や極限支持力が求められる。

8.4 調査深度

8.4.1 考え方

調査深度は，地質種類（堆積年代と堆積環境を推定し，支持層として信頼できるか否か），土質特性（工学的分類などを行い，支持層として適正か否か），密実硬軟（相対密度またはコンシステンシーを評価し，支持層として適正か否か），地層連続（荷重影響深度までその地層が連続して存在するか否か），計画深度（構造物の種類や規模から必要十分か否か），耐震設計（耐震設計上の基盤：岩盤またはN値50以上の砂質土層，N値25以上の粘性土層，もしくはせん断弾性波速度300m/sec以上の地層を確認するか否か）の6つの組み合わせで決定する。

8.4.2 主な構造物の調査深度

1) 擁壁

調査前の調査深度は擁壁高の3倍である。調査の開始後において，更新世時代以前の地層が確認されるなどにより，沈下の恐れがない場合は1.5倍とする。地下水位下でN値≦15の沖積層がある場合は，液状化判定を行うために最大で深度20mまで調査する。これらの深度内でも擁壁高8m以下は更新世時代以前の支持層を3m程度以上または杭径の4倍以上，8mを越える場合は耐震設計上の基盤を確認して調査を終了する。

2) 盛土

調査前の調査深度は基礎幅である。調査の開始後において，地下水位下でN値≦15の沖積層が連続する場合，液状化判定を行う必要から最大で深度20m

まで調査する。これらの深度内でもN値20以上の更新世時代の地層を3m以上確認して調査を終了する。

3) 切土

調査前の調査深度は計画切土面または路床面下2m程度，地すべり箇所では想定すべり面または想定路床面下5mである。調査の開始後に良好な更新世以前の地質が連続する場合は浅くする。

4) カルバートボックス

調査前の調査深度は基礎幅の2倍である。調査の開始後に地下水位下でN値≤ 15の沖積層が連続する場合，液状化判定を行う必要から最大で深度20mまで調査する。これらの深度内でもN値20以上の更新世時代の地層を3m以上確認して調査を終了する。

5) 橋梁および建築物

11章の杭基礎の極限支持力度算定式の最大値を確認するため，調査前の調査深度はN値50程度以上が5mまたは杭径の4倍以上である。調査の開始後に砂層および砂れき層でN値<30，粘性土層でN値<20が連続する場合，杭径の25倍以上または深度20m以上確認して調査を終了する。

8.5 地盤定数の評価方法

地盤定数は，14章の設計基準類や構造物の種類や規模に従って，土質分類と標準貫入試験で得られたN値に，観察や室内土質試験および原位置試験の結果を組み合わせて評価される。

本章の末尾の表8.8に地盤定数評価方法のまとめを示す。室内土質試験や原位置試験によらないで，土質分類とN値から地盤定数を評価する場合は，最初に自然地盤か盛土（裏込め土を含む）かの判定を行う。自然地盤の場合は堆積年代（完新世か更新世以前か）と堆積環境（海成か河成か）を推定し，地質名があればこれを明らかにする。次に工学的分類を行い，密実の程度（相対密度）や粒度，硬軟（コンシステンシー）を評価する。

8.5 地盤定数の評価方法

　単位体積重量は，工学的分類に表8.4のコンシステンシーや表8.5の相対密度の評価を加えて，表8.6や表8.7から求められる。

　粘性土のコンシステンシーと粘着力 c は，表8.4，表8.7および式（8.9）で評価し，砂質土の相対密度とせん断抵抗角 ϕ は，表8.5，表8.7および式（8.10）などから求められる。せん断抵抗角 ϕ は，土質や密実硬軟に応じた値で評価され，堆積年代が新しい完新世時代の自然地盤や盛土で細粒分が少ない砂や礫の粘着力 c は，ゼロと評価される場合が多い。

　変形係数は式（8.11）から求められる。

表8.4　N 値と一軸圧縮強さおよびコンシステンシーの関係[1]

N 値	q_u (kN/m^2)	コンシンステンシー
0〜2	0.0〜24.5	非常に軟らかい
2〜4	24.5〜49.1	軟らかい
4〜8	49.1〜98.1	中位の
8〜15	98.1〜196.2	硬い
15〜30	196.2〜392.4	非常に硬い
30〜	392.4〜	固結した

表8.5　N 値とせん断抵抗角と相対密度の関係[1]

N 値 （相対密度）	せん断抵抗角 ϕ (°)				
	Terzaghi Peck	Meyerhof	Dunhum	大崎[※1]	道路橋[※2]
0〜4 （非常に緩い）	28.5>	30>	①粒子丸・粒度一様 $\sqrt{12N}+15$ ②粒子丸・粒度良 $\sqrt{12N}+20$ ③粒子角・粒度一様 $\sqrt{12N}+25$	$\sqrt{20N}+15$	$\sqrt{15N}+15$ ($N≧5$)
4〜10 （緩い）	28.5〜30	30〜35			
10〜30 （中位の）	30〜36	35〜40			
30〜50 （密な）	36〜41	40〜45			
>50 （非常に密な）	>41	>45			

※1：建築基礎構造設計指針に引用されている。
※2：道路橋示方書1996年版以前で採用されていた。

第8章 地盤特性と調査法

表 **8.6** 土質と単位体積重量の関係[2]

(kN/m^3)

地盤	土質	緩いもの	密なもの
自然地盤	砂および砂礫	18	20
	砂質土	17	19
	粘性土	14	18
盛土	砂および砂礫	20	
	砂質土	19	
	粘性土（ただし $w_L<50\%$）	18	

注）地下水位以下にある土の単位体積重量は，それぞれ表中の値から $9kN/m^3$ を差し引いた値としてよい。

なお，N値300以下の礫状や土砂状の岩盤の地盤定数は，表8.8に示すように単位体積重量以外は岩種ごとに評価される。

$$c = \frac{1}{2} \times q_u = \frac{1}{2} \times 12.5 \times N$$
$$= 6.25 \times N$$
テルツァーギ・ペックの式 (8.9)

$$\phi = 15 + \sqrt{15 \times N} \quad (N \geq 5) \quad \text{道路橋示方書} \tag{8.10}$$

$$E_{plt} = E_0 = 4 \times E_{pmt} = 4 \times E_c = 4 \times 700 \times N \tag{8.11}$$

ここに，c：粘着力（kN/m^2），q_u：一軸圧縮強さ（kN/m^2），N：N値，ϕ：せん断抵抗角（°），E_{plt}：平板載荷試験の繰返し曲線から求めた変形係数の $\frac{1}{2}$（kN/m^2），E_0：N値を2800倍した変形係数（kN/m^2），E_{pmt}：孔内水平載荷試験から得られた変形係数（kN/m^2），E_c：一軸圧縮試験または3軸圧縮試験から求めた変形係数（kN/m^2）。

引用文献

1）地盤工学会：地盤調査の方法と解説，地盤調査法改訂編集委員会，2004.
2）日本道路協会：道路橋示方書・同解説Ⅰ共通編Ⅳ下部構造編，2002.
3）日本道路公団：設計要領第二集，1995.

8.5 地盤定数の評価方法

表 **8.7** 土質と地盤定数の関係[3]

種類		状態		単位体積重量 (kN/m^3)	せん断抵抗角 (°)	粘着力 (kN/m^2)
盛土	礫及び礫混り砂	締固めたもの		20	40	0
	砂	締固めたもの	粒度の良いもの	20	35	0
			粒度の悪いもの	19	30	0
	砂質土	締固めたもの		19	25	30 以下
	粘性土	〃		18	15	50 以下
自然地盤	礫	密実なものまたは粒度の良いもの		20	40	0
		密実でないものまたは粒度の悪いもの		18	35	0
	礫混り砂	密実なものまたは粒度の良いもの		21	40	0
		密実でないものまたは粒度の悪いもの		19	35	0
	砂	密実なものまたは粒度の良いもの		20	35	0
		密実でないものまたは粒度の悪いもの		18	30	0
	砂質土	密実なものまたは粒度の良いもの		19	30	30 以下
		密実でないものまたは粒度の悪いもの		17	25	0
	粘性土	固いもの　（指で強く押し多少凹む）		18	25	50 以下
		やや軟らかいもの（指で中程度の力で貫入）		17	20	30 以下
		軟らかいもの（指が容易に貫入）		16	15	15 以下
	粘土及びシルト	固いもの　（指で強く押し多少凹む）		17	20	50 以下
		やや軟らかいもの（指で中程度の力で貫入）		16	15	30 以下
		軟らかいもの（指が容易に貫入）		14	10	15 以下

表 8.8 地盤定数評価方法まとめ

方法	土質		粘着力 c (kN/m²)	せん断抵抗角 ϕ (°)	単位体積重量 (kN/m³)
室内土質試験・原位置試験による	粘土シルト粘性土	盛土裏込め土	下記と工学的分類を合わせて評価	三軸圧縮試験（UU条件）三軸圧縮試験（$\overline{CU}$条件）	土の湿潤密度試験
		自然地盤	一軸圧縮試験 三軸圧縮試験（UU条件） 三軸圧縮試験（$\overline{CU}$条件）		
	砂 礫砂質土	盛土裏込め土	下記と工学的分類を合わせて評価	三軸圧縮試験（CD条件）	
		自然地盤	完新世：下記と工学的分類を合わせて評価，更新世以前：三軸圧縮試験（CD条件）		
	岩盤		原位置試験：平板載荷試験，ブロックせん断試験 室内試験：三軸圧縮試験，一軸圧縮試験，一面せん断試験，一軸引張試験（代わりに圧裂試験）などと超音波速度試験，速度検層（原位置試験）などの組合せ		コアサンプルの実測
標準貫入試験の N 値による 岩盤（D級または N 値 300 以下）	粘土シルト粘性土	盛土裏込め土	下記と工学的分類を合わせて評価	工学的分類と合わせて評価	工学的分類と合わせて評価
		自然地盤	$c=6.25N$，$c=10N$ など		
	砂 礫砂質土	盛土裏込め土	工学的分類と合わせて評価	下記と工学的分類を合わせて評価	
		自然地盤		$\phi=15+\sqrt{15N}$ など	
	岩盤		・砂岩・礫岩・深成岩類 $c=0.155N^{0.327}\times 98$（標準偏差 0.218） ・安山岩 $c=0.258N^{0.334}\times 98$（標準偏差 0.384） ・泥岩・凝灰岩・凝灰角礫岩 $c=0.165N^{0.606}\times 98$（標準偏差 0.464）	・砂岩・礫岩・深成岩類 $\phi=5.1\log N+29.3$（標準偏差 4.4） ・安山岩 $\phi=6.82\log N+21.5$（標準偏差 7.85） ・泥岩・凝灰岩・凝灰角礫岩 $\phi=0.888\log N+19.3$（標準偏差 9.78）	$(1.173+0.4\log N)\times 9.8$
工学的分類による	粘土シルト粘性土	盛土裏込め土	表8.4・表8.7で評価	$w_L<50\%$（低液性限界）は 25° または表8.7で評価	表8.6・表8.7で評価
		自然地盤	表8.4・表8.7で評価	表8.7で評価	
	砂 礫砂質土	盛土裏込め土	表8.7で評価	礫質土＝35°，砂質土＝30° または表8.5・表8.7で評価	
		自然地盤	完新世：表8.7で評価 更新世以前：最大 50kN/m²（表8.7）	表8.5・表8.7で評価	
	岩盤		岩種および岩級に応じて一般的値から推定		

第9章　地盤内の応力と変位

6章の圧密では，図9.1の左図のように，地表面に半無限の広がりを持つ等分布荷重pの作用による一次元圧密を考えたが，この場合の地盤内の応力増分は鉛直一方向のみの$\Delta\sigma_z$であり，深さ方向にも一様である。しかし，実際の地盤では，図9.1の右図のように，地表面に作用する荷重は集中荷重，帯状荷重などの局部載荷であるのが普通である。この場合，地盤内の応力増分は一様にならず，深さ方向および水平方向，つまり二次元あるいは三次元の分布応力になり，地表面などに作用する荷重の影響が地盤内の位置で異なってくる。

このため，局部載荷により地盤内に発生する応力増分あるいは変位を把握することが必要であるので，本章では様々な局部載荷重によって発生する地盤内の応力増分および変位の推定方法を示す。

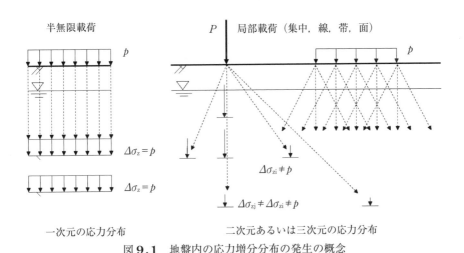

図9.1　地盤内の応力増分分布の発生の概念

第 9 章　地盤内の応力と変位

9.1　弾性地盤の応力と変位

　図 9.2 は，三次元 x-y-z 座標系の地盤内にある微小な立方体の土要素に作用する応力である。ここで，各面に作用する応力は，7 章の二次元座標系と同様に直応力およびせん断応力の 2 種類である。直応力は 6 つの面の垂直方向の作用応力の 6 つあるが，正対する面の直応力は釣り合うので，未知数の直応力は σ_x，σ_y および σ_z の 3 つである。また，せん断応力は面の表面に作用する二次元応力であるが，2 つの軸方向の成分に分けている。したがって，6 面で各 2 つの 12 のせん断応力になるが，直方体の 3 つの回転方向のモーメントの釣り合いから，6 つのせん断応力 τ_{xy}, τ_{yx}, τ_{yz}, τ_{zy}, τ_{xz}, τ_{zx} になり，さらに $\tau_{xy}=\tau_{yx}$, $\tau_{yz}=\tau_{zy}$, $\tau_{xz}=\tau_{zx}$ の関係がある。したがって，未知数は 3 つの直応力と 3 つのせん断応力である。ここで，図 9.2 に併記するように，直応力の添字は作用方向の軸，せん断応力の 2 つの添字の前者は作用面が直交する軸，後者は作用方向の軸を表す。

　なお，正対する面の直応力およびせん断力の回転方向のモーメントの釣り合いは，それぞれ微小土要素が平行移動および回転しないで静止していることによる。以下に，地盤内の応力と変位に関する基本事項を示す。

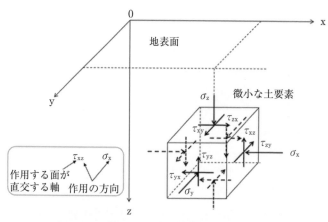

図 **9.2**　地盤内の微小土要素に作用する応力

9.1 弾性地盤の応力と変位

9.1.1 地盤内ひずみの基本式

地盤に荷重が作用すると，微小土要素は変形するが，変位量は3方向の u_x，u_y および u_z の3成分で表わす．図9.3は直方体の変位により発生するひずみの定義例であり，直ひずみ ε_x は x 軸方向の伸縮を，またせん断ひずみ γ_{xy} は x-y 面内のせん断変形を示す．言い換えると，ε_x は変位 u_x の x 軸方向の変化率であり，土の場合は圧縮が正値であるので，図の場合は（−）を付してある．また，γ_{xy} は x 軸方向の変位 u_x の y 軸方向の変化率および y 軸方向の変位 u_y の x 軸方向の変化率の和である．つまり，地盤内のひずみは式（9.1）で定義される．

$$\left.\begin{array}{l}\varepsilon_x = -\dfrac{\partial u_x}{\partial x}, \ \varepsilon_y = -\dfrac{\partial u_y}{\partial y}, \ \varepsilon_z = -\dfrac{\partial u_z}{\partial z} \\ \gamma_{xy} = -\left(\dfrac{\partial u_x}{\partial y} + \dfrac{\partial u_y}{\partial x}\right), \ \gamma_{yz} = -\left(\dfrac{\partial u_y}{\partial z} + \dfrac{\partial u_z}{\partial y}\right), \ \gamma_{zx} = -\left(\dfrac{\partial u_z}{\partial x} + \dfrac{\partial u_x}{\partial z}\right)\end{array}\right\}$$

(9.1)

また，1章の図1.10に示したように，本章で対象にする地盤は応力〜ひずみ関係が線形（＝直線関係）にある弾性状態である．したがって，フックの法則により，地盤内に発生する直ひずみと直応力の関係は式（9.2），せん断ひずみとせん断応力の関係は式（9.3）で定義される．

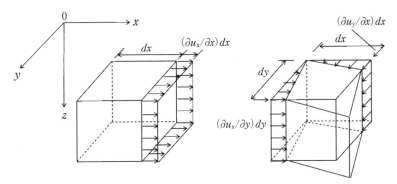

図 **9.3** x 軸方向の直ひずみと x-y 面内のせん断ひずみ

$$\varepsilon_x = \frac{\sigma_x - \nu(\sigma_y + \sigma_z)}{E}, \quad \varepsilon_y = \frac{\sigma_y - \nu(\sigma_z + \sigma_x)}{E}, \quad \varepsilon_z = \frac{\sigma_z - \nu(\sigma_x + \sigma_y)}{E}$$
(9.2)

$$\gamma_{xy} = \frac{\tau_{xy}}{G} = \frac{2\tau_{xy}(1+\nu)}{E}, \quad \gamma_{yz} = \frac{\tau_{yz}}{G} = \frac{2\tau_{yz}(1+\nu)}{E},$$
$$\gamma_{zx} = \frac{\tau_{zx}}{G} = \frac{2\tau_{zx}(1+\nu)}{E}$$
(9.3)

ここで，E：ヤング率（弾性係数），G：せん断弾性係数（剛性率），ν：ポアソン比であり，ヤング率とせん断弾性係数の間には，式（9.4）の関係がある。

$$G = \frac{E}{2(1+\nu)}$$
(9.4)

なお，ヤング率，せん断弾性係数およびポアソン比は，材料，つまり土質ごとに固有の値であり，土質の差異はこれらの定数で表現されることになる。

9.1.2 重ね合せの原理

弾性状態にある地盤では，地表面に複数の局部荷重が作用した場合，地盤内に発生する応力増分，変位は，各荷重による応力増分などを単純に加算して求められる。このような特性を"重ね合せの原理"と呼ぶ。例えば，図9.4は地表面の異なる位置に P_1，P_2，P_3・・・P_n の集中荷重（他の種類の荷重ある

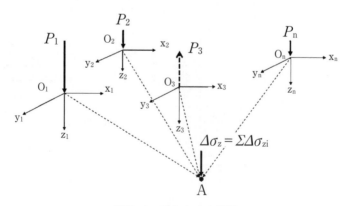

図 **9.4** 重ね合せの原理

いはそれらの組み合わせでも同様）が作用した場合である。これらの荷重により発生する地盤内のA点の鉛直応力増分（他の応力増分でも同様）は，各集中荷重の作用点を原点としたA点の座標を (x_i, y_i, z_i) として，各集中荷重によるA点での鉛直応力増分（下向き）$\Delta\sigma_{zi}$ を求め，それらを加算すればよい。この際，図中の P_3 のように荷重の作用方向が上向きの場合は，A点でも上向きの応力増分になるので，$\Delta\sigma_{z3}$ は負値として加算することになる。

9.2　単一集中荷重による地盤内鉛直応力増分と影響値

図9.5は x-y-z 座標の地表面の原点に集中荷重 P が作用した状態であるが，座標 (x, y, z) の微小土要素の中心点Aに作用する直応力増分およびせん断応力増分を求める。導出の詳細は省くが，ブーシネスク（Boussinesq）による応力増分の解析解は，式（9.5）で与えられる。

$$\left.\begin{aligned}\begin{pmatrix}\Delta\sigma_x\\\Delta\sigma_y\end{pmatrix} &= \frac{3P}{2\pi}\left[\frac{z}{r^5}\begin{pmatrix}x^2\\y^2\end{pmatrix} + \frac{1-2v}{3}\left\{\frac{r^2-rz-z^2}{r^3(r+z)} - \frac{2r+z}{r^3(r+z)^2}\begin{pmatrix}x^2\\y^2\end{pmatrix}\right\}\right]\\ \Delta\sigma_z &= \frac{3P}{2\pi}\frac{z^3}{r^5} = \frac{3P}{2\pi r^2}\cos^3\theta\\ \Delta\tau_{xy} &= \frac{3P}{2\pi}\left\{\frac{xyz}{r^5} - \frac{1-2v}{3}\frac{xy(2r+z)}{r^3(r+z)^2}\right\}\\ \begin{pmatrix}\Delta\tau_{zx}\\\Delta\tau_{yz}\end{pmatrix} &= \frac{3P}{2\pi}\frac{z^2}{r^5}\begin{pmatrix}x^2\\y^2\end{pmatrix}\end{aligned}\right\}$$

(9.5)

ここで，$r = \sqrt{x^2+y^2+z^2}$，$\cos\theta = z/r$

式（9.5）によれば，z 軸に軸対象であるので，x と y を入れ替えても同じであること，応力増分はポワソン比 v に依存するが，せん断弾性係数 G，つまり剛性に無関係であること，ポワソン比 $v=0\sim1/2$ であるので，v の影響は大きくないことが分かる。

また，変位の解析解は，式（9.6）で与えられる。

第 9 章 地盤内の応力と変位

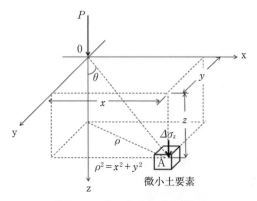

図 **9.5** 単一集中荷重の作用

$$\left.\begin{array}{l}\begin{pmatrix}u_x\\u_y\end{pmatrix}=\dfrac{P}{4\pi G}\left\{\dfrac{z}{r^3}-\dfrac{1-2\nu}{r(r+z)}\right\}\begin{pmatrix}x\\y\end{pmatrix}\\[2mm]u_z=\dfrac{P}{4\pi G}\left\{\dfrac{z^2}{r^3}+\dfrac{2(1-\nu)}{r}\right\}\end{array}\right\} \quad (9.6)$$

式 (9.6) によれば，変位はせん断弾性係数 G に依存し，せん断弾性係数が大きい。つまり，剛性が大きいと変位量（u_z：沈下量）は小さい。

地盤の沈下予測等に用いることを考えると，最も重要な地盤内応力増分は鉛直応力増分 $\Delta\sigma_z$ であるので，次節以降は $\Delta\sigma_z$ に着目する。なお，式 (9.5) の $\Delta\sigma_z$ は，式 (9.7) のように表記できる。

$$\Delta\sigma_z=\frac{3P}{2\pi}\frac{z^3}{r^5}=\frac{3P}{2\pi z^2}\left(\frac{z}{r}\right)^5=\frac{3P}{2\pi z^2}\frac{(z^2)^{5/2}}{(\rho^2+z^2)^{5/2}}=\frac{P}{z^2}I_\sigma \quad (9.7)$$

$$I_\sigma=\frac{3}{2\pi}\frac{1}{\left\{1+\left(\rho/z\right)^2\right\}^{5/2}} \quad (9.8)$$

ここで，I_σ は影響値，$\rho=\sqrt{x^2+y^2}$

影響値は，ブーシネスク指数とも呼ばれるが，式 (9.8) によれば，I_σ は位置（ρ, z）により決まる値であり，応力増分 $\Delta\sigma_z$ に及ぼす影響を把握しておくことが必要である。

9.3 線状荷重による地盤内鉛直応力増分

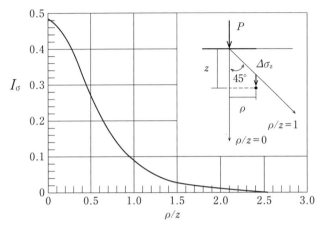

図 **9.6** 影響値の分布：集中荷重

図 9.6 は式（9.8）の I_σ と ρ/z の関係図であるが，ρ/z の増加，つまり荷重 P の作用位置から離れるにしたがって I_σ は減少する．ここで，$\rho/z=0$ および 1 は，それぞれ z 軸上および原点を通り z 軸から 45°の放射線（面）上の点になる．さらに，$\rho/z=0$ および 1 の I_σ は，それぞれ 0.48 および 0.09 であるが，これは同じ深度の平面上では，z 軸から深度と同じ水平距離では，z 軸上よりも 1/5 程度で $\Delta\sigma_z$ が小さいことを意味する．

9.3 線状荷重による地盤内鉛直応力増分

図 9.7 は y 軸方向に無限（$-\infty \sim +\infty$）に線状荷重 p が作用した状態である．y 軸方向に無限であり，y 軸方向に地盤は変位しないので，y 軸方向の応力増分（$\Delta\sigma_y$，$\Delta\tau_{xy}$，$\Delta\tau_{zy}$）は相殺してゼロであり，$\Delta\sigma_z$，$\Delta\sigma_x$，$\Delta\tau_{xy}$ の 3 つの応力増分が発生する．

ここで，y 軸に直交する x-z 面上の応力増分は，どの面でも同じであるので，原点を通る x-z 面上の微小土要素に作用する $\Delta\sigma_z$ を求める．その際，y 軸上の dy の長さに作用する pdy の荷重を集中荷重と考えると，これにより発生する A 点の鉛直応力増分 $d\Delta\sigma_z$ は，式（9.5）から式（9.9）となる．

第 9 章　地盤内の応力と変位

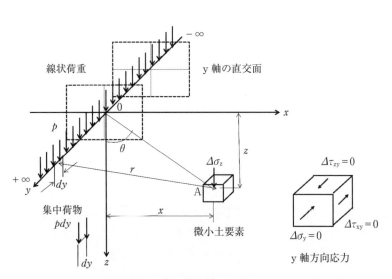

図 **9.7**　線状荷重の作用

$$d\Delta\sigma_z = \frac{3pdy}{2\pi}\frac{z^3}{r^5} \tag{9.9}$$

　式 (9.9) の $d\Delta\sigma_z$ を y に関して，$-\infty$ から $+\infty$ まで積分すると，線状荷重による応力増分 $\Delta\sigma_z$ が求められるが，$\Delta\sigma_x$ および $\Delta\tau_{xz}$ も同様にして，式 (9.10) が得られる。

$$\left.\begin{array}{l}\Delta\sigma_z = \dfrac{2p}{\pi}\dfrac{z^3}{(x^2+z^2)^2} = \dfrac{2p}{\pi}\dfrac{z^3}{r^4} = \dfrac{2p}{\pi z}\cos^4\theta \\[6pt] \Delta\sigma_x = \dfrac{2p}{\pi}\dfrac{x^2 z}{(x^2+z^2)^2} \\[6pt] \Delta\tau_{xz} = \dfrac{2p}{\pi}\dfrac{xz^2}{(x^2+z^2)^2}\end{array}\right\} \tag{9.10}$$

ここで，$r = \sqrt{x^2+z^2}$，$\cos\theta = z/r$

9.4 帯状荷重による地盤内鉛直応力増分

図9.8はy軸方向に無限（$-\infty \sim +\infty$）に，幅$2a$で帯状の荷重pが作用した状態である。y軸方向に無限なので，線状荷重と同様に，$\Delta\sigma_z$，$\Delta\sigma_x$，$\Delta\tau_{xz}$の3つの応力増分が発生する。

帯状荷重の場合も，線状荷重と同様に，原点を通るx-z面上の微小土要素に作用する$\Delta\sigma_z$を求める。その際，x軸上の載荷幅$2a$内の$d\xi$の幅で作用する$pd\xi$の荷重が座標$(x, z) = (x-\xi, 0)$を原点とする線状荷重と考えると，これにより発生するA点の鉛直応力増分$d\Delta\sigma_z$は，式（9.10）から式（9.11）が得られる。

$$d\Delta\sigma_z = \frac{2pd\xi}{\pi}\frac{z^3}{\{(x-\xi)^2 + z^2\}^2} \tag{9.11}$$

ここで，A点と座標$(x-\xi, 0)$を結ぶ直線の距離をr，鉛直線と成す角度をθとすると，式（9.12）の関係がある。

$$\tan\theta = (x-\xi)/z, \quad d\xi = -z\cdot\sec^2\theta d\theta \tag{9.12}$$

また，帯状荷重の両端の座標$(+a, 0)$と$(-a, 0)$とA点を結ぶ直線が鉛直線と成す角度を，それぞれθ_1およびθ_2とする。そして，式（9.11）の$d\Delta\sigma_z$

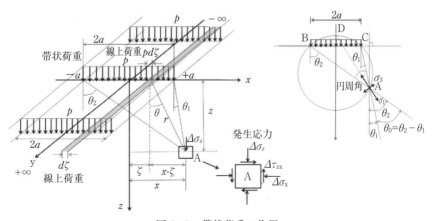

図**9.8** 帯状荷重の作用

をξに関して，$+a$から$-a$で帯状荷重の幅，つまりθ_1からθ_2までの範囲で式（9.11）の$d\Delta\sigma_z$をθに関して積分すると，帯状状荷重による応力増分$\Delta\sigma_z$が式（9.13）で与えられる．なお，同様にして，$\Delta\sigma_x$および$\Delta\tau_{zx}$も併記する．

$$\left.\begin{aligned}\Delta\sigma_z &= \frac{2p}{\pi}\int_{\theta_1}^{\theta_2}\cos^2\theta\,d\theta = \frac{p}{\pi}(\theta_0 + \sin\theta_0\cos 2\overline{\theta}) \\ \Delta\sigma_x &= \frac{p}{\pi}(\theta_0 - \sin\theta_0\cos 2\overline{\theta}) \\ \Delta\tau_{zx} &= \frac{p}{\pi}\sin\theta_0\sin 2\overline{\theta}\end{aligned}\right\} \quad (9.13)$$

ここで，$\theta_0 = \theta_2 - \theta_1$，$\overline{\theta} = (\theta_1+\theta_2)/2$，$\theta_1$，$\theta_2$：角度（ラジアン：rad）

なお，θ_0はA，B，Cを通る円の円周角であり，A点の最大主応力σ_1，最小主応力σ_3および最大せん断応力はθ_0だけの関数である．言い換えると一定であり，様々な応力値で描かれる円は後述の帯状荷重による圧力球根の等応力線（9.10節）である．また，最大主応力の方向は図のAD方向，したがって，それに直交する方向が最小集応力，45°の方向が最大せん断応力の方向である．

9.5　台形帯状分布荷重による地盤内鉛直応力増分

通常，道路盛土や河川堤防の横断面形状は台形をしており，延長がある構造物である．したがって，帯状荷重の一種であるが，図9.9は台形の半分の盛土の載荷による荷重状態である．つまり，等分布荷重pが幅bで作用し，幅aでゼロに至る荷重分布である．導出の過程は省略するが，この帯状荷重の載荷の下で，D点直下の深さzのA点における鉛直応力増分$\Delta\sigma_z$は，式（9.14）で与えられる．

$$\left.\begin{aligned}\Delta\sigma_z &= \frac{p}{\pi}\left\{\left(1+\frac{b}{a}\right)(\theta_1+\theta_2) - \frac{b}{a}\theta_2\right\} = I_z p \\ I_z &= \frac{1}{\pi}\left\{\left(1+\frac{b}{a}\right)(\theta_1+\theta_2) - \frac{b}{a}\theta_2\right\} = \frac{1}{\pi}f\left(\frac{a}{z},\frac{b}{z}\right) \\ \theta_1 &= \tan^{-1}\left(\frac{a+b}{z}\right) - \theta_2, \quad \theta_2 = \tan^{-1}\left(\frac{b}{z}\right)\end{aligned}\right\} \quad (9.14)$$

9.5 台形帯状分布荷重による地盤内鉛直応力増分

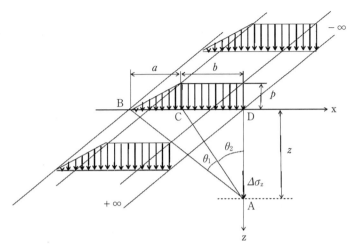

図 **9.9** 台形帯状分布荷重の作用

ここで，I_z：影響値，$\Delta\sigma_z$：荷重端部直下の深度 z の鉛直応力増分，z：荷重端部直下の深度，p：等分布載荷域の単位面積当たりの荷重，a, b：荷重の載荷幅，θ_1, θ_2：角度（ラジアン：rad）

式（9.14）を計算すれば影響値 I_z が算出できるが，影響値 I が a/z と b/z の関数であることから，θ_1, θ_2 の計算の手間を省いて a/z と b/z から影響値 I_z（近似値）を読み取るようにしたのが図 9.10 である。これを"オスターバーグ（Osterberg）の図"と呼ぶ。当然，個人差による読み取り誤差の許容が前提にある。

さて，図 9.9 は台形の半分の形状の載荷に対して，荷重端部 D 点の直下のみの $\Delta\sigma_z$ が求められるが，重ね合せの原理により，図 9.9 を応用して端部直下以外における $\Delta\sigma_z$ を求めることができる。図 9.11 の左図は非対称な台形帯状荷重内の任意の位置 D 点直下の $\Delta\sigma_z$ を求める方法である。D 点直下の $\Delta\sigma_z$ の影響値は，式（9.15）のように，台形 ABCD と台形 FECD の帯状分布荷重の影響値を加算すればよい。

$$I_z = I_{z(\mathrm{ABCD})} + I_{z(\mathrm{FECD})} \tag{9.15}$$

また，図 9.11 の右図は台形帯状荷重から離れた任意の位置 F 点直下の $\Delta\sigma_z$

第 9 章 地盤内の応力と変位

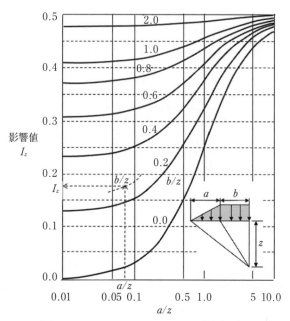

図 **9.10** オスターバーグの図（概略図）

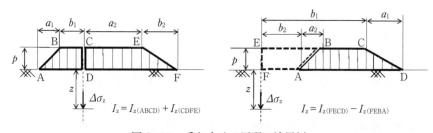

図 **9.11** 重ね合せの原理の適用例

を求める方法である．F 点直下の $\Delta\sigma_z$ の影響値は，式 (9.16) のように，台形 DCEF の影響値から台形 BAFE の影響値を除算すればよい．

$$I_z = I_{z(DCEF)} - I_{z(BAFE)} \tag{9.16}$$

9.6 円形分布荷重による地盤内鉛直応力増分

図 9.12 は半径 R の円形の等分布荷重 p が作用している状態である．図のよ

9.6 円形分布荷重による地盤内鉛直応力増分

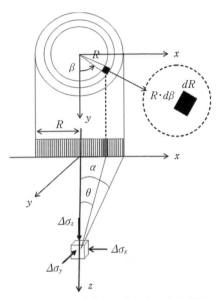

図 **9.12** 円形分布荷重による応力増分

うに半径方向に dR，円周方向の $Rd\beta$ の微小面積に作用する荷重は，$dQ=pR\,d\beta dR$ であり，これによる円中心直下の深度 z における鉛直応力増分 $d\Delta\sigma_z$ は，式 (9.5) の集中荷重による応力増分に相当すると考えると，式 (9.17) になる。

$$d\Delta\sigma_z = \frac{3dQ}{2\pi}\frac{z^3}{r^5} = \frac{3}{2\pi}\frac{z^3}{r^5}pRd\beta dR \tag{9.17}$$

ここで，$R=z\tan\theta$ であるので $dR=(z/\cos^2\theta)d\theta$ であり，さらに $r=z/\cos\theta$ であるので，式 (9.17) は式 (9.18) になる。

$$d\Delta\sigma_z = \frac{3p}{2\pi}\cos^3\theta\tan\theta d\theta d\beta \tag{9.18}$$

したがって，円全体の荷重による鉛直応力増分 $\Delta\sigma_z$ は，式 (9.18) を $\beta=0$ 〜2π，$\theta=0$〜α で積分すると，式 (9.19) が得られる。

$$\Delta\sigma_z = \frac{3p}{2\pi}\int_0^{2\pi}d\beta\int_0^{\alpha}\cos^3\theta\tan\theta d\theta = 3p\left[-\cos^3\theta\right]_0^{\alpha} = p(1-\cos^3\alpha)$$

$$= p\left[1 - \left\{1 + \left(\frac{R}{z}\right)^2\right\}^{-\frac{3}{2}}\right] \tag{9.19}$$

ここで，$\Delta\sigma_z$：円中心直下の鉛直応力増分，z：円中心直下の深度，p：単位面積当たりの荷重，R：円の半径

9.7 長方形分布荷重による地盤内鉛直応力増分

図9.13は幅B，長さLの長方形の等分布荷重pが作用している状態である。長方形の隅角部直下の深さzのA点の鉛直応力増分$\Delta\sigma_z$は，式（9.20）で与えられる。

$$\Delta\sigma_z = p \cdot I(m, n) \tag{9.20}$$

$$\left.\begin{array}{l} I(m, n) = \dfrac{1}{4\pi}\left(\dfrac{2N\sqrt{M}}{M+N^2}\dfrac{M+1}{M} + \tan^{-1}\dfrac{2N\sqrt{M}}{M-N^2}\right) \\ M = m^2 + n^2 + 1 \quad N = m \cdot n \quad m = B/z \quad n = L/z \end{array}\right\} \tag{9.21}$$

ここで，$\Delta\sigma_z$：長方形の偶角点直下の深度zでの鉛直応力増分，z：長方形の偶角点直下の深度，p：単位面積当たりの荷重，$I(m, n)$：影響値，B，L：長方形の2辺の長さ

影響値$I(m, n)$は，式（9.21）から算出できるが，影響値がmとnあるいはMとNの関数であることから，計算の手間を省いてmとnから影響値I（近似値）を読み取れるようにした図（割愛）がある。これを"ニューマーク（Newmark）の図表"と呼ぶ。オスターバーグの図表と同様に，読み取り誤差

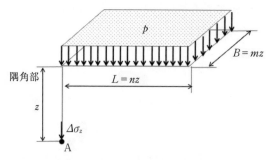

図**9.13** 長方形分布荷重による応力増分

9.8 任意形状の分布荷重による地盤内鉛直応力増分：影響円法

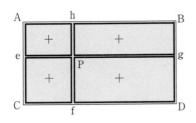
(a) 算定点が長方形の内部の場合

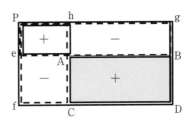
(b) 算定点が長方形の外部の場合

図 **9.14** 長方形 ABCD の隅角部以外の鉛直応力増分の算出

の許容が前提にある。

図 9.13 は長方形の隅角部直下の鉛直応力増分が対象であるが，隅角部以外では重ね合せの原理により，式（9.20）を用いて算出できる．図 9.14 (a) および (b) は，それぞれ長方形 ABCD の内部および外部における任意の P 点直下の鉛直応力増分の算出方法である．まず，前者では，P 点が 4 つの長方形（PhAe, PgBh, PeCf, PfDg）の隅角部であることから，式（9.22.1）のように，各長方形の隅角部直下の応力を求めて加算する．つぎに，後者では，P 点を隅角部とする 4 つの長方形（PfDg, PfCh, PeBg, PeAh）の隅角部であることから，式（9.22.2）のように，各長方形の隅角部 P 点直下の応力を求めて，加算および減算する．

$$\Delta\sigma_z = \Delta\sigma_{z,\text{PhAe}} + \Delta\sigma_{z,\text{PgBh}} + \Delta\sigma_{z,\text{PeCf}} + \Delta\sigma_{z,\text{PfDg}} \tag{9.22.1}$$

$$\Delta\sigma_z = \Delta\sigma_{z,\text{PfDg}} - \Delta\sigma_{z,\text{PfCh}} - \Delta\sigma_{z,\text{PeBg}} + \Delta\sigma_{z,\text{PeAh}} \tag{9.22.2}$$

9.8　任意形状の分布荷重による地盤内鉛直応力増分：影響円法

円形や長方形を含めた任意の形状を持った分布荷重の場合，鉛直応力増分 $\Delta\sigma_z$ を近似的に求める図解法として影響円法がある．同法では，図 9.15 の影響円図を使用するが，無限の広がりを持つ 2 次元の地表面を同心円と放射線で分割した図である．通常，9 つの同心円で放射方向に 10 分割（$m=10$）し，20 本の放射線により円周方向を 20 分割（$n=20$）するが，これらにより 2 次元の地表面は 200 個のメッシュに分割される．ここで，同心円の半径の設定が

第 9 章 地盤内の応力と変位

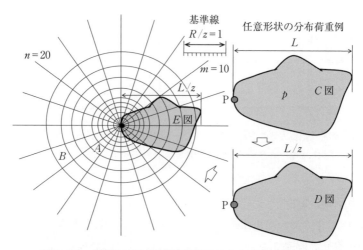

図 **9.15** 影響円図と任意形状荷重による $\Delta\sigma_z$ の算出方法

重要であり，分割された 10 の領域のそれぞれに作用している等分布荷重 p によって発生する，同心円の中心直下の任意の深度 z における鉛直応力増分が等しくなるように設定される．例えば，図中の A のリング状の領域と B のリング状の領域に作用する分布荷重 p によって発生する $\Delta\sigma_z$ は等しい．ここで，B 領域の面積は A 領域より大きいので全荷重は大きいが，A 領域よりも中心から離れているので $\Delta\sigma_z$ に及ぼす影響は小さくなり，結果として $\Delta\sigma_z$ に及ぼす全荷重と距離の相乗的な影響は A 領域と同じということである．

同様な考えから，200 個の各メッシュの荷重が $\Delta\sigma_z$ に及ぼす影響は同じであり，その度合いは式（9.20）と同様に影響値と呼ばれ，200 個の各メッシュの影響値は 0.005（= 1/200）になる．

なお，放射方向の分割数は特に意味は無いが，複雑な荷重の分布形状に対して求める $\Delta\sigma_z$ の精度を上げようとする場合は，同心円の数も含めて分割数を増やせばよい．図 9.15 には長さが 1 の基準線（= R/z）が併記されているが，9 つの同心円の半径は基準線長に対して 0.2698，0.4005，0.5181，0.6370，0.7664，0.9176，1.1097，1.3871，1.9083 である．これらの基準線長は円形分布荷重の式（9.19）から算出されている．

9.9 近似解法

今，図 9.15 に示す任意形状の等分布荷重 p が作用する場合について，P 点直下の深度 z における鉛直応力増分 $\Delta\sigma_z$ を求めることにする．まず，荷重あるいは位置の実寸法（例えば，L）の C 図を鉛直応力増分を求めたい深度 z で割った寸法（L/z）の D 図にする．つぎに，この図の寸法を影響円図の基準線長に合わせて寸法補正した E 図にする．このようにして得られた E 図を，鉛直応力増分を求める平面位置 P を影響円の中心になるように重ね合わせる．そして，重ね合わせられた荷重の分布領域に含まれるメッシュの数 N を数える．以上の手順の結果から，P 点直下の深度 z の鉛直応力増分 $\Delta\sigma_z$ は次式で算出する．

$$\Delta\sigma_z = p \cdot I(R, z) = 0.005 Np \tag{9.23}$$

なお，メッシュの数 N を数えるに際して，メッシュの一部が荷重の分布領域にある場合は面積比で数える（例えば，0.4 個）．また，荷重 p が異なる場合は，荷重毎に式（9.23）で $\Delta\sigma_z$ を算出して合算すればよい．

9.9 近似解法

9.9.1 ケーグラー法

(1) 帯状荷重

帯状荷重による鉛直応力増分 $\Delta\sigma_z$ の近似解法として，図 9.16 のケーグラー法がある．同法では，地表面に作用する帯状荷重が角度 α で地盤中を伝搬し，

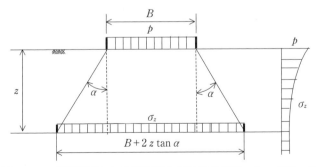

図 **9.16** 帯状荷重による鉛直応力増分近似解法：ケーグラー法

任意の深度 z における鉛直応力増分 $\Delta\sigma_z$ の合計が地表面の帯状荷重の合計と等しいと考える。したがって，$pB = \Delta\sigma_z(B+2z\tan\alpha)$ から次式で $\Delta\sigma_z$ を算出する。

$$\Delta\sigma_z = \frac{pB}{B+2z\tan\alpha} \tag{9.24}$$

図 9.16 に示すように，鉛直応力増分 $\Delta\sigma_z$ は地表面で p であるが，深度に伴って減少する。

(2) 長方形分布荷重

図 9.17 のような長方形の分布荷重による鉛直応力増分 $\Delta\sigma_z$ の近似解法もケーグラー法である。図 9.16 の帯状荷重と同様に，地表面に作用する荷重が角度 α で地盤中を四方に伝搬し，任意の深度 z における鉛直応力増分 $\Delta\sigma_z$ の合計が地表面の全荷重と等しいと考える。従って，$pBL = \Delta\sigma_z(B+2z\tan\alpha)(L+2z\tan\alpha)$ から次式で $\Delta\sigma_z$ を算出する。

$$\Delta\sigma_z = \frac{pBL}{(B+2z\tan\alpha)(L+2z\tan\alpha)} \tag{9.25}$$

帯状荷重と同様に，鉛直応力増分 $\Delta\sigma_z$ は地表面で p であるが，深度に伴って減少する。なお，α について，5 分勾配法では $\tan\alpha = 1/2$，ボストンコード法では $\alpha = 30°$，道路橋示方書Ⅳ下部構造編では $\alpha = 30° \sim 35°$ の設定をしている。

9.9.2 修正ケーグラー法

図 9.17 では深度 z の鉛直応力増分 $\Delta\sigma_z$ は等分布と想定しているが，応力の

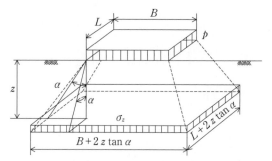

図 **9.17** 長方形荷重による鉛直応力増分近似解法：
ケーグラー法

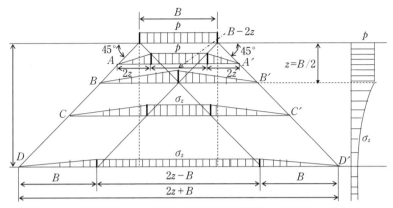

図 **9.18** 帯状荷重による鉛直応力増分近似解法：修正ケーグラー法

連続性を考えると，端部に向かって減少し，端部ではゼロになると考えるのが合理的である．この考え方をケーグラー法に導入して，$\alpha = 45°$ とした場合，鉛直応力の分布は図 9.18 になるが，これを修正ケーグラー法と呼ぶ．なお，鉛直応力の最大値は次式で表わされる．

$0 \leq z < B/2$ $\Delta \sigma_z = p$ (9.26.1)

$B/2 \leq z$ $\Delta \sigma_z = pB/(2z)$ (9.26.2)

9.10 圧力球根

前節までで，様々な荷重条件により発生する地盤内の応力増分あるいは変位の算出方法が示されたが，工学的に重視されるのは鉛直応力増分 $\Delta \sigma_z$ であり，その分布である．本節では単一集中荷重による鉛直応力増分 $\Delta \sigma_z$ を例として，地盤内応力の分布特性について考える．単一集中荷重 P による鉛直応力 $\Delta \sigma_z$ は式 (9.7) で定義されるが，$z = r \cos\theta$ の関係から次式で表記できる．

$$\Delta \sigma_z = \frac{3P}{2\pi} \frac{\cos^3 \theta}{r^2} \tag{9.27}$$

ここで，荷重の載荷直下の深度 $z = r_{01}$ における鉛直応力増分 $\Delta \sigma_z$ は，$\theta = 0$ として得られる $3P/(2\pi r_{01}^2)$ である．

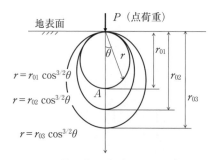

図 9.19 単一集中荷重による鉛直応力
　　　　増分の圧力球根

式（9.27）の鉛直応力が $3P/(2\pi r_{01}^2)$ と等しい地盤内の位置は次式で得られる。
$$r = r_{01}\cos^{3/2}\theta \tag{9.28}$$

式（9.28）の軌跡は図 9.19 の A 点を通る曲線で表わされる応力線となる。この応力線上にあれば，鉛直応力増分が $3P/(2\pi r_{01}^2)$ であるが，鉛直応力増分が等しい応力線を等鉛直応力線と呼ぶ。ここで，ある特定の鉛直応力増分は深度 z で決まるが，z が r_{02}，r_{03} である等鉛直応力線は図 9.19 のように描ける。これらの等鉛直応力線群は球根の断面形状に似ていることから，（単一集中荷重 P による鉛直応力増分の）圧力球根（アイソバール）と呼ばれる。上記では鉛直応力増分に着目したが，他の荷重条件あるいは応力増分（直応力，せん断応力）でも同様であり，それぞれの圧力球根となる。

9.11　地表面の沈下

地表面に集中荷重 P が作用した場合の地盤内の変位のうち，鉛直変位は式（9.6）の u_z であるが，地表面では $z=0$ であるので，地表面の鉛直変位あるいは沈下量は式（9.29）となる。

$$u_{z0} = \frac{1-\nu}{2\pi G}\frac{P}{r} \tag{9.29}$$

当然であるが，式（9.29）によれば，沈下量は載荷点からの水平距離 r に反比例して減少する。ここで，図 9.20 のように等分布荷重 p が地表面の A の領

9.11 地表面の沈下

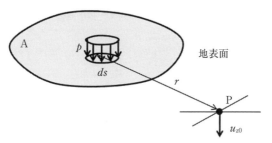

図 **9.20** 集中荷重 pds による P 点地表面沈下の概念

域に作用しているとし，A 領域の荷重による P 点での地表面沈下量を考える．P 点からの距離が r である微小面積 ds に作用する荷重 pds を集中荷重と考えると，A 領域全体の荷重による P 点の沈下量 δ は式（9.30）で与えられる．

$$\delta = \frac{(1-\nu)p}{2\pi G}\int_A \frac{ds}{r} \tag{9.30}$$

ここで，A 領域の載荷面の大きさを表す代表的な長さを B とすると，式（9.4）から，式（9.31）が定義できる．

$$\delta = \frac{(1-\nu^2)Bp}{E}\frac{1}{\pi B}\int_A \frac{ds}{r} = \frac{(1-\nu^2)Bp}{E}I_s \tag{9.31}$$

I_s は沈下の影響係数あるいは沈下係数と呼ばれ，荷重の作用面の形と距離 r で決まる無次元量である．

今，A 領域の形状が直径 D の円形である場合，載荷面の大きさを表す代表的な長さを直径 D とすると，円形荷重による円の中心の沈下量に関わる沈下係数は，図 9.21 から式（9.32）になり，沈下量 δ_0 は式（9.33）になる．

$$I_s = \frac{1}{\pi D}\int_A \frac{ds}{r} = \frac{1}{\pi D}\int_0^{\frac{D}{2}} \frac{2\pi r}{r}dr = \frac{1}{\pi D}\pi D = 1 \tag{9.32}$$

$$\delta_0 = I_s\frac{(1-\nu^2)D}{E}p = \frac{(1-\nu^2)D}{E}p \tag{9.33}$$

なお，円形荷重による円周上の沈下量 δ_e および円形領域の平均沈下量 δ_{av} は，それぞれ式（9.34）および式（9.35）である．ここで，影響係数は，そ

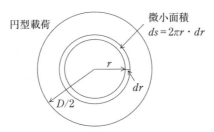

図 9.21 円形載荷の荷重

れぞれ 0.64 および 0.85 である。

$$\delta_e = 0.64\frac{(1-\nu^2)D}{E}p \tag{9.34}$$

$$\delta_{av} = 0.85\frac{(1-\nu^2)D}{E}p \tag{9.35}$$

以上の円形載荷面の沈下は，仮に載荷面の下に基礎があった場合，図 9.22 (a) のように基礎はたわむように変形するので，たわみ性基礎（の沈下）と呼ばれる。代表的なたわみ性基礎には鋼製版による石油備蓄タンクがある。一方，図 9.22 (b) のように，基礎が鉄筋コンクリート製で剛な版のようにたわまない場合は，剛性基礎と呼ぶ。この場合は，基礎全体の沈下は一様であるが，式 (9.36) になり，沈下係数は 0.79 である。

$$\delta = 0.79\frac{(1-\nu^2)D}{E}p \tag{9.36}$$

また，等分布荷重 p の載荷面が長方形の場合，載荷面内の沈下量は式 (9.37) で与えられる。

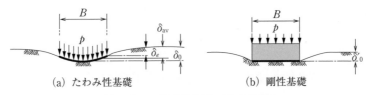

(a) たわみ性基礎　　　　(b) 剛性基礎

図 9.22 円形載荷面の沈下分布

$$\delta = \frac{1-\nu^2}{E} Bp I_s(r) \tag{9.37}$$

ここで，$r=L/B \geqq 1$，L：長辺長，B：短辺長であり，沈下係数 $I_s(r)$ は r の関数である。なお，長方形の代表的な長さは，短辺長 B である。

以上のように，等分布荷重の載荷による載荷面内の沈下量は，沈下係数により異なるが，載荷面の形状（円形，正方形，長方形），基礎の剛性（たわみ性，剛性）による載荷面内の代表的な位置（隅角点，中点，中心など）における沈下係数を表9.1に示す。

表 **9.1** 載荷面の形状，基礎の剛性による代表的な位置の沈下係数

基礎の剛性	対象の位置		円形	正方形	長方形 L/B（L：長辺長，B：短辺長）					
				1	2	3	4	5	10	100
たわみ性	隅角点		0.64 円周	0.56	0.77	0.89	0.98	1.05	1.27	2.00
	外辺の中点	短辺		0.77	0.98	1.11	1.20	1.27	1.49	2.23
		長辺			1.12	1.36	1.54	1.67	2.10	3.56
	中心		1.00	1.12	1.53	1.78	1.96	2.10	2.54	4.01
	平均		0.85	0.95	1.30	1.52	1.71	1.83	2.25	3.70
剛性	全面：一様		0.79	0.88	1.22	1.44	1.61	1.72	2.12	3.40

9.12 接地圧・地盤反力の分布

図9.22はたわみ性基礎と剛性基礎の一般的な即時沈下量の分布であるが，基礎底面に作用する接地圧，言い換えれば，底面下の地盤反力の分布は，基礎の構造と地盤の条件によって変わる。図9.23は基礎構造（剛性基礎，たわみ性基礎）と地盤条件（砂質地盤，粘性土地盤）を組み合わせた4条件における接地圧（地盤反力）について，一般的な分布形状の概念の比較である。

剛性基礎の場合，粘土地盤では粘性などにより基礎周辺部で地盤の拘束力が効いて，力が伝達されるので大きい接地圧が発生し，中心部で小さくなる分布形

第9章　地盤内の応力と変位

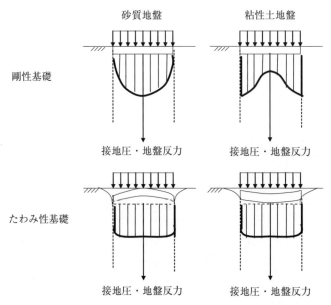

図 **9.23**　基礎構造と地盤条件による接地圧・地盤反力の分布

状となる。また，砂質地盤では基礎周辺部での地盤の拘束力が効かず，力が伝達されないため地盤反力は発生しにくく，中心部で大きくなる分布形状となる。

一方，たわみ性基礎の場合，等分布荷重に対して，基礎は接地圧が一様になるように変形するので，接地圧は地盤条件に拘わらず，均一な分布形状となる。なお，等分布荷重，基礎の重量が同じであれば，接地圧の合力（＝分布面積）は4条件で同じになる。

参考文献
1) 地盤工学会：地盤材料試験の方法と解説，丸善出版，1190p., 2009.
2) 石原研而：土質力学（第2版），丸善，295p., 2001.

第10章　土圧

　土圧とは土の重量に起因して構造物に作用する圧力である。土圧が関係するのは，土に接する構造物，例えば，擁壁，土留め壁，地下壁などであり，これらの構造物を設計するためには，外力としての土圧を求めることが必要となる。例えば，擁壁の安定では，土圧により滑らないこと，転倒しないことおよび支持地盤が破壊しないことが必要とされる。しかし，擁壁を取り巻く環境，条件は多様であり，土圧も土の種類，構造物の形状，背面の地盤形状，地震の作用などにより異なるので，これらの諸要因を考慮することが必要となる。

　本章では，土圧の発生機構，ランキン（Rankine）とクーロン（Colomb）の土圧論，柔な土留め壁の土圧，設計における土圧算定方法などを示す。

10.1　土圧の発生機構と種類

10.1.1　土圧の発生機構と種類

　図10.1のように鉛直に設置された剛な壁で抑えられた，平坦で均一な土圧の対象土層（湿潤単位体積重量 γ_t）を考える。この土層は1章の図1.6で示した二次元単一地盤であり，以降の土圧は単位奥行き当たり（例えば，1m）で考える。壁の下端は移動しないが回転できるヒンジ構造とし，地表面を原点Oとして，鉛直下方を z 軸の＋方向，水平右方向を x 軸の＋方向とする。なお，このように考える土圧は，後述するランキンの土圧論に通ずる。

　地表面から深度 z にある土要素には，水平面に対する鉛直方向の主応力 σ_v が作用しているが，図中に三角形分布で併記してある層厚 z の土の重量 $\gamma_t z$ に等しい。ここで，土要素の鉛直面に作用する水平方向の主応力 σ_h は σ_v に比例するので，比例定数 K として式（10.1）で関係付けられる。

$$\sigma_h = K\sigma_v \tag{10.1}$$

第10章 土圧

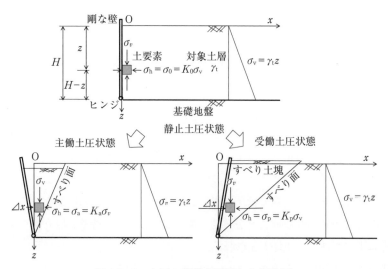

図 **10.1** 土圧の機構を模擬した概念図

　ここで，剛壁に接した土要素では，水平応力 σ_h は土層から剛壁に作用する応力と考えることができ，これが土圧となる。従って，土圧とは σ_h を求めることになるが，式（10.1）の比例定数を土圧係数と呼ぶ。ここで，σ_v の深度分布は変わらないので，剛壁の移動（＝回転）形態によって土圧状態が変わり，土圧係数 K が変わる。

　まず，剛壁が鉛直に静止している状態は静止土圧状態であり，作用する土圧は静止土圧 σ_0，土圧係数は静止土圧係数と呼び，K_0 で表す。次に，剛壁を前方，つまり x 軸の－方向に回転移動した場合，背面の土層はずり下がるように変形して主働土圧状態となるが，変形が大きくなると，ある範囲の土塊部分が破壊状態となり，すべり面が発生する。この過程のすべり土塊は緩む状態になるので，土圧は減少し，すべり面が発生するまでの土圧に漸近する。すべり面が発生した時点の土圧は主働土圧 σ_{ha}，土圧係数は主働土圧係数と呼び，K_a で表す。主働とは"土が主体的に働いて発生する"と考えるとよい。

　一方，剛壁を後方，つまり x 軸の＋方向に回転移動した場合，背面の土層はずり上がるように変形して受働土圧状態となるが，変形が大きくなると，ある

10.1 土圧の発生機構と種類

範囲の土塊部分が破壊状態となり，すべり面が発生する。この過程のすべり土塊は締め固まる状態になるので，土圧は増加し，すべり面が発生するまでの土圧に漸近する。すべり面が発生した時点の土圧は受働土圧 σ_{hp}，土圧係数は受働土圧係数と呼び，K_p で表す。受働とは"土が受け止めるように働いて発生する"と考えるとよい。

以上のように，土圧あるいは土圧係数には3種類あり，式（10.2）で表されるが，これらの間には $\sigma_{ha}<\sigma_0<\sigma_{hp}$ あるいは $K_a<K_0<K_p$ の大小関係があり，主働土圧（係数）が小さく，受働土圧（係数）が大きい。

$$\sigma_{ha} = K_a \sigma_v \qquad \sigma_0 = K_0 \sigma_v \qquad \sigma_{hp} = K_p \sigma_v \tag{10.2}$$

ここで，剛壁の回転移動により発生する背面土の変形では，鉛直方向の変形も発生するが，鉛直方向より大きく，式（10.3）で表わされる水平方向の発生ひずみ ε で代表させて考える。

$$\varepsilon = \Delta x/(H-z) \tag{10.3}$$

ここに，Δx は深度 z における剛壁の水平移動量，H は剛壁の高さであるが，壁は剛で変形しないので，ひずみ ε は深度方向に一定値となり，ひずみ ε により剛壁の回転移動の程度が表わされる。また，剛壁が x 軸の−方向に移動する場合は伸張ひずみであるので−とする。

図 10.2 はひずみ ε と土圧係数の変化の関係の概念であるが，土圧係数を土圧に置き換えてもよい。静止土圧状態から主働土圧状態に向かう場合，土圧係数は減少し，主働土圧係数に漸近するように低下する。一方，受働土圧状態に向かう場合，土圧係数は増加し，受働土圧係数に漸近するように増加する。

通常，静止土圧係数は 0.5 前後の値となることが多いのに対して，主働土圧係数は 0.3，受働土圧係数は 3.0 といったような大小関係にあるが，ひずみ ε の発生水準は主働土圧状態で 2〜4％，受働土圧状態で 15〜20％程度とされ，受働土圧状態はかなり大きいひずみの状態にある。

以上の3種類の土圧が実地盤でどのような状況下で発生するかを例示したのが図 10.3 である。静止土圧は根入れのあるビルの地下壁面や地中構造物の側面，主働土圧は擁壁の背面や土留め壁の掘削底面の上部，受働土圧は擁壁の前

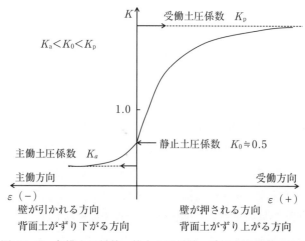

図 10.2 主働土圧係数，静止土圧係数，受働土圧係数の関係

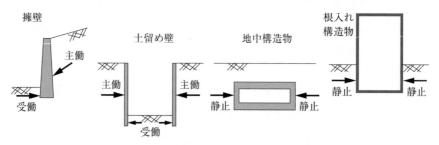

図 10.3 実地盤における土圧の種類の発生例

面や土留め壁の掘削底面の下部の根入れ部分などで作用する．このように構造物により作用する土圧が異なるので，土圧状態に合わせた土圧を考えて設計することが必要である．

なお，図 10.1 では湿潤単位体積重量 γ_t の地盤を想定し，これ以降においても同様な地盤を前提にしているが，3 章 3.4 節の図 3.8 の地盤に相当する．従って，本章で土圧を考えている主応力 σ_v および σ_h は全応力の表記であるが，有効応力（σ'_v および σ'_h）に等しいことに注意が必要である．つまり，土圧係数は本来，鉛直方向と水平方向の有効応力比で定義されるが，3 章の式（3.7）の全応力と有効応力の関係により，本章では敢えて区別していない．

10.1.2 静止土圧係数

図 10.2 で 0.5 前後の値とした静止土圧係数は，一般に，土の内部摩擦角 ϕ で変化するとされており，正規圧密状態では式（10.4）のヤーキー（Jaky）の式が用いられる。

$$K_0 = 1 - \sin\phi \tag{10.4}$$

また，地盤を弾性体としてポアソン比 ν を用いた式（10.5）もあるが，砂質土の ν を 1/3，粘土の ν を 1/4 とすると，それぞれ静止土圧係数は 0.5，0.33 となる。

$$K_0 = \nu/(1-\nu) \tag{10.5}$$

ここで，過圧密状態の静止土圧係数 K_{oc} は正規圧密状態より大きい値をとるが，正規圧密状態の静止土圧係数 K_0 を 6 章の式（6.5）で定義した過圧密比 OCR で補正する実験式（10.6）がある。これによれば，OCR が大きいほど K_{oc} は大きい。

$$K_{oc} = K_o(\text{OCR})^{0.42} \tag{10.6}$$

10.2 ランキン土圧

10.2.1 ランキンの土圧論

図 10.1 の概念のように，土圧を土要素の鉛直面に作用する水平方向の主応力 σ_h と見なして考えるのが，ランキンによる土圧論である。従って，ランキン土圧では，地盤内の土要素が塑性平衡状態にある場合の水平方向の主応力を求めればよい。ここで，塑性平衡状態とは土が破壊に至った状態，つまり，モールの応力円がモール・クーロンの破壊規準（7 章）に達する状態である。

図 10.4 の地盤内の土要素が静止土圧状態にあるとする。この時の土要素の水平面および鉛直面に作用する主応力は，それぞれ σ_v および $\sigma_h = \sigma_0$ であるが，静止土圧係数の値から $\sigma_v > \sigma_h$ であり，$\sigma_0 = K_0\sigma_v$ である。ここで，7 章の主応力に対応させると，最大主応力 σ_1 は σ_v，最小主応力 σ_3 は σ_0 となる。ここで，σ_v が一定の状態で静止土圧状態から主働土圧状態にするためには，土要素を水平方向に膨張する（緩む）ように変形させる，つまり，σ_0 を減少さ

第 10 章　土圧

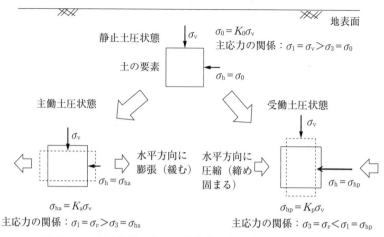

図 **10.4**　土圧状態に応じた鉛直主応力と水平主応力の関係

せればよい．この主働土圧状態で土要素の水平面および鉛直面に作用する主応力は，それぞれ σ_v および $\sigma_h = \sigma_{ha}$（$= K_a \sigma_v$）であるが，最大主応力 σ_1 は σ_v，最小主応力 σ_3 は σ_{ha} である．

一方，σ_v が一定の状態で静止土圧状態から受働土圧状態にするためには，土要素を水平方向に圧縮する（締め固まる）ように変形させる，つまり，σ_0 を増加させればよい．この受働土圧状態で土要素の水平面および鉛直面に作用する主応力は，それぞれ σ_v および $\sigma_h = \sigma_{hp}$（$= K_p \sigma_v$）であるが，最大主応力 σ_1 は σ_{hp}，最小主応力 σ_3 は σ_v であることに注意が必要である．

図 10.4 の静止状態から主働状態，受働状態への主応力の変化をモールの応力円の変化で表したのが図 10.5 である．静止土圧状態の応力は A 点と B 点を通る円で表される．ここで，静止土圧状態から主働土圧状態への変化は，最小主応力 σ_3 が減少し，B 点が C 点に向かう推移である．一方，受働土圧状態への変化は，最小主応力 σ_3 が増加し，B 点が D 点に向かう推移である．図からも分かるように，それぞれの推移により，モールの応力円はモール・クーロンの破壊基準に到達する．この時点が塑性平衡状態に至った状態であり，この時の σ_{ha} および σ_{hp} が，それぞれ主働土圧 $K_a \sigma_v$ および受働土圧 $K_p \sigma_v$ である．

10.2 ランキン土圧

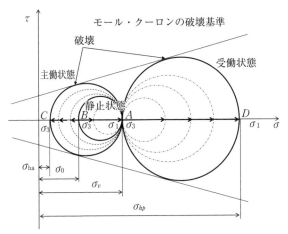

図 10.5 静止状態から主働状態，受働状態への主応力の変化

10.2.2 ランキンの土圧式

図 10.5 の関係から，主働土圧と受働土圧の土圧式は，以下のように誘導できる。主働土圧では最大主応力 σ_1 が σ_v，最小主応力 σ_3 が σ_{ha} であり，受働土圧では $\sigma_1 = \sigma_{hp}$，$\sigma_3 = \sigma_v$ である。従って，これらの主応力がモール・クーロンの破壊基準である式 (7.14) を満足することから，主働土圧 σ_{ha} および受働土圧 σ_{hp} は式 (10.7) で表記される。

$$\begin{pmatrix} \sigma_{ha} \\ \sigma_{hp} \end{pmatrix} = \frac{1 \mp \sin\phi}{1 \pm \sin\phi} \sigma_v \mp 2c \frac{\cos\phi}{1 \pm \sin\phi} \tag{10.7}$$

式 (10.7) は式 (10.8) の関係を用いると，式 (10.9) のように表記できる。

$$\frac{1 \mp \sin\phi}{1 \pm \sin\phi} = \tan^2\left(\frac{\pi}{4} \mp \frac{\phi}{2}\right), \quad \frac{\cos\phi}{1 \pm \sin\phi} = \tan\left(\frac{\pi}{4} \mp \frac{\phi}{2}\right) \tag{10.8}$$

$$\begin{pmatrix} \sigma_{ha} \\ \sigma_{hp} \end{pmatrix} = \tan^2\left(\frac{\pi}{4} \mp \frac{\phi}{2}\right) \cdot \sigma_v \mp 2c \tan\left(\frac{\pi}{4} \mp \frac{\phi}{2}\right) \tag{10.9}$$

式 (10.9) の右辺の第 1 項と式 (10.2) から，主働土圧係数 K_a および受働

土圧係数 K_p は，式（10.10）で表記される。なお，式（10.7）によれば，K_a と K_p は式（10.11）の関係がある。なお，K_a と K_p は ϕ だけの関数であること，ϕ の影響は K_a と K_p では異なることに注意が必要である。

$$K_a = \tan^2\left(\frac{\pi}{4} - \frac{\phi}{2}\right), \quad K_p = \tan^2\left(\frac{\pi}{4} + \frac{\phi}{2}\right) \tag{10.10}$$

$$K_a \times K_p = 1 \qquad K_a = 1/K_p \qquad K_p = 1/K_a \tag{10.11}$$

式（10.9）と式（10.10）から式（10.12）が得られるが，これがランキンの土圧式であり，K_a および K_p をランキンの土圧係数と呼ぶ。同式から分かるように，各土圧は土の内部摩擦角 ϕ，粘着力 c および σ_v（$=\gamma_t z$）で表わされる。ここで，第1項は $\gamma_t z$ の関数であるので，土圧は深度方向に直線分布となる。

$$\begin{pmatrix} \sigma_{ha} \\ \sigma_{hp} \end{pmatrix} = \begin{pmatrix} K_a \\ K_p \end{pmatrix} \sigma_v \mp 2c \begin{pmatrix} \sqrt{K_a} \\ \sqrt{K_p} \end{pmatrix} \tag{10.12}$$

ここで，式（10.12）は深度 z における土圧であるが，壁の高さ H の全体に作用する土圧を求めるためには，$\sigma_v = \gamma_t z$ として式（10.12）を $z=0 \sim H$ で積分すればよい。その結果，主働土圧および受働土圧の合力は式（10.13）で表記される。

$$\begin{pmatrix} Q_a \\ Q_p \end{pmatrix} = \frac{1}{2}\gamma_t H^2 \begin{pmatrix} K_a \\ K_p \end{pmatrix} \mp 2cH \begin{pmatrix} \sqrt{K_a} \\ \sqrt{K_p} \end{pmatrix} \tag{10.13}$$

10.2.3 すべり面の方向

主働土圧と受働土圧が発生するときのすべり面の方向も図 10.5 のモール・クーロンの破壊基準から求められる。図 10.6 の2つの A 点および B 点は，それぞれ主働土圧および受働土圧の発生位置の応力であり，これらの点において破壊，つまりすべりが発生している。従って，主働土圧では2本の直線 CA 方向，受働土圧では2本の直線 DB 方向がすべり線の方向になるので，水平方向に対するすべり面の方向は式（10.14）で表記される。

$$\text{主働土圧}： \pm(45° + \phi/2) \qquad \text{受働土圧}： \pm(45° - \phi/2) \tag{10.14}$$

10.2 ランキン土圧

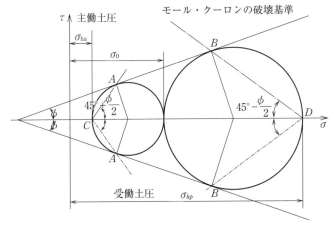

図 **10.6** 土圧とすべり面の方向

なお，これらのすべり面は位置が特定されないが，図 10.1 ではすべり面が壁の下端を通る，といったように，構造物に対して最も土圧が大きくなる位置に設定する．

10.2.4 条件に応じた土圧式の展開

(1) 背面の地盤が傾斜している場合

粘着力の無い（$c=0$）背面土の地表面が傾斜（傾斜角：β）している場合，図 10.7 の破線で示す土柱および平行四面体の土要素で考える．詳細は省くが，深度 z の鉛直面 CD で斜面の傾斜方向に作用する応力 σ_h と底面 BC で鉛直方

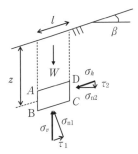

図 **10.7** 粘着力の無い傾斜地盤の土圧

191

向に作用する応力 σ_v の比により,土圧係数 K_a および K_p は式(10.15)および式(10.16)になる。なお,$\beta=0$ の場合は当然,水平地盤の土圧係数式(10.10)と一致する。

$$K_a = \left(\cos\beta - \sqrt{\cos^2\beta - \cos^2\phi}\right) / \left(\cos\beta + \sqrt{\cos^2\beta - \cos^2\phi}\right) \quad (10.15)$$

$$K_p = \left(\cos\beta + \sqrt{\cos^2\beta - \cos^2\phi}\right) / \left(\cos\beta - \sqrt{\cos^2\beta - \cos^2\phi}\right) \quad (10.16)$$

従って,主働土圧および受働土圧は式(10.17)および式(10.18)で得られる。

$$\sigma_{ha} = \sigma_v K_a = \gamma_t z \cos\beta \cdot K_a \quad (10.17)$$

$$\sigma_{hp} = \sigma_v K_p = \gamma_t z \cos\beta \cdot K_p \quad (10.18)$$

(2) 背面の地表面に分布荷重がある場合

図10.8のように,擁壁の背面土の地表面に等分布荷重(単位面積当たり:p)が作用している場合,上載圧が無い場合の深度 z での鉛直応力 σ_v に上載圧 p を加算すればよい。従って,主働土圧と受働土圧は式(10.19)および式(10.20)で得られるが,土圧係数は式(10.10)である。

$$\sigma_{ha} = (\sigma_v + p)K_a - 2c\sqrt{K_a} \quad (10.19)$$

$$\sigma_{hp} = (\sigma_v + p)K_p + 2c\sqrt{K_p} \quad (10.20)$$

(3) 背面に地下水位がある場合

図10.8のように,背面土に地下水位(深度 z_0)がある場合,壁には水圧が

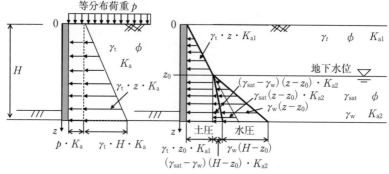

図 **10.8** 等分布荷重,地下水位による主働土圧

付加されることになるが，地下水位以下における壁に対する（主働）作用荷重は，粘着力がない場合，式（6.21）のように水の単位体積重量に起因する土圧相当分 $\gamma_w(z-z_0)K_a$ を差し引いた有効な土圧と水圧 $\gamma_w(z-z_0)$ を考慮する。

地下水位上：$\sigma_{ha} = \gamma_t z K_{a1}$

地下水位下：$\sigma_{ha} = \gamma_t \cdot z_0 K_{a1} + (\gamma_{sat} - \gamma_w)(z-z_0)K_{a2} + \gamma_w(z-z_0)$ (10.21)

10.2.5 鉛直自立高さ

粘着力 c がある土の主働土圧は式（10.22）で表され，これを図示すると図10.9のようになる。

$$\sigma_{ha} = K_a \gamma_t z - 2c\sqrt{K_a} \tag{10.22}$$

同図から分かるように，地表面では粘着力の効果により $-2c\sqrt{K_a}$ の土圧が作用し，深度の増加とともに直線的に増加する。深度 z_c でゼロになるが，深度 $0 \sim z_c$ 間は負の土圧，つまり土の変形を引き止める応力が作用していることになる。そして，直線分布であることから，深度 $2z_c = H_c$ までの土圧の合力はゼロになる。これは，深度 H_c までは壁が無くても土は自立した状態を保てることを意味し，溝を掘った時に，ある深度までは土留めが不要であることに通ずる。このことから，H_c を鉛直自立高さと呼び，式（10.23）で表記される。

$$H_c = \frac{4c}{\gamma_t}\frac{1}{\sqrt{K_a}} = \frac{4c}{\gamma_t}\tan\left(\frac{\pi}{4} + \frac{\phi}{2}\right) \tag{10.23}$$

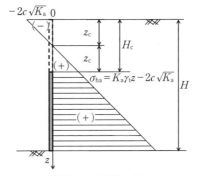

図 **10.9** 粘着力の効果：鉛直自立高さ

同式から分かるように，H_c は c，γ_t および ϕ の関数であり，c あるいは ϕ が大きいほど，あるいは γ_t が小さいほど，大きく（深く）なる。現実には，負の土圧は期待できず，この鉛直自立高さで求まる値より小さい値でも崩壊することがある。

10.3 クーロン土圧

10.3.1 クーロンの土圧論

ランキンの土圧では壁に摩擦力が働かないこと，背面の地表面が直線であることなど様々な制約があるが，実際の地盤は必ずしもこのような条件には合致していない。このような制約条件を解決する土圧論として，クーロンの土圧論がある。

擁壁においてクーロンの主働土圧状態および受働土圧状態の土圧の発生と関係する力を対比したのが図 10.10 である。高さ H の剛な擁壁の背面は ω の角度で傾斜しており，背面の地表面は不整形でもよいが，直線斜面の場合は角度 β の傾斜とする。ランキン土圧と同様に，擁壁が B 点を中心とした回転移動により，すべり面（角度：α）が発生すると考える。ここで，クーロン土圧は，壁面とすべり面を境界として形成されるくさび状のすべり土塊を剛体と考え，この剛体が壁面とすべり面に沿って移動すると考える。この剛体に作用する荷

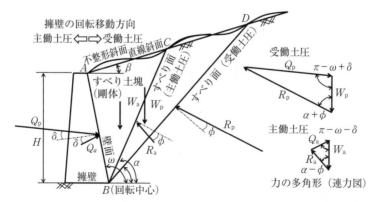

図 10.10　クーロンの主働土圧状態と受働土圧状態での土圧の発生の概念

10.3 クーロン土圧

重あるいは外力は、土塊の重量 W、壁面に発生する反力 Q およびすべり面に作用する反力 R の3つである。これらの3つの力の釣り合いから求められる Q を土圧とするのが、クーロン土圧の考え方である。

なお、反力 Q の壁面方向の分力および反力 R のすべり面方向の分力は、土塊のすべりに抵抗する摩擦力であるが、Q は垂線に対して δ、R は垂線に対して ϕ の角度をとる。なお、δ は壁体材と背面土の間の摩擦角、ϕ は背面土の内部摩擦角であり、予め決まる定数である。

ここで、主働土圧状態と受働土圧状態の差異は Q と R の向きであり、その概念を図10.11に示す。つまり、主働土圧状態の場合、くさび状にずり下がる土塊の移動に抵抗するように、壁面およびすべり面には上向きに抵抗反力 Q_a と R_a が発生する。従って、Q_a は垂線から反時計周りに δ の角度、R_a は垂線から時計周りに ϕ の角度になる。一方、受働土圧状態の場合、くさび状にずり上がる土塊の移動に抵抗するように、壁面およびすべり面には下向きに抵抗反力 Q_p と R_p が発生する。従って、Q_p は垂線から時計周りに δ の角度、R_p は垂線から反時計周りに ϕ の角度になる。

さて、図10.10において、主働土圧状態は擁壁がBを回転中心として反時計周りに回転移動した場合であり、すべり土塊ABCに W_a、Q_a および R_a が作用する。ここで、W_a は鉛直方向に作用し、すべり面位置を決めれば、すべり土塊の規模（面積あるいは体積）が求まるので、W_a は大きさと作用方向が既知となる。一方、壁面の傾斜角度 ω と摩擦角 δ から Q_a の作用方向、すべり面の角度 α と摩擦角 ϕ から R_a の作用方向が分かる。なお、これらの3つの力

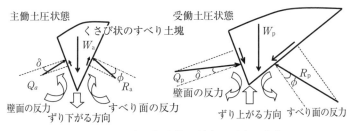

図 **10.11** すべり土塊に対する反力の向き

は釣り合うので，それらのベクトルは図 10.10 のように，閉じた多角形となる．これは力の多角形あるいは連力図と呼ばれるが，これにより Q_a，つまり土圧が求まる．ここで，力の多角形に記載したように，Q_a の作用方向は鉛直方向から $\pi-\omega-\delta$ の角度，R_a の作用方向は $\alpha-\phi$ の角度である．

また，受働土圧状態は擁壁が時計周りに回転移動した場合であり，すべり土塊 ABD に W_p，Q_p および R_p が作用する．主働土圧と同様に，土塊の重量 W_p は大きさと作用方向，Q_p と R_p は作用方向が分かるので，図 10.10 の力の多角形が描け，土圧 Q_a が求まる．ここで，Q_a の作用方向は鉛直方向から $\pi-\omega+\delta$ の角度，R_a の作用方向は $\alpha+\phi$ の角度である．

図 10.10 においてすべり面の位置（角度 α）を変えれば，それぞれのすべり土塊に対する主働土圧状態あるいは受働土圧状態の土圧が得られる．しかし，これらの土圧のうちで，目的とする主働土圧あるいは受働土圧がどれであるかが問題である．それは図 10.2 から明らかであり，静止土圧状態から主働土圧状態に向かう場合，小さい土圧には際限がないので，主働土圧としては主働土圧状態の土圧の最大値をとる．一方，静止土圧状態から受働土圧状態に向かう場合，大きい土圧には際限がないので，受働土圧としては受働土圧状態の土圧の最小値をとる．これらの考え方は，後述の図解法で考慮されている．

以上のクーロンによる土圧合力 Q を求める方法には，解析的方法と図解法がある．図解法は後述することとし，解析的方法は背面土が粘着力のない土で，直線斜面である場合の式（10.24）を示すだけに止める．なお，ランキン土圧の条件に合わせて $\delta=0$，$\omega=90°$，$\beta=0$ とすると，土圧係数は式（10.10）と同じになる．

$$\begin{pmatrix} Q_a \\ Q_p \end{pmatrix} = \frac{1}{2}\gamma_t H^2 \begin{pmatrix} K_a \\ K_p \end{pmatrix}$$

$$\begin{pmatrix} K_a \\ K_p \end{pmatrix} = \left[\frac{\sin(\omega\mp\phi)}{\sin\omega\left\{\sqrt{\sin(\omega\pm\delta)}\pm\sqrt{\dfrac{\sin(\phi+\delta)\sin(\phi\mp\beta)}{\sin(\omega-\beta)}}\right\}}\right]^2 \quad (10.24)$$

10.3.2 クーロン土圧の図解法

クーロン土圧の図解法として多用されるクルマン (Culman) の図解法では，以下のように主働土圧や受働土圧を算出するが，その基本は力の多角形を図上に描くことである．

(1) 主働土圧

主働土圧の図解法を図 10.12 に示すが，以下の手順に従って算出する．まず，擁壁の下端 B 点を起点として，水平線から反時計周りに ϕ の角度の直線 (S 線) と S 線から時計周りに $\pi-\omega-\delta$ の角度の直線 (L 線) を引いておく．次に，地表面に任意の点 C_1 を設定し，直線 BC_1 をすべり面と仮想する．すべり土塊の ABC_1 の面積 (単位奥行き当たり) を算出し，土の単位体積重量を乗じて，すべり土塊の重量 W_{a1} を算出する．S 線上に重量 W_{a1} を適当なスケールで BD_1 の長さでとり，D_1 点を決める．D_1 点を通り，L 線に平行な線を引き，すべり面 BC_1 との交点を E_1 とする．以上の手順で求めた三角形 BD_1E_1 は，図 10.10 の力の多角形と合同になるので，D_1E_1 の長さは主働状態の土圧 Q_{a1} に等しい．同様にして，すべり面 BC_2，BC_3……を設定して，求めた E_2，

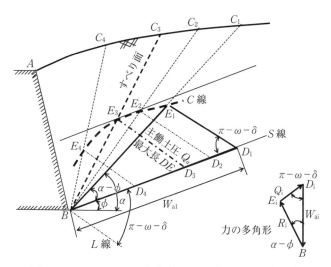

図 **10.12** クルマンの図解法による主働土圧の求め方

E_3……を結んだ曲線（C 線）を描く。ここで，DE の長さの最大，つまり S 線の平行線が C 線に接する点を求める。図 10.12 では D_3E_3 が最長となり，これが求めたい主働土圧となる。また，すべり面の位置は，E_3 点を通るすべり面 BC_3 である。

(2) 受働土圧

受働土圧の図解法を図 10.13 に示す。まず，B 点を起点として水平線から時計周りに ϕ の角度の S 線と S 線から時計周りに $\pi-\omega+\delta$ の角度の L 線を引く。次に，任意の点 C によるすべり面 BC を仮想し，すべり土塊 ABC の重量 W_p を算出する。S 線上に重量 W_p を BD の長さでとる。D 点を通り，L 線に平行な線を引き，すべり面 BC との交点を E とする。以上の手順で求めた三角形 BDE は，図 10.10 の力の多角形と合同なので，DE の長さは受働状態の土圧 Q_p に等しい。主働土圧と同様に，すべり面の位置を変えながら C 線を描き，DE の長さが最小となる E 点を求め，受働土圧とする。すべり面の位置は E 点を通るすべり面 BC である。

なお，主働土圧が主働土圧状態の土圧の最大値，受働土圧が受働土圧状態の土圧の最小値をとる理由は前述の通りである。また，すべり土塊の ABC の面

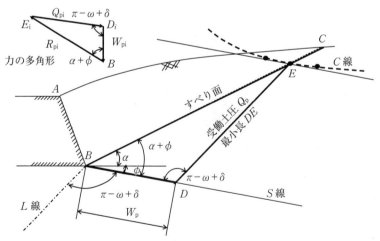

図 **10.13** クルマンの図解法による受働土圧の求め方

積が算出できればよいので，背面土の地表面は直線である必要はない．

10.3.3 条件に応じた土圧式の展開
(1) 粘着力 c がある場合

以上のクーロン土圧では，すべりに対する摩擦抵抗力は考慮していたが，背面土に粘着力 c がある場合は，粘着力による土圧の低減効果を考慮する．つまり，壁体の高さ H を式（10.23）の鉛直自立高 H_c の半分（$=z_c$）だけ低くした擁壁で考える．

(2) 背面に等分布上載圧 p がある場合

擁壁（傾斜角 ω：図 10.10）の背面土（傾斜角 β，単位体積重量 γ_t）に等分布荷重 p が作用している場合，等分布荷重を式（10.25）による背面土の換算高さ $\varDelta H$ に置き換え，高さ $H+\varDelta H$ の擁壁に作用する土圧分布のうち，擁壁高さ H の部分に作用する土圧合力 Q（Q_a あるいは Q_p）を式（10.26）で算出する．なお，K は K_a あるいは K_p である．

$$\varDelta H = (p/\gamma_t) \cdot \sin\omega / \sin(\omega - \beta) \tag{10.25}$$

$$\begin{aligned}Q &= (1/2)\gamma_t(H+\varDelta H)^2 K - (1/2)\gamma_t \varDelta H^2 K \\ &= (1/2)\gamma_t H^2 K + \gamma_t H \varDelta H K\end{aligned} \tag{10.26}$$

10.4 ランキン土圧とクーロン土圧の比較

ランキン土圧とクーロン土圧は，次の①〜④の差異に注意が必要である．まず，ランキン土圧は①剛壁の回転移動により，塑性平衡状態になったすべり土塊に作用する水平方向の主応力であり，前提条件は②壁面は鉛直であること（鉛直以外は仮想背面で考える），③壁面と地盤の間で摩擦が働かないこと（摩擦があると，背面の σ_v が一様にならない），④背面土は勾配があってもよいが，直線状であること（起伏があると，背面の σ_v が一様にならない）である．一方，クーロン土圧は①壁面，くさび土塊とすべり面の間に作用する力の釣り合いから求まる土圧合力であり，前提条件は②壁面は鉛直でなくてよい，③壁面に摩擦が働いてもよい，④背面土の表面が任意の形状でもよい．

また，ランキン土圧では鉛直な壁面が前提であるが，実際には図 10.14 の

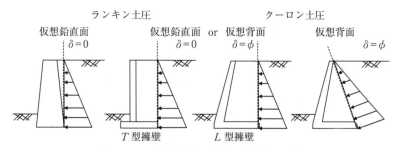

図 **10.14** 仮想鉛直面と仮想背面の設定

ように傾斜していることがある．また，クーロン土圧も同様であるが，T 型や L 型の形状であったりする．このような場合は，ランキン土圧では仮想鉛直面，クーロン土圧では仮想背面を想定し，これらの鉛直面などに作用する土圧を算出して，擁壁の安定性を検証する．ここで，ランキン土圧の仮想鉛直面では摩擦を考えないので $\delta=0$ とし，クーロン土圧の仮想背面の場合は $\delta=\phi$ とする．

　さらに，擁壁に作用する荷重について，地表面に作用する等分布の上載荷重により発生する増加土圧は図 10.15 のように深度方向に等分布である．また，土圧，水圧は三角形分布である．これらの分布荷重を積分した集中荷重 Q を考える場合，分布荷重と集中荷重のモーメントの釣り合いから，等分布荷重の作用位置は壁高の中央，三角形分布では上端から 1/3 の位置になるので，これらの位置に作用させる．

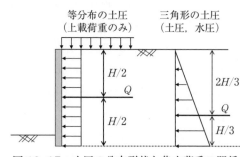

図 **10.15** 土圧の分布形状と集中荷重の関係

なお，地震時には地震動作用による荷重が付加されるが，地震時の土圧は13章を参照されたい。

10.5 剛壁の移動形態，柔な壁の土圧特性

前節まではコンクリート製の剛壁が下端をヒンジとして前後に回転移動した土圧状態を考えたが，この場合の土圧分布は直線であり，三角形分布である。しかし，鋼矢板（こうやいた）による土留め壁は壁自身が変形する柔構造であるので，土圧の分布形状が剛壁とは異なる。本節では剛壁の異なる移動形態や柔構造の壁に作用する土圧分布形状を推察する。

下端がヒンジの剛壁では，図10.1のように背面土に発生するひずみ ε は一様であるが，下端がヒンジでない剛壁や柔構造の壁では，壁が移動したり，変形するために背面土の土要素内のひずみは一様にはならない。しかし，下端がヒンジの剛壁（以下，基準形態と呼ぶ）の静止土圧，主働土圧および受働土圧の分布形状を参考にすると，土圧分布を左右する壁の移動，変形の形態やその規模から，他の移動，変形形態の壁の土圧分布形状が推測できる。ここでは，図10.16の（a）剛壁の上端ヒンジ回転移動，（b）剛壁の並行移動，（c）剛壁の上下端の逆方向移動，（d）柔な壁の変形の4形態を例示的に考える。なお，土圧分布の推測は形態（a）について詳細に行い，他の形態は要点のみを示す。

形態（a）は，剛壁が上端をヒンジとして下端が前方に移動した場合である。理解し易くするために，下端移動量が基準形態の上端移動量と同じとすると，壁高中央の移動量は基準形態と同じになる。また，基準形態の静止土圧と主働土圧の分布を併記してある。ここで，基準形態と剛壁の移動量を比較すると，基準形態の移動量が大きいゾーン1と形態（a）の移動量が大きいゾーン2に区分できる。そして，ゾーン1の移動しない上端は静止土圧に等しいが，下方ほど移動量（＝ひずみ）が大きくなるので，主働土圧に向かって土圧が低下し，移動量が等しい壁高中央で主働土圧と一致する。さらに，ゾーン2では下方に向かって移動量が大きくなるので，主働土圧より小さくなる。なお，下端では基礎地盤の摩擦抵抗により，土圧はゼロにはならず，ある大きさを持

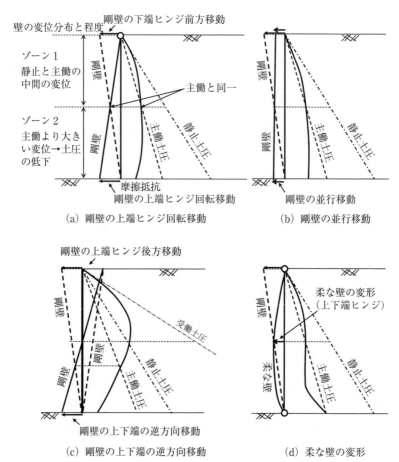

図 10.16 剛壁の移動形態，柔な壁の移動による土圧分布の概念

つ。このようにして推測した土圧分布の大凡の形状は図のように描ける。

　形態 (b) は，形態 (a) に対してゾーン 1 で移動量が大きく，ゾーン 2 で小さいので，ゾーン 1 の土圧は形態 (a) より小さく，ゾーン 2 では大きい分布形状となる。また，形態 (c) は，上半分が後方に移動しているので，上端では受働土圧に等しく，下方に向かって変化する壁の移動量に従って，静止土圧，主働土圧との大小関係から分布形状を推察する。さらに，形態 (d) はヒ

ンジの上端で静止土圧，ヒンジの下端で主働土圧に等しく，これら以外では静止土圧と主働土圧との比較から推察する。

10.6　擁壁の安定

　土圧を受ける擁壁の安定は，滑動しないこと，転倒しないこと，基礎地盤が破壊しない（支持力がある）ことの3条件の照査が必要である。これらの条件に関係する荷重は図 10.17 の通りである。

(1) 滑動に対する安定

　土圧が作用した場合，擁壁の基礎が水平方向前方に滑り出す現象（滑動）の発生が考えられる。滑動に関係する荷重には，滑動力として擁壁背面に作用する水平方向の主働土圧 Q_{ah} があり，滑動抵抗力として擁壁底面と支持地盤の間の摩擦力 $(W+Q_{av}-Q_{pv})\mu$，擁壁底面と支持地盤の間の付着力 $B \cdot c_B$ および擁壁前面に作用する水平方向の受働土圧 Q_{ph} がある。ここで，滑動抵抗力に対する滑動力の比で定義される式 (10.27) は滑動安全率である。

$$F_s = [滑動に抵抗する力]/[滑動させる力] = T/\Sigma H \\ = \{(W+Q_{av}-Q_{pv})\mu + B \cdot c_B + Q_{ph}\}/Q_{ah} \tag{10.27}$$

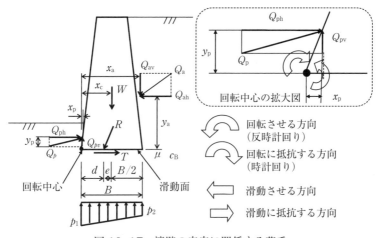

図 **10.17**　擁壁の安定に関係する荷重

ここに，μ は擁壁底面と支持地盤の間の摩擦係数，c_B は擁壁底面と支持地盤の間の付着力である．F_s が 1 より大きければ，滑動抵抗力が滑動力より大きいので安定と判断するが，通常，F_s は常時で 1.5，地震時で 1.2 以上であることが必要とされる．

(2) 転倒に対する安定

土圧が作用した場合，基礎底面の先端を中心として，擁壁が倒れこむように回転する現象（転倒）が考えられる．回転に関係する荷重は，反時計周りの回転力として擁壁背面に作用する水平方向の主働土圧 Q_{ah} および擁壁前面に作用する鉛直方向の受働土圧 Q_{pv} があり，時計周りの回転抵抗力として擁壁の重量 W，擁壁背面に作用する鉛直方向の主働土圧 Q_{av} および擁壁前面に作用する水平方向の受働土圧 Q_{ph} がある．ここで，基礎底面先端を中心として，基礎の回転モーメントに対する抵抗モーメントの比で定義する式（10.28）が転倒安全率である．

$$F_s = [抵抗モーメント]/[回転モーメント] = \Sigma M_c / \Sigma M_d \\ = \{(W \cdot x_c + Q_{av} \cdot x_a + Q_{ph} \cdot y_p)/(Q_{ah} \cdot y_a + Q_{pv} \cdot x_p)\} \quad (10.28)$$

ここで，通常，後述する偏心距離 e が式（10.29）を満足する場合は，転倒安全率の計算は不要とされるが，$|e| \leq B/6$ は擁壁の底面後端（かかと）が浮き上がらない条件である．

$$\begin{aligned} 常時 &: |e| \leq B/6 \\ 地震時 &: |e| \leq B/3 \end{aligned} \quad (10.29)$$

(3) 基礎地盤の支持力

土圧が作用した場合，擁壁底面に発生する反力が基礎地盤の支持力を超える場合は，擁壁を支持できないことになる．式（10.28）の抵抗モーメント M_c，回転モーメント M_d，鉛直力の総和 ΣN とすると，擁壁底面の前端から合力 R の作用点までの距離を d は式（10.30）で求まる．

$$d = (\Sigma M_c - \Sigma M_d) / \Sigma N \quad (10.30)$$

また，基礎底面の中央からの偏心距離を e とすると，

$$e = B/2 - d \quad (10.31)$$

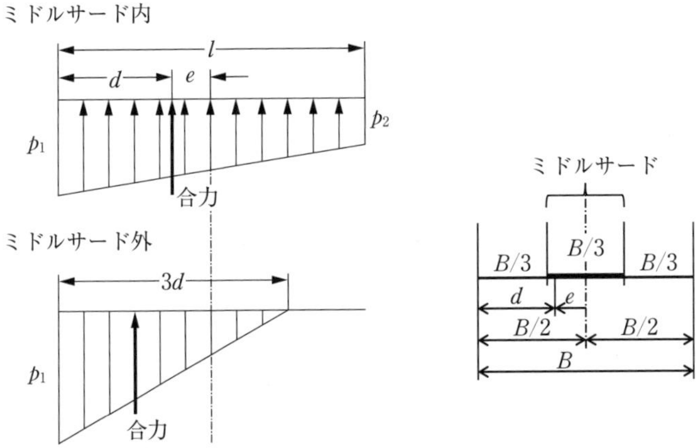

10.6 擁壁の安定

図10.18 ミドルサードの概念

である。ここで，図10.18のように，e が基礎底面の幅 B を3等分したときの中央部分の $B/3$（Middle third：ミドルサード）内にある場合，基礎地盤に作用する反力に関係する力は，擁壁の重量 W，擁壁背面の鉛直方向の主働土圧 Q_{av} および擁壁前面の鉛直方向の受働土圧 Q_{pv} であるので，基礎底面両端の地盤反力 p_1，p_2（$p_1 > p_2$）は式（10.32）で求まる。

$e \leq B/6$ の場合：

$$p_1, \ p_2 = (1 \pm 6e/B)\Sigma N/B \qquad (10.32)$$
$$= (1 \pm 6e/B) \cdot (W + Q_{av} - Q_{pv})/B$$

一方，図10.18のように，e がミドルサード外にある場合，基礎底面の先端の反力 p_1 は式（10.33）で求まる。

$e > B/6$ の場合：$p_1 = 2\Sigma N/(3d) \qquad (10.33)$

以上から，擁壁の基礎地盤の支持力に対する安定は，式（10.34）に基づいて，地盤反力 p_1，p_2 が地盤の許容支持力以下であるか否かにより判定する。

$$p_1, \ p_2 \leq p_a = p_u/F_s \qquad (10.34)$$

ここで，p_a は地盤の許容支持力度，p_u は地盤の極限支持力度，F_s は地盤の支持力度に対する安全率であり，通常，常時で $F_s = 3$，地震時で $F_s = 2$ とする。

10.7 土留め壁の安定

(1) 土圧

　土留め壁の設計用の土圧の設定方法には，理論式による方法と実測値に基づく簡易な方法があり，前者では前述のランキン土圧やクーロン土圧の算定式を用いて求める。後者の方法は数多くあり，基準類によっても異なるが，ここでは数例を例示する。

　道路土工の仮設構造物工指針では，支保工（切りばり，腹起し，火打ちなど）の断面計算に用いる荷重として，図10.19の断面決定用土圧を規定して

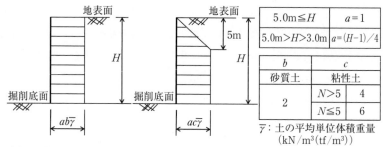

(a) 砂質土地盤の土圧分布　(b) 粘性土地盤の土圧分布　H：掘削深さ (m)

図 **10.19**　断面決定用土圧：仮設構造物工指針[1]

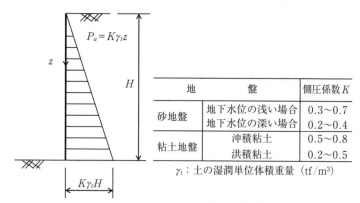

図 **10.20**　設計土圧：山留め設計施工指針[2]

206

10.7 土留め壁の安定

いる。これは,設計の慣用法を前提として,多数の土圧測定結果を整理して得られた土圧分布であり,標準的な地盤,掘削深さ,施工法に対する土圧とされている。さらに,建築基礎構造の山留め設計施工指針では,図10.20のように山留め壁算定用の側圧 P_a を式 (10.35) の三角形分布で与えているが,同式と理論式のいずれを採用するかは技術者の判断とされる。ここで,K は側圧係数であるが,幅のある数値なので地盤の特性を十分に考慮することが必要である。

$$P_a = K\gamma_t z \tag{10.35}$$

なお,土留め壁は深さ方向に数段の切りばりを設置して水平支持されるが,各切りばりに受け持たせる軸力の設定方法を図10.21に示す。地盤が良好な場合は,各支点間の中央までの荷重を支持すると考える1/2分担法,地盤が軟弱な場合は,下の段の切りばり支点までの全荷重を支持すると考える下方分担法がある。道路土工では図10.19の断面決定用土圧を用いて,下方分担法により切りばりに作用させる軸力を算定する。

(2) 土留めの変状

地表面を掘削してゆくと,掘削側と背面側の力の不均衡が増大し,掘削底面

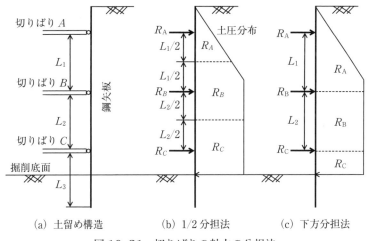

図 **10.21** 切りばりの軸力の分担法

第10章　土圧

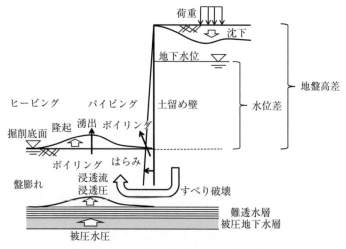

図 **10.22**　山留め壁に関係する地盤変状

などの安定が損なわれて，図10.22のようにボイリング，パイピング，ヒービング，盤ぶくれなどの種々の地盤変状が発生する。このような変状に対する掘削底面などの安定を図ることは土留めの基本であり，安定照査と対策が必要とされる。

1) ボイリング

　透水性の大きい砂質土地盤において，遮水性の土留め壁を用いて掘削する場合，掘削の進行に伴って，土留め背面側と掘削側の水位差が次第に大きくなる。この水位差により掘削底面下の地盤内で上向きの浸透流が発生し，浸透圧が地盤の有効重量を超えると，砂が湧きたつ状態になるが，これがボイリング（5章参照）である。ボイリングに対する安定を照査し，土留め壁の根入れ長の増加や背面側の地下水位低下などにより安定を図る。

2) パイピング

　パイピングとは，高い地下水位を有する砂質土地盤において，杭や矢板の打設，引抜きやボーリングの調査孔跡などによって地盤が緩められた場合，その付近の土粒子が浸透流によって洗い流され，水みちが形成され，水と土砂が噴

出す現象である．地下水位低下などにより安定を図る．

3) ヒービング

土留め壁の背面土の重量や土留め壁に近接した地表面の上載荷重などにより，掘削底面の隆起，土留め壁の張り出し，周辺地盤の沈下が発生する現象である．ヒービングに対する安定を照査し，土留め壁の根入れ長の増加や地盤改良などにより安定を図る．

4) 盤膨れ

掘削底面下の粘性土層のような難透水層，不透水層の下に被圧地下水がある場合，被圧地下水の力により掘削底面が変形を起こして膨れあがる現象である．盤膨れに対する安定を照査し，土留め壁の根入れ長の増加や被圧地下水層の揚水による水圧低下などにより安定を図る．

引用文献

1）日本道路協会：道路土工　仮設構造物工指針，1999．
2）日本建築学会：山留め設計施工指針，2002．

参考文献

・石原研而：土質力学（第2版），丸善，295p，2001．

第 11 章　支持力

　構造物の重さは杭などの基礎を通じて地盤に伝えられ，地盤内には 9 章で学んだ応力が作用する。この応力と 6 章の圧密特性や 7 章のせん断特性，さらに地質や耐震性といった地盤特性との相互関係で構造物は支持されている。本章では，基礎の種類，基礎形式の選定の考え方と，浅い基礎である直接基礎および深い基礎の代表である杭基礎の支持力の機構と算定について示す。

11.1　基礎の種類と浅い基礎・深い基礎

　基礎の種類は多種多様であるが，大別すると図 11.1 の直接基礎，杭基礎およびケーソン（井筒）基礎に区分される。基礎は上部の構造物を支持するために，支持層（工学的な基盤と呼ぶ）に設置することが基本であるが，支持層の深さにより基礎の種類が変わる。支持層が浅い場合は，地盤の掘削が可能であるので直接に支持層に設置し，軟弱地盤が厚く，支持層が深い場合は杭やケーソンを仲介して支持層に設置する。このように，地盤の状態を把握して，それに応じた基礎の選定が必要である。

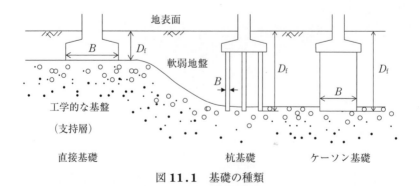

図 **11.1**　基礎の種類

11.2 基礎形式の選定

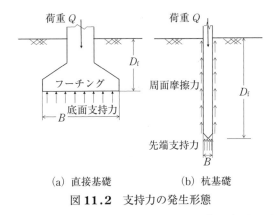

(a) 直接基礎　　(b) 杭基礎

図 **11.2** 支持力の発生形態

図 11.2 のように，支持力の発生形態が異なり，算出方法が違うため，基礎の根入れ深さ D_f と基礎幅 B の大小関係により，浅い基礎と深い基礎に区分する。浅い基礎は $D_f/B≦1$ の根入れ深さが基礎幅以下の基礎で，直接基礎がある。他方，深い基礎は $D_f/B>1$ の根入れ深さが基礎幅より大きい基礎で，杭基礎などがある（図 11.1 参照）。

11.2　基礎形式の選定

直接基礎は現地で組み立てて構築する。打込み杭は工場製作の既成杭を打撃で地盤に打ち込み，中堀り杭は既成杭を掘削/排土して建て込む。場所打ち杭は現地で掘削/排土しながら杭を製作する。ケーソン基礎は現地でケーソンを組み立てて構築，あるいは工場で製作したケーソン部材を現地に搬入して設置する。

表 11.1 に基礎形式の選定表を示す。「支持層までの状態」の形式選定のポイントは中間層の礫径で，礫径 10cm 以上では打込み杭や中堀り杭の既成杭は適合性が低くなる。「支持層の状態」では支持層までの深度が 5m 未満では直接基礎または深礎杭のみの適合性が高い。支持層の土質が粘性土の場合，中堀り杭の噴出攪拌方式は適用できない。「地下水」の状態では地表より 2m 以上の被圧があると，直接基礎，中堀り杭および場所打ち杭の適合性が低く，特に深礎杭と直接基礎は地下水の有無自体が施工性に大きな影響を与える。「構造

第11章　支持力

表 11.1　基礎選定に関わる検討事項

選定条件			直接基礎	打込み杭		中堀り杭				場所打ち杭			ケーソン基礎	
						PC・PHC杭		鋼管杭						
				PC・PHC杭	鋼管杭	最終打撃方法	噴出撹拌方式	最終打撃方法	噴出撹拌方式	オールケーシング	リバース	深礎	ニューマチック	オープン
地盤条件	支持層までの状態	中間層に極軟弱層がある	△	○	○	○	○	○	○	○	○	×	○	○
		中間層に極硬い層がある	○	△	○	△	△	△	△	○	○	○	○	△
		礫径 5cm〜10cm	○	△	○	△	△	△	△	○	○	○	○	○
		礫径 10cm〜50cm	○	×	×	×	×	×	×	△	△	×	○	○
		液状化する地盤がある	×	○	○	○	○	○	○	○	○	○	○	○
	支持層の状態	深度 5m未満	○	×	×	×	×	×	×	×	×	○	×	×
		深度 5〜25m	△〜×	○	○	○	○	○	○	○	○	△〜○	○	○
		深度 25〜60m	×	○〜△	○〜△	○〜△	○〜△	○〜△	○〜△	○〜△	○〜△	△〜×	○〜△	○
		土質 粘性土（$20 \leq N$）	○	○	○	○	○	×	○	○	○	○	○	○
		傾斜が大きい（30程度以上）	○	○	○	○	○	○	○	○	○	△	○	○
	地下水	地下水位が地表面に近い	△									△		
		地表より2m以上の被圧地下水	×			×	×	×	×	×	×	×	×	×
構造物の特性	荷重	鉛直荷重が小さい（支間20m以下）	○	○	○	○	○	○	○	○	○	○	○	○
		鉛直荷重が大きい（支間20m〜50m以上）	○	○〜△	○	○〜△	○〜△	○〜△	○〜△	○	○	×	○	○
	支持形式	支持杭		○	○	○	○	○	○	○	○	○	○	○
		摩擦杭		○	○	○	○	○	○					
施工条件		作業空間が狭い	○	×	×	△	△	△	△	×	×	○	×	×
		斜杭の施工		○	○	×	×	△	△	×	×			
		振動騒音対策	○	×	×	△	○	△	○	○	○	○	○	○

○：適合性が高い　△：適合性がある　×：適合性が低い

物の特性」は基礎形式選定に大きな影響を与えない。直接基礎は基礎地盤を直接確認できるため信頼性が高く，大きな鉛直荷重に対応できる。打込み杭や中掘り杭（PC・PHC杭）は，鉛直荷重が大きい場合は適合性が低下する。「施工条件」では，深礎杭以外の杭基礎は直接基礎に比べて大きな空間を必要とする。打込み杭や中掘り杭の最終打撃方法は振動騒音が大きい場合があり，住宅地や市街地では適合性が低下する。

11.3　浅い基礎の支持力

11.3.1　地盤の支持力の発生機構

1章の図1.10のように，土はせん断応力により，弾性状態から塑性状態に変化するが，これを2本の直線で近似して図11.3で表わす。ここで，せん断強度がc_uである均質な粘性土地盤において，地表面に載荷された荷重を地盤が支持する機構は図11.4および図11.5で説明される。

平坦な地表面に荷重q_0が作用すると地盤内にせん断応力が伝わるが，せん断応力が小さいと地盤内の弾性域のせん断抵抗力で荷重が支持される（図11.4（a））。荷重が増加し，作用するせん断応力が地盤内で弾性限界，つまり，せん断強度c_uに達すると塑性域が発生し始めるが，この時の荷重q_Aを降伏荷重と呼ぶ（同図（b））。さらに荷重が増加すると，地盤内の塑性域が拡大

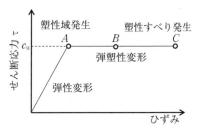

図 11.3　せん断応力〜ひずみ関係

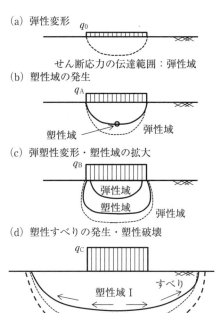

図 11.4　塑性域の拡大プロセス

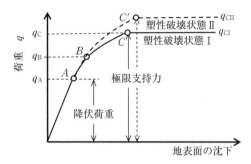

図 11.5　荷重と地表面沈下との関係

するが，せん断力が作用する弾性域のせん断抵抗力と塑性域のせん断強度 c_u によって荷重が支持される（同図 (c)）．さらに荷重が増加すると塑性域Ⅰに塑性すべりが発生して，地盤は塑性破壊状態Ⅰ（図 11.5）になり，地表面に顕著な沈下が現れ，この時の荷重 q_{cI} を極限支持力と呼ぶ．この q_{cI} は地盤が構造物などの荷重を支える最大の支持力と考える．なお，図 11.4 (d) には，塑性域Ⅰよりも広い塑性域Ⅱを追記してあるが，支持力に関係する塑性域が広い地盤を意味し，図 11.5 のように，塑性域Ⅱによる極限支持力 q_{cII} は塑性域Ⅰによる極限支持力 q_{cI} より大きい．

　以上のように，地盤の支持力とは，地盤が塑性すべりを始める時に発揮される塑性域のせん断強度および弾性域のせん断抵抗力の合力であり，その最大が極限支持力である．しかし，便宜上，極限支持力の算出は，図 11.4 (d) の塑性域だけをモデル化しているため，地盤の支持力には塑性域の形状や規模（広さ）が関係し，後述するように，どのように塑性域をモデル化するかで，極限支持力が変わることに留意する必要がある．

　降伏荷重と極限支持力の大小関係について，例えば，粘性土地盤では，降伏荷重が $3.14c_u$，極限支持力が $5.71c_u$ であり，極限支持力は降伏荷重の 1.82 倍になるという関係がある[1]．

11.3.2　地盤の破壊形態

地表面に荷重が作用して発生する塑性すべり（地盤の破壊）には，大別して

11.3 浅い基礎の支持力

図 11.6 の全般せん断破壊（あるいは全体破壊）と局部せん断破壊（同，局部破壊）の 2 つの破壊形態がある。全般せん断破壊と局部せん断破壊について，地表面に作用する荷重 q と沈下量 S の関係は図 11.7 になる。前者は，荷重の増加に伴って，塑性域が発生し始め（q_A），地盤全体に拡大し，地表面の沈下が増加し，ある時点で急激に沈下量が増加するために，破壊の発生時点が明確である。一方，後者は，荷重が増加しても，明確な塑性域は発生しないまま，荷重の直下の地盤付近で局部的な破壊が進行し，沈下が少しずつ増加するので，破壊時点は明確でない。

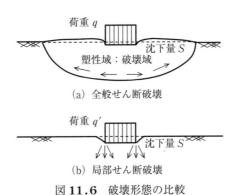

(a) 全般せん断破壊

(b) 局部せん断破壊

図 **11.6** 破壊形態の比較

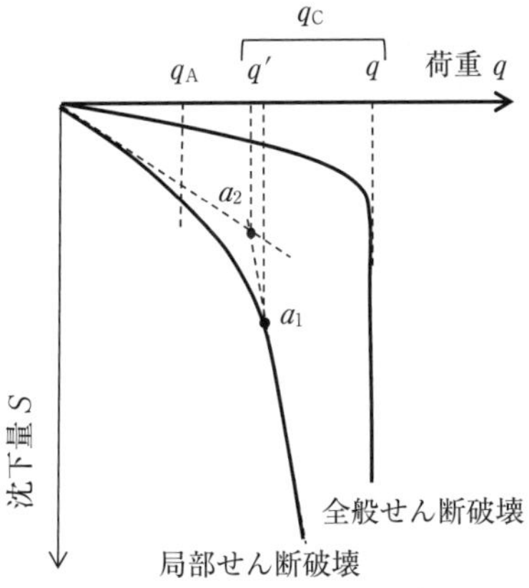

図 **11.7** 荷重〜沈下量関係

全般せん断破壊では，q_C に相当する極限支持力が明確であるが，局部せん断破壊では困難であるため，荷重〜沈下曲線が直線になる点（a_2）や両対数座標で見出される折れ点（a_1）の荷重を局部せん断破壊の極限支持力とする。

以上から，全般せん断破壊は，1）明確なすべり面を伴う破壊が発生，2）荷重〜沈下曲線で明確な折れ線が現れる，3）極限支持力が求められる特徴があり，密な砂や過圧密粘土の地盤，荷重が作用する基礎底面が粗な場合にみられる。他方，局部せん断破壊は，1）載荷直下の土の圧縮により荷重が支持され，2）塑性域が拡大しない，3）明確なすべり面が現れない，4）荷重〜沈下曲線で明確な折れ線が現れない，5）極限支持力が求めにくいなどの特徴があり，緩詰めの砂や正規圧密粘土の地盤，基礎底面が滑らかな場合にみられる。

実際の地盤は，砂の状態，過圧密性，基礎底面の状態などが明確に区分できないので，全般せん断破壊と局部せん断破壊の中間的な挙動をするが，理論的に支持力が計算できるのは，全般せん断破壊とされている。

11.3.3　全般せん断破壊による支持力

極限支持力を求めるためには，塑性域の形状や規模の設定が必要である。しかし，多様かつ不均一な地盤の塑性域を確定することは困難で，簡易な塑性域のモデルに基づいた極限支持力の算定式が提示されている。

図 11.8 は単位奥行き当りの帯状荷重 Q が基礎の幅 B に作用し，基礎以外の地表面には一様な分布荷重（q_s：サーチャージと呼ぶ）が作用している場合である。荷重 Q を支持するために発生し，全般せん断破壊する塑性域は，基礎幅

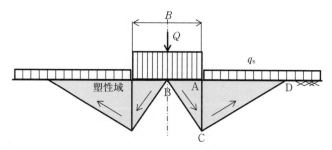

図 **11.8**　荷重〜沈下量関係

の中心を軸として対称になるが，左右の塑性域は△ABCと△ACDの2つの三角形で組み合わされた形状になると想定している。このように想定した場合の極限支持力，つまり，Qは10章の土圧論に基づき，以下により算出される[1]。

図11.8は中心線を挟んで対称であるので，図11.9の基礎幅$B/2$の半断面で考えるが，△ABCと△ACDの境界面AC（深さH）に作用する水平力をP_cとすると，左右のP_cは釣り合っている。ここで，基礎の荷重により塑性域を伝わる応力は，図11.8の矢印の方向であるが，境界面ACを10章の図10.1の擁壁の背面と考えて，P_cは境界面ACに作用する土圧と考える。そして，△ABCはAC面に対して主働状態にあり，左側から作用するP_cは主働土圧になり，△ACDはAC面に対して受働状態にあり，右側から作用するP_cは受働土圧になる。

図11.9には，△ABCと△ACDの中の土要素の平均的な応力状態を示すが[1]，面ACに作用する水平応力はP_c/Hであり，水平面の応力は主働状態と受働状態で，それぞれ$Q/B+\gamma_t H/2$と$q_s+\gamma_t H/2$である。それぞれに加算され

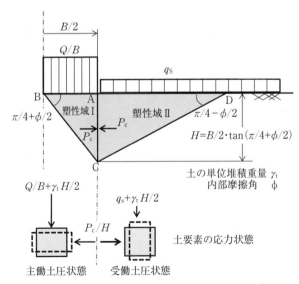

図**11.9** 全般せん断破壊の応力状態の想定[1]

ている $\gamma_t H/2$ は，△ABC の土の総重量の幅 $B/2$ の平均重量と△ACD の土の総重量の載荷幅 AD の平均重量である．なお，図 11.9 に記載された∠ABC $=\pi/4+\phi/2$ と∠ADC $=\pi/4-\phi/2$ は，BC が主働土圧のすべり面，CD が受働土圧のすべり面であるので，10 章の式（10.14）に対応している．

10 章の図 10.4 の主働土圧状態と受働土圧状態の土要素に作用する鉛直応力 σ_v と水平応力 σ_{ha} あるいは σ_{hp} を図 11.9 の鉛直応力と水平応力に対応させ，主働状態と受働状態の応力を最大主応力 σ_1 と最小主応力 σ_3 に対応させると，それぞれ式（11.1）と式（11.2）の関係になる．

$$\sigma_1 = \sigma_v = Q/B + \gamma_t H/2 > \sigma_3 = \sigma_{ha} = P_c/H \tag{11.1}$$

$$\sigma_3 = \sigma_v = q_s + \gamma_t H/2 < \sigma_1 = \sigma_{hp} = P_c/H \tag{11.2}$$

ここで，10 章の式（10.12）において，式（11.1）の主働土圧 σ_{ha} と式（11.2）の受働土圧 σ_{hp} は，それぞれ式（11.3）と式（11.4）式で表わされる．

$$\sigma_{ha} = P_c/H = K_a(Q/B + \gamma_t H/2) - 2c\sqrt{K_a} \tag{11.3}$$

$$\sigma_{hp} = P_c/H = K_p(q_s + \gamma_t H/2) + 2c\sqrt{K_p} \tag{11.4}$$

従って，式（11.3）と式（11.4）から未知数 P_c を消去すると，極限支持力度 Q/B（あるいは極限支持力 Q）は式（11.5）で求められる．

$$\left.\begin{array}{l} \dfrac{Q}{B} = \dfrac{\gamma_t}{2} B \overline{N}_r + c \overline{N}_c + q_s \overline{N}_q \\[4pt] \overline{N}_r = \dfrac{1}{2}\left(K_p^{5/2} - K_p^{1/2}\right), \quad \overline{N}_c = 2\left(K_p^{3/2} + K_p^{1/2}\right) \\[4pt] \overline{N}_q = K_p^2 \end{array}\right\} \tag{11.5}$$

ここで，式（11.5）の定数 $\overline{N}_r$，$\overline{N}_c$，$\overline{N}_q$ は支持力係数と呼ぶが，それらは受働土圧係数 K_p（あるいは，$K_p \times K_a = 1$ から主働土圧係数 K_a）だけの関数であるので，10 章の式（10.10）の K_p から分かるように，内部摩擦角 ϕ だけの影響（内部摩擦角が増えると増加する）を受ける係数である．

なお，式（11.5）は，塑性域を図 11.9 と想定した場合の Q/B（あるいは Q）を求める支持力公式である．同式の右辺の 3 項には以下の意味があることを知っておく．

第1項　$(\gamma_t/2)B\overline{N}_r$：土の単位体積重量 γ_t に起因する摩擦抵抗力

第2項　$c\overline{N}_c$：すべり面の粘着力 c に起因する粘着抵抗力

第3項　$q_s\overline{N}_q$：サーチャージ項 q_s に起因する摩擦抵抗力

　以上から，地盤の極限支持力は，塑性域に関係する土の単位体積重量や強度定数（粘着力，内部摩擦角）およびサーチャージに関係する。そのため，強度が大きい地盤の方が支持力は大きいこと，極限支持力の増加にはサーチャージをかけ，それを増加するとよいことが分かる。

　さて，非排水状態にある粘土地盤（$\phi=0$，$c=c_u$）の地盤では，$\overline{N}_r=0$，$\overline{N}_c=4$，$\overline{N}_q=0$ であり，式（11.5）は式（11.6）のように単純になる。

$$Q/B = 4c_u + q_s \tag{11.6}$$

さらに，サーチャージが無い場合は，式（11.7）になる。

$$Q/B = 4c_u \tag{11.7}$$

これは，極限支持力度は土のせん断強度 c_u の4倍であることを意味する。

11.3.4 塑性域を変えた全般せん断破壊の支持力

　図11.8のBCDの折れ線で塑性域が変化するのは不自然であることから，より実際に近づけるために，図11.10のように，3つの塑性領域Ⅰ，Ⅱ，Ⅲを組み合わせて想定することがある。ここで，塑性域ⅡのCC′は直線ではなく，対数らせんによる曲線である。誘導の詳細は文献1）に譲り，極限支持力度は式（11.8）で算出される。

$$\begin{aligned}
\frac{Q}{B} &= \frac{\gamma_t}{2}BN_r + cN_c + q_sN_q \\
N_\gamma &= \frac{1}{8}\cos\phi(1+K_p)\sqrt{K_p}\,e^{(3/2)\pi\tan\phi} - \frac{1}{4}\sqrt{K_p} \\
N_c &= \cos\phi(\cot\phi + \sqrt{K_p})\sqrt{K_p}\,e^{\pi\tan\phi} - \cot\phi \\
N_q &= \frac{1}{2}\cos\phi(1+K_p)\sqrt{K_p}\,e^{\pi\tan\phi},\ K_p = \tan^2\left(\frac{\pi}{4}+\frac{\phi}{2}\right)
\end{aligned} \tag{11.8}$$

ここに，N_r，N_q，N_c は支持力係数。

　式（11.8）において，$\phi=0$ の粘土地盤の場合，$N_r=0$，$N_c=\pi+2$，$N_q=1$ で

第 11 章　支持力

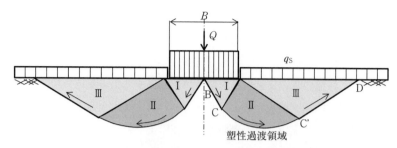

図 **11.10**　塑性域を変えた全般せん断破壊例

あるので，式 (11.9) になる。
$$Q/B=(2+\pi)c_u+q_s \tag{11.9}$$
さらに，サーチャージが無い場合は，式 (11.10) になる。
$$Q/B=5.14c_u \tag{11.10}$$
　式 (11.10) と式 (11.7) を比較すると，図 11.10 の塑性域の極限支持力は図 11.8 のそれの 1.29 倍大きいことになる。これは，支持力を発揮する地盤内の塑性域の規模（＝面積）が大きいからである。

11.3.5　基礎底面の状態による極限支持力

　図 11.11 (a) は図 11.10 と類似の想定による塑性域であるが，基礎底面が滑らかな場合である。それに対して，図 11.11 (b) は基礎底面が粗い場合で

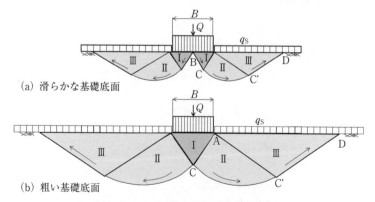

図 **11.11**　基礎底面の状態と塑性域

ある。両者の違いは塑性域Ⅰの想定の違いであり，粗い場合は一つの大きな三角形で模擬している。これは，基礎底面が粗いと，地盤との摩擦が大きくなり，地盤の横方向の移動が拘束され，荷重が広い範囲に伝わることを考慮している。さらに，塑性域Ⅰの拡大に伴って，塑性域Ⅱ，Ⅲも連続的に拡大する。そのため，基礎幅が同じであっても，滑らかな基礎底面と比較して，粗い基礎底面の方が塑性域全体の規模が拡大して，極限支持力は大きくなる。

11.3.6 根入れによるサーチャージ

図11.12は，根入れの深度をD_fとする基礎である。この場合，基礎の極限支持力を考えると，基礎底面より下方の地盤が対象となり，サーチャージ（q_s）は$\gamma_{t2} D_f$になる。そして，全般せん断破壊の極限支持力度（qとする）は式（11.11）式で表わされる。

$$q = Q/B = cN_c + \gamma_{t1}(B/2)N_r + q_s N_q \tag{11.11}$$

ここに，q：極限支持力，B：基礎幅，c：基礎底面下の土の粘着力，γ_{t1}：基礎底面下の土の単位体積重量，γ_{t2}：基礎底面上の土の単位体積重量，$q_s = \gamma_{t2} D_f$：サーチャージ，D_f：根入れ深さ，N_c，N_r，N_q：支持力係数（全般せん断破壊）。

11.3.7 多様な基礎形状の極限支持力

式（11.11）は全般せん断破壊の極限支持力であるが，基礎底面の形状が異なる場合については，表11.2の形状係数によって補正して，便宜的，経験的に算出できるテルツァーギによる浅い基礎の支持力式（11.12）を用いる。

$$q = Q/B = \alpha c N_c + \beta \gamma_{t1} B N_r + q_s N_q \tag{11.12}$$

ここに，α，β：形状係数（表11.2参照）であり，図11.8や図11.10の帯

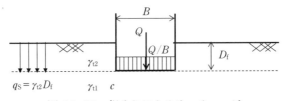

図11.12 根入れによるサーチャージ

表 11.2　テルツァーギの支持力式における基礎の形状係数

基礎荷重面の形状	連続	正方形	長方形	円形
α	1.0	1.3	$1+0.3\dfrac{B}{L}$	1.3
β	0.5	0.4	$0.5-0.1\dfrac{B}{L}$	0.3

B：長方形の短辺長さ，L：同長辺長さ

状基礎（＝連続）の場合は，$\alpha=1$，$\beta=0.5$ である。

11.3.8　帯状基礎の局部せん断破壊の極限支持力

局部せん断破壊の極限支持力度（q' とする）は，式（11.12）を補正することにより，理論的根拠は無いが，便宜的，経験的に算出できるとされている。その場合，以下の2つの方法がある。

【方法1】
$$q'=Q/B=(2/3)cN_c'+\beta\gamma_{t1}(B/2)N_r+q_sN_q' \qquad (11.13)$$

ここに，ϕ：内部摩擦角，N_c'，N_r'，N_q'：支持力係数（図 11.13 で ϕ に対応する係数）

【方法2】
$$q'=Q/B=(2/3)cN_c+\beta\gamma_{t1}(B/2)N_r+q_sN_q \qquad (11.14)$$

ここに，ϕ'：内部摩擦角 $\tan\phi'=(2/3)\tan\phi$，N_c，N_r，N_q：支持力係数（図 11.13 で ϕ' に対応する係数）。

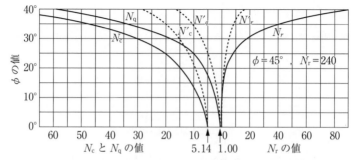

図 11.13　全般せん断破壊と局部せん断破壊の支持力係数：帯状基礎[2]

方法1と方法2により得られる支持力係数は同じである．なお，図11.13は図11.10による塑性域を想定した場合であり，式（11.10）の5.14は$\phi=0$のN_cである．

11.3.9 基準類における鉛直支持力

1) 道路橋示方書

道路橋示方書[3]では，極限支持力は式（11.15）で与えられる．なお，2017年に道路橋示方書は改定されているが，同式は基本的に大きな変化はない．この極限支持力は，沈下量と関係づけられたものではないため，最大地盤反力度を表11.3に示す値に抑えるように規定されている．

$$Q_u = A_e(\alpha\kappa c N_c S_c + \kappa q N_q S_q + \gamma_1 \beta B_e N_r S_r/2) \tag{11.15}$$

ここに，Q_u：水平地盤における極限支持力（kN），A_e：有効載荷面積（m^2），c：粘着力（kN/m^2），q：上載荷重$=\gamma_2 D_f$（kN/m^2），γ_1：支持地盤の単位体積重量（kN/m^3），γ_2：根入れ地盤の単位体積重量（kN/m^3），D_f：基礎の有効根入れ深さ（m），B_e：荷重の偏心を考慮した基礎の有効載荷幅（m），αおよびβ：基礎の形状係数，κ：根入れの割増し係数，N_c，N_qおよびN_r：支持力係数，S_c，S_qおよびS_r：支持力係数の寸法効果に対する補正係数．

2) 日本建築学会の旧指針（1988）

テルツァーギの支持力式では，その地盤が全般せん断破壊するか局部せん断破壊するかの判定が必要である．日本建築学会の旧指針（1988）[4]では，全般せん断または局部せん断の別なく，図11.14に示すように支持力係数を定めている．安全率3の長期許容支持力として式（11.16），安全率1.5の短期許

表11.3 最大地盤反力度の上限

地盤の種類		最大地盤反力度（kN/m^2）
硬岩	亀裂が少ない	2,500（3750）
	亀裂が多い	1,000（1500）
軟岩・土丹		600（900）
砂礫地盤		700
砂地盤		400
粘性土地盤		200

注：（　）は暴風時またはレベル1地震時の値

容支持力式として式(11.17)を定めている。

$$q_a = \frac{1}{3}(acN_c + \beta\gamma_1 BN_r + \gamma_2 D_f N_q) \tag{11.16}$$

$$q'_a = \frac{2}{3}\left(acN_c + \beta\gamma_1 BN_r + \frac{1}{2}\gamma_2 D_f N_q\right) \tag{11.17}$$

ここに,q_a:長期許容支持力度(kN/m²),q'_a:短期許容支持力度(kN/m²),c:基礎底面下の地盤の粘着力(kN/m²),γ_1:基礎底面下の地盤の単位体積重量(kN/m³),γ_2:基礎底面より上方の単位体積重量(kN/m³),B:基礎底面の最小幅(m),D_f:基礎の根入れ深さ(m),αおよびβ:表11.2に示す基礎底面の形状係数,N_c,N_rおよびN_q:図11.14の支持力係数。

11.3.10 簡易な支持力算定法

テルツァーギによる浅い基礎の支持力式の他に,簡易な算定法がある。本節ではチェボタリオフとフェレニウスの方法を例示するが,その適用に当っては,それぞれの方法の前提が,対象とする構造物(基礎)および地盤の挙動に合致しているかの吟味が必要である。

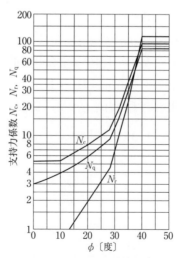

図 **11.14** 支持力係数[4]

11.3 浅い基礎の支持力

1) チェボタリオフによる支持力

図 11.15 のように，基礎の端部の O 点を中心とする半径 B の円弧のすべり面が生じるとして，基礎の荷重（重量）に対して，円弧およびその上に乗る土塊のすべり面における粘着力 $c = c_u$ と土塊の重量が抵抗すると考えると O 点周りのモーメントの釣り合いから，式（11.18）が得られる。

$$q \cdot B \cdot B/2 = c_u(B \cdot 2\pi B/2 + D_f B) + \gamma_t D_f B^2/2 \tag{11.18}$$

従って，支持力度 q は式（11.19）となる。

$$q = c_u(2\pi + 2D_f/B) + \gamma_t D_f = 6.28 c_u(1 + 0.32 D_f/B + 0.16 \gamma_t D_f/c_u) \tag{11.19}$$

ここで，$D_f = 0$ の場合は式（11.20）になるが，式（11.10）よりも大きく（1.22 倍）算定される。

$$q = 6.28 c_u \tag{11.20}$$

2) フェレニウスによる支持力

図 11.16 のように，根入れの無い（$D_f = 0$）場合について，任意の中心 O 点の周りのモーメントの釣り合いから式（11.21）が成り立つ。

$$qB(r\sin\theta - B/2) = 2\pi r(2\theta/2\pi)c_u r = 2c_u r^2 \theta \tag{11.21}$$

q の最大値は，以下の条件から算出する。

$\partial qB/\partial r = 0$ から，$B = r\sin\theta$

$\partial qB/\partial \theta = 0$ から，$2r\sin\theta - B - 2\theta r\cos\theta = 0$

従って，$2\theta/\tan\theta = 1$ となり，$\theta = 1.17\,\mathrm{rad}$ が得られ，$r = 1.09B$ である。これ

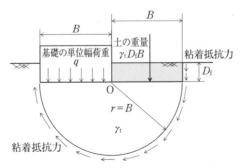

図 **11.15** チェボタリオフによる方法

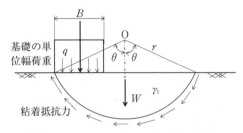

図 **11.16** フェレニウスによる方法

により，式（11.21）から式（11.22）が得られるが，支持力度は式（11.10）よりもやや大きい（1.07倍）ことが分かる．

$$q = 5.52 c_u \tag{11.22}$$

11.4 深い基礎の支持力

本節では，深い基礎のうち，代表的な杭基礎の支持力の算定法を知る．道路橋示方書では，打込み杭，中掘り杭，場所打ち杭，プレボーリング杭および鋼管ソイルセメント杭がある．

11.4.1 杭の鉛直支持力

杭先端の支持力は杭先端付近の地盤のせん断特性や杭先端の閉塞効果などに支配される．この先端支持力は杭の沈下とともに増大し，ピークに達するまでにかなりの沈下量を伴う性質がある．杭周面の摩擦力は杭周面地盤の強度特性，杭打設時の地盤の乱れなどに支配される．この周面摩擦力は小さい沈下量でピークに達し，それ以降は残留摩擦力を維持する性質がある．

杭に作用する荷重は，図11.2に示したように，杭の先端支持力と杭周面の摩擦力で支持されるので，極限支持力 R_u は杭本体が十分な強度を有して杭径が変わらない場合は，杭の先端支持力 R_p と周面摩擦力 R_f の和の式（11.23）となる．

$$R_u = R_p + R_f = q_d A + U \Sigma L_i f_i \tag{11.23}$$

ここに，R_p：杭先端支持力（kN），R_f：杭周面摩擦力（kN），A：杭先端の断面積（m²），q_d：杭先端における単位面積当たりの極限支持力度（kN/m²），

U：杭の周長 (m)，L_i：周面摩擦力を考慮する層の層厚 (m)，f_i：周面摩擦力を考慮する層の最大周面摩擦力度 (kN/m²)。

(1) 杭先端の極限支持力度 q_d の算定

打込み杭（打撃工法およびバイブロハンマ工法）の極限支持力度 q_d は，図 11.17 で算定される。この図の縦軸は q_d と杭先端地盤の設計用 N 値（$\overline{N}$）の比，横軸は杭の支持層への根入れ比である。根入れ比が 5 以下は極限支持力度が低減される。設計用 N 値は 40 が上限となる。場所打ち杭，中掘り杭，プレボーリング杭および鋼管ソイルセメント杭の杭先端の極限支持力度 q_d を表 11.4 に示す。別途，それぞれの杭種毎に杭先端の根入れ量が規定されている。

(2) 杭周面に働く最大周面摩擦力度 f_i の算定

表 11.5 に示すように，施工方法や地盤種類に応じて最大周面摩擦力度 f_i が与えられる。N 値が 2 以下は粘着力に対する信頼性が低いため，N 値から最大周面摩擦力度を推定することはできない。表 11.6 に日本建築学会の算定式を示す。例えば杭先端付近が砂質土の場所打ち杭の場合は式（11.24）となる。

$$R_a = \frac{R_u}{3} - W_p$$
$$= \frac{1}{3}\left\{100\overline{N}A_p + \left(\sum 3.3NA_s + \sum \frac{q_u}{2}A_c\right)\right\} - W_p \quad (11.24)$$

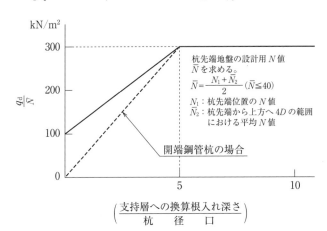

図 **11.17** 打ち込み杭の極限支持力度 q_d の算定[3]

第 11 章 支持力

表 11.4 極限支持力度 q_d の算定

杭種		杭先端の極限支持力度 （kN/m²）				
		砂礫層及び砂層 （$N≧30$）	良質な砂礫層 （$N≧50$）	硬質粘性土層	砂層	砂礫層
場所打ち杭		3,000	5,000	$3×q_u$	—	—
中掘り杭	最終打撃方式	打込み杭の算定法を適用する				
	セメントミルク噴出撹拌方式	—	—	—	$150×N$ （$≦7500$）	$200×N$ （$≦10000$）
	コンクリート打設方式	場所打ち杭の算定法を適用する				
プレボーリング杭		セメントミルク噴出撹拌方式の算定法を適用する				
鋼管ソイルセメント杭						

注：Nとは杭先端地盤における標準貫入試験のN値，q_uとは一軸圧縮強度（kN/m²）

表 11.5 最大周面摩擦力度 f_i（kN/m²）の算定[3]

施工方法＼地盤の種類	砂質土	粘性土
打込み杭 （打撃工法，バイブロハンマ工法）	$2N$（$≦100$）	c 又は $10N$（$≦150$）
場所打ち杭	$5N$（$≦200$）	c 又は $10N$（$≦150$）
中掘り杭	$2N$（$≦100$）	$0.8c$ 又は $8N$（$≦100$）
プレボーリング杭	$5N$（$≦150$）	c 又は $10N$（$≦100$）
鋼管ソイルセメント杭	$10N$（$≦200$）	c 又は $10N$（$≦200$）

ただし，cは地盤の粘着力（kN/m²），Nは標準貫入試験のN値

　ここに，R_a：杭の長期許容鉛直支持力（kN），R_u：杭の極限鉛直支持力（kN），W_p：杭の自重（kN），$\overline{N}$：杭先端から下に$1×d$（杭径）上に$1×d$の間の平均N値，N：杭先端までの砂層のN値，q_u：杭先端までの粘土層の一軸圧縮強さ（kN/m²），A_s：杭先端までの砂層に接している杭の周面積（m²），A_c：杭先端までの粘土層に接している杭の周面積（m²）。

表 11.6 建築における杭の極限先端支持力度と極限周面摩擦力度[3]

	極限先端支持力度 q_p (kN/m²)		極限周面摩擦力度 (kN/m²)	
	砂質土	粘性土	砂質土 τ_s	粘性土 τ_c
打込み杭	$q_p = 300\overline{N}$ $\overline{N}$：杭先端から下に $1d$，上に $4d$ 間の平均 N 値 (d：杭径)	$q_p = 6c_u$ c_u：土の非排水せん断強さ (kN/m²)	$\tau_s = 2.0N$ N：杭周面地盤の平均 N 値 (上限 $N=50$)	$\tau_c = \beta \cdot c_u$ $\beta = \alpha_p \cdot L_F$ $\alpha_p = 0.5 \sim 1.0$ $L_F = 0.7 \sim 1.0$ (上限 $c_u = 100$ kN/m²)
打込み杭	$q_p = 0.7 q_c$ q_c：杭先端から下に $1d$，上に $4d$ 間の q_c 値 (kN/m²)			
打込み杭	上限値 $q_p = 18{,}000$ kN/m²			
場所打ちコンクリート杭	$q_q = 100\overline{N}$ $\overline{N}$：杭先端から下に $1d$，上に $1d$ 間の平均 N 値	$q_p = 6c_u$	$\tau_s = 3.3N$ (上限 $N=50$)	$\tau_c = c_u$ (上限 $c_u = 100$ kN/m²)
場所打ちコンクリート杭	上限値 $q_p = 7{,}500$ kN/m²			
埋込み杭	$q_q = 200\overline{N}$ $\overline{N}$：杭先端から下に $1d$，上に $1d$ 間の平均 N 値	$q_p = 6c_u$	$\tau = 2.5N$ (上限 $N=50$)	$\tau_c = 0.8 \cdot c_u$ (上限 $c_u = 125$ kN/m²)
埋込み杭	上限値 $q_p = 12{,}000$ kN/m²		ただし，杭周固定液を使用する場合に限る	

ただし，$c_u = q_u/2$（q_u：土の一軸圧縮強さ）としてよい。

11.4.2 N 値を用いた支持力の実用式

地盤調査で標準的に把握できる N 値を用いて，極限支持力を算出する実用式がある。式（11.25）は一例であるが，図 11.18 の地盤状態（N 値分布）から簡易に算定できる。

$$R_u = 9.81 \times (40 N A_p + (1/5) N_s A_s + (1/2) N_c A_c) \tag{11.25}$$

ここに，R_u：杭の極限支持力（kN），$N = (N_1 + N_2)/2$，N_1：杭先端地盤の N 値，N_2：杭先端より上方へ $4D$（D：杭径）の範囲の平均 N 値，A_p：杭先端面積（m²），N_s：杭先端までの砂質土層の平均 N 値，A_s：砂質土層中の杭周面積（m²），N_c：杭先端までの粘土層の平均 N 値，A_c：粘土層中の杭周面積（m²）。

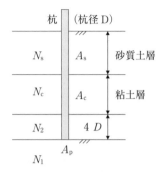

図 11.18　N 値の定義

11.5　ネガティブフリクション

11.5.1　発生メカニズム

　杭基礎の設計で注意が必要な変状として，ネガティブフリクションがある。図 11.19 に発生メカニズムを示すが，杭を設置した後の地盤沈下が関係する。図 11.19 (a) の地盤沈下が発生しない場合は，杭周面と地盤の間には荷重を支持する上向きの周面摩擦力が発生する。他方，(b) の杭周囲の軟弱地盤が沈下する場合は，地盤の沈下に誘発されて下向きの周面摩擦力（負の摩擦力：ネガティブフリクションと言う）が発生する。この下向きの摩擦力は，杭に対しては荷重として作用するので，杭の破壊などが発生する要因になる。このネガティブフリクションが発生する範囲の下端は中立点と呼ばれ，それ以深は上向きの正の摩擦力である。

11.5.2　ネガティブフリクションによる影響と評価

　図 11.20 は，荷重とネガティブフリクションの作用により杭に発生する軸力の分布の比較である。図 11.19 (a) のネガティブフリクションが発生しない場合は，杭上端の荷重 P は上向きの摩擦力により低減するので，杭下端に向かって軸力 N は減少する分布になる。他方，図 11.19 (b) のネガティブフリクションが発生する場合は，荷重として作用するので，中立点までは軸力が増加し，中立点で最大となる。そして，中立点以深では正の摩擦力により軸力

11.5 ネガティブフリクション

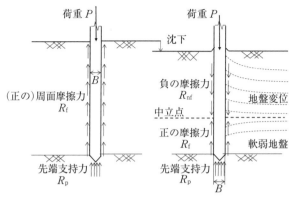

(a) 地盤沈下がない場合　(b) 地盤沈下がある場合

図 **11.19**　ネガティブフリクションの発生

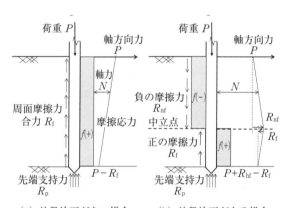

(a) 地盤沈下がない場合　(b) 地盤沈下がある場合

図 **11.20**　ネガティブフリクションによる軸力の分布

が低減する．ネガティブフリクションが作用する場合，杭基礎の安定性に必要な条件は，次の二つである．

条件1：杭が圧縮破壊をしないこと

$$P + R_{nf} \leqq \sigma_{pc} A_p \tag{11.26}$$

ここに，P：杭に作用する荷重（kN），R_{nf}：中立点以浅の負の摩擦力（kN），σ_{pc}：杭の弾性限界圧縮強度（kN/m²），A_p：杭の実断面積（m²）．

条件2：杭先端の支持力が満足されること

$$F_s(P+R_{nf}) \leqq R_p + R_f \tag{11.27}$$

ここに，R_p：杭の先端支持力（kN），R_f：中立点以深の正の摩擦抵抗力（kN），F_s：安全率（＝1.2〜1.5）。

なお，中立点の位置は，摩擦杭や不完全支持杭では$0.8L$（L：支持層上端までの杭の長さ），支持杭（支持層：砂，砂礫）では$0.9L$，支持杭（支持層：岩，硬質土）では$1.0L$とする場合がある。さらに，ネガティブフリクションの発生が危惧される場合，原因となる地盤の沈下対策の他に，杭表面をコーティングする方法，群杭にする方法，不完全支持杭にする方法などにより，影響を低減する方法がある。

11.6 群杭の支持力

杭間隔がある限度内に狭く配置されると杭間の相互作用が働いて，杭の支持力や沈下は単杭のそれと異なる性質を示す。この現象を群杭効果という。

群杭の支持力については，群杭全体としての支持力を杭本数で除した杭1本当たりの支持力の，単杭の支持力に対する比を群杭効率と定義し，地盤や杭配列の違いによる群杭の支持力を評価している。道路橋示方書[2]では，杭中心間隔が杭径の2.5倍以上であると群杭の影響は比較的小さくなるとされている。

式（11.28）にテルツァーギ・ペックによる群杭の極限支持力を求める方法を示す。この方法では，群杭と杭間の土が一体となって，単一の基礎と考えて極限支持力を算定する。杭で囲まれた部分を底面積A_b，根入れ長を高さとする仮想ブロックと考え，群杭の極限支持力R_uは底面の先端支持力R_bと側面のせん断支持力R_sの和として与えられる。式（11.28）で求めた値と単杭の極限支持力に杭本数を乗じた値の小さい方を，群杭の極限支持力とする。

$$R_u = R_b + R_s = A_b q_b + A_s S \tag{11.28}$$

ここにq_b：仮想ブロック先端の極限支持力度（kN/m^2），S：仮想ブロック側面部のせん断強さ（kN/m^2），A_s：仮想ブロックの側面積（m^2）。

11.7 杭の水平支持力

地震時には上部構造の横ゆれで杭頭に水平荷重が作用する。チャン（Y. L. Chang）は弾性床上の梁の理論を用い，杭が水平変位（変位量 y）した場合の杭の地盤反力 $p=E_S \cdot y$ と仮定し，杭の弾性方程式を式（11.29）で示した。ここに，E_S は土の弾性係数，EI は杭の曲げ剛性である。この式を杭の状況に応じた境界条件で解くと許容水平支持力が求められる。杭頭が上部構造と剛結している場合の許容変位 δ の許容支持力 H_a は式（11.30）で与えられる。B は杭径，β は杭の特性値であり，式（11.31）で定義される。k_h は $k_h=E_S/B$ で与える水平地盤反力係数であり，ボーリング孔を利用した孔内水平載荷試験などから求められる。孔内水平載荷試験の試験深度（杭頭から $1/\beta \sim 1.5/\beta$ 程度の範囲）の目安は杭径の 5 倍程度とされている。

$$EI\frac{d^4 y}{dx^4} = -p = -E_S y \tag{11.29}$$

$$H_a = \frac{\delta k_h B}{\beta} \tag{11.30}$$

$$\beta = (k_k B/4EI)^{1/4} \tag{11.31}$$

砂地盤の弾性係数は，例えば建築学会においては，平板載荷試験により求めた弾性係数 E と載荷板深度内の N 値の関係を示した式（11.32），式（11.33）および式（11.34）などで与えられる。道路橋示方書[3]においては，8 章の式（8.11）の方法で算定できる。

$$\text{過圧密された砂} \quad E=2.8 \times N \quad (\text{MN/m}^2) \tag{11.32}$$

$$\text{正規圧密された砂} \quad E=1.4 \times N \quad (\text{MN/m}^2) \tag{11.33}$$

$$\text{地下水のある時} \quad E=0.7 \times N \quad (\text{MN/m}^2) \tag{11.34}$$

引用文献

1）石原研而：土質力学，丸善，2001.11.

2）星埜和，加藤渉，三木五三郎および榎並昭：新版テルツァギ・ペック土質

力学 基礎編,丸善,1969.
3) 日本道路協会：道路橋示方書・同解説Ⅰ共通編Ⅳ下部構造編,2002.
4) 日本建築学会：建築基礎構造設計指針2001改訂,2002.

第12章　斜面の安定

　我が国は国土の70％が山地・丘陵地とされており，地質的，地形的に厳しい環境にあるため，降雨，地震などによる斜面の崩落などの災害が多い。ここで，斜面とは平坦な地形・地盤に対する傾斜した地形・地盤であり，図12.1のように大別して自然斜面と人工斜面がある。前者は人の手が加わっていない自然のままの地形・地盤であり，後者は人為的に構築された地形・地盤であり，フィルダムの盛土，河川堤防の盛土，道路や鉄道の盛土と切土，宅地造成地の盛土などがある。これらの斜面は，傾斜しているために不安定になり易い。そのため，斜面に起因する災害の防止あるいは減災のためには，斜面の安定性の評価を行い，不安定な場合は対策を施すことが必要である。地盤の安定化対策は14章で取り扱うので，本章では斜面のすべり崩壊に対する安定性の評価方法を示す。

図 **12.1**　斜面の種類とすべり崩壊

12.1　すべりの破壊形態

　主たる斜面の破壊形態は斜面表面の浸食および斜面の表層から深部に及ぶすべり破壊であるが，本章では崩壊規模の大きいすべり破壊を対象にする。ここで，すべりの破壊形態は斜面およびその基礎地盤の条件によって異なり，図12.2および次のように4つに分類される。対象とする斜面が，斜面の勾配，

第 12 章　斜面の安定

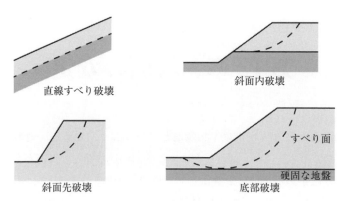

図 **12.2**　斜面の破壊形態

高さ，基礎地盤の状態あるいは破壊状況などにより，いずれの破壊形態であるかを推察することが必要である．

　直線すべり破壊：直線的なすべり面が発生する
　斜面内破壊：強度の大きい地層が盛土内部にあるとき，すべり面は斜面内に
　　　　　　　現れる
　斜面先破壊：砂質土斜面からなる急斜面では，応力の集中する斜面先から破
　　　　　　　壊が進行していく
　底部破壊：粘着力の大きい緩斜面では，すべり面は斜面先より前方を通り，
　　　　　　盛土下部の地層境界ですべり面が現われる

12.2　すべりの発生機構

　斜面のすべりの発生機構の基本は図 12.3 であり，勾配 α で傾斜した斜面上に重量 W，底面長 l の土塊が載っているとする．ここで，斜面に平行な方向の土塊の重量は $W\sin\alpha$ であるが，これは土塊をすべらそうとするすべり作用力 S である．一方，すべり面上には土塊のすべりを抑えようとする力，つまりすべり抵抗力 R が発生するが，すべり抵抗力には 2 つの成分がある．一つは，斜面に垂直な方向の土塊の重量による摩擦力 $\mu W\cos\alpha$ であり，他方は土の粘着力による底面全体の粘着力 cl である．

12.3 斜面の安定計算手法

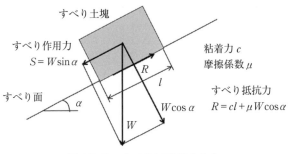

図12.3 すべりに関係する力

土塊がすべるとは，すべり抵抗力よりもすべり作用力が大きい場合であり，前者に対する後者の比をすべり安全率F_s（単に安全率とも言う）と呼び，式（12.1）で定義する。

$$F_s = \frac{R}{S} = \frac{cl + \mu W\cos\alpha}{W\sin\alpha} \tag{12.1}$$

ここで，F_s：すべり安全率，R：すべり抵抗力，S：すべり作用力，W：すべり土塊の重量，α：すべり面の勾配，c：粘着力，l：すべり土塊の底面長，μ：すべり面と土塊の摩擦係数。

すべり安全率F_sですべりの有無を判定するが，$F_s \geq 1.0$の場合は，土塊はすべらず，「安定」と判断し，$F_s < 1.0$の場合は，土塊はすべり，「不安定」と判断する。この場合，安全率1.0がすべりの有無を判断する限界値，つまり許容安全率に相当する。しかし，実務では余裕を考慮して，許容安全率は1.2，1.5など，1.0より大きく設定されるのが一般的である。

12.3　斜面の安定計算手法

斜面の安定計算のための主要な計算手法は，表12.1の通りである。すべり面の形状には直線，直線を組み合わせた折れ線，円弧および一般形があり，それぞれの特性に応じた計算法が考案されている。直線すべり面では無限長斜面の安定解析手法，折れ線ではウェッジ法があり，一般形の代表的な方法としてはヤンブ法がある。特に，使用が多い円弧すべりでは，摩擦円法，テイラーの

第 12 章　斜面の安定

表 **12.1**　主要な斜面の安定計算法

すべり面の形状	安定計算法		
直線	無限斜面の安定解析手法		
折れ線	ウェッジ（土くさび）法		
円弧	摩擦円法		
	テイラーの図解法		
	簡易分割法	フェレニウス（簡便）法	
		修正フェレニウス（簡便）法	
		簡易ビショップ法	
		ビショップ法（厳密法）	
一般形	ヤンブ法	厳密法	
		簡易法	

図解法，フェレニウス（簡便）法，修正フェレニウス（簡便）法，簡易ビショップ法，ビショップ法（厳密法）といった様々な方法がある。

　これらの計算法のうち，本章では無限長斜面の安定解析手法，フェレニウス（簡便）法，簡易ビショップ法およびテイラーの図解法を主に取り上げる。

12.4　無限長斜面の安定解析手法

　斜面の長さが無限であると見なし，斜面に平行な直線状のすべり面が発生すると考える方法である。まず，斜面地盤内に地下水位が無い斜面，さらに地下水位がある斜面におけるすべり安全率の算定方法をそれぞれ示す。

12.4.1　地下水位がない無限長斜面

　図 12.4 は地盤内に地下水位がない無限長斜面において，地表面（勾配 α）と平行な直線すべりを想定している。層厚 H の表層部の土塊 ABCD（水平長 b）について，土塊重量，さらにすべり面方向の土塊重量の分力は，それぞれ式（12.2）および式（12.3）である。

$$W = \gamma_t H b = \gamma_t H l \cos\alpha \tag{12.2}$$

$$S = W \sin\alpha = \gamma_t H l \cos\alpha \sin\alpha \tag{12.3}$$

また，土塊底面に作用する鉛直応力 σ および垂直応力 σ_n は，それぞれ式

12.4 無限長斜面の安定解析手法

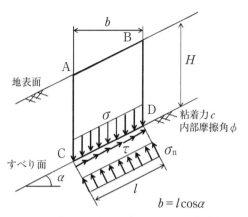

図 **12.4** 無限長斜面のすべり：地下水位無し

(12.4) および式（12.5）で表される。

$$\sigma = W/l = \gamma_t H \cos\alpha \tag{12.4}$$

$$\sigma_n = \sigma \cos\alpha = \gamma_t H \cos^2\alpha \tag{12.5}$$

すべり面の摩擦係数 μ は $\tan\phi$ であるので，土塊底面に作用するせん断抵抗の応力 τ および抵抗力 R は，それぞれ式（12.6）および式（12.7）となる。

$$\tau = c + \sigma_n \tan\phi = c + \gamma_t H \cos^2\alpha \tan\phi \tag{12.6}$$

$$R = \tau l = cl + \gamma_t H l \cos^2\alpha \tan\phi \tag{12.7}$$

以上の式（12.3）および式（12.7）から，すべり安全率は式（12.8）になる。

$$F_s = \frac{R}{S} = \frac{cl + \gamma_t H l \cos^2\alpha \tan\phi}{\gamma_t H l \cos\alpha \sin\alpha} = \frac{c}{\gamma_t H \cos\alpha \sin\alpha} + \frac{\tan\phi}{\tan\alpha} \tag{12.8}$$

斜面が砂質土からなる場合（$c=0$）は式（12.9）となり，表層地盤の内部摩擦角と地表面あるいはすべり面の勾配の大小の関係で安定性が左右される。つまり，斜面の勾配 α が内部摩擦角 ϕ より大きい場合は，直線すべりが発生することになる。

$$F_s = \frac{\tan\phi}{\tan\alpha} \tag{12.9}$$

12.4.2 地下水位がある無限長斜面

図 12.5 は地盤内に地下水位が βH である無限長斜面において，地表面（勾配 α）と平行な直線すべりを想定する。層厚 H の表層部の土塊 ABCD（水平長 b）について，土塊重量，さらにすべり面方向の土塊重量の分力は，それぞれ式（12.10）および式（12.11）である。

$$W = \{(1-\beta)H\gamma_t + \beta H\gamma_{sat}\}b = \{(1-\beta)\gamma_t + \beta\gamma_{sat}\}Hl\cos\alpha \quad (12.10)$$

$$S = W\sin\alpha = \{(1-\beta)\gamma_t + \beta\gamma_{sat}\}Hl\cos\alpha\sin\alpha \quad (12.11)$$

ここで，土塊底面に作用する垂直応力 σ_n は，式（12.12）である。

$$\sigma_n = W\cos\alpha/l = \{(1-\beta)\gamma_t + \beta\gamma_{sat}\}H\cos^2\alpha \quad (12.12)$$

一方，すべり面上の間隙水圧 u は，点 C における圧力水頭 h_p と γ_w の積で求められ，位置水頭は $h_p = (\beta H\cos\alpha)\cos\alpha$ であるので，

$$u = \gamma_w \beta H\cos^2\alpha \quad (12.13)$$

したがって，有効応力 σ'_n は式（12.14）となる。

$$\sigma'_n = \sigma_n - u = \{(1-\beta)\gamma_t + \beta(\gamma_{sat} - \gamma_w)\}H\cos^2\alpha = \{(1-\beta)\gamma_t + \beta\gamma'\}H\cos^2\alpha \quad (12.14)$$

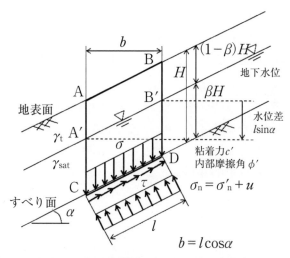

図 **12.5** 無限長斜面のすべり：地下水位有り

12.4 無限長斜面の安定解析手法

ここで，水中単位体積重量 $\gamma' = \gamma_{sat} - \gamma_w$

したがって，土塊底面に作用するせん断抵抗の応力 τ および抵抗力 R は，それぞれ式（12.15）および式（12.16）となる．

$$\tau = c' + \sigma'_n \tan\phi' = c' + \{(1-\beta)\gamma_t + \beta\gamma'\}H\cos^2\alpha\tan\phi' \tag{12.15}$$

$$R = \tau l = c'l + \{(1-\beta)\gamma_t + \beta\gamma'\}Hl\cos^2\alpha\tan\phi' \tag{12.16}$$

以上の式（12.11）および式（12.16）から，すべり安全率 F_s は式（12.17）になる．

$$\begin{aligned}
F_s &= \frac{R}{S} = \frac{c'l + \{(1-\beta)\gamma_t + \beta\gamma'\}Hl\cos^2\alpha\tan\phi'}{\{(1-\beta)\gamma_t + \beta\gamma_{sat}\}Hl\cos\alpha\sin\alpha} \\
&= \frac{c' + \{(1-\beta)\gamma_t + \beta\gamma'\}H\cos^2\alpha\tan\phi'}{\{(1-\beta)\gamma_t + \beta\gamma_{sat}\}H\cos\alpha\sin\alpha} \\
&= \frac{c'}{\{(1-\beta)\gamma_t + \beta\gamma_{sat}\}H\cos\alpha\sin\alpha} + \frac{\{(1-\beta)\gamma_t + \beta\gamma'\}\tan\phi'}{\{(1-\beta)\gamma_t + \beta\gamma_{sat}\}\tan\alpha}
\end{aligned} \tag{12.17}$$

ここで，$c'=0$ の場合，式（12.18）になる．

$$F_s = \frac{\{(1-\beta)\gamma_t + \beta\gamma'\}\tan\phi'}{\{(1-\beta)\gamma_t + \beta\gamma_{sat}\}\tan\alpha} \tag{12.18}$$

例えば，地下水位が地表面にあると，$\beta=1$ なので式（12.19）になる．

$$F_s = \frac{\gamma'}{\gamma_{sat}}\frac{\tan\phi'}{\tan\alpha} \tag{12.19}$$

ここで，$\gamma'/\gamma_{sat} < 1$ であるので，式（12.19）は式（12.9）の地下水位が無い場合よりも，すべり安全率は小さい．つまり，降雨などにより地下水位が上昇すると斜面は不安定となる．

また，式（12.18）の分子の $[(1-\beta)\gamma_t + \beta\gamma']$ および分母の $[(1-\beta)\gamma_t + \beta\gamma_{sat}]$ は，地下水位が上昇，つまり β が増加すると，それぞれ減少および増加するので，結果的にすべり安全率は低下する．

さらに，図 12.5 の B'D 面から A'C 面までの透水距離は l，水位差は $l\sin\alpha$ であるので，動水勾配 i は $l\sin\alpha/l = \sin\alpha$ である．ここで，地下水の透水による透水力は，単位体積当たりで $i\gamma_w = \gamma_w\sin\alpha$ であるので，地下水面より下の

土塊 A′B′CD に作用する透水力は $\gamma_\mathrm{w} \sin\alpha \beta H b$ である．従って，式（12.18）は式（12.20）のように表記できるが，分子および分母にある透水力 $\gamma_\mathrm{w} \sin\alpha \beta H b$ の増加は分子の抵抗力の減少，分母の作用力の増加が関係し，安全率が低下することが分かる．

$$F_\mathrm{s} = \frac{\{(1-\beta)\gamma_\mathrm{t} + \beta(\gamma_\mathrm{sat} - \gamma_\mathrm{w})\}bH\sin\alpha}{\{(1-\beta)\gamma_\mathrm{t} + \beta(\gamma' + \gamma_\mathrm{w})\}bH\sin\alpha} \frac{\tan\phi'}{\tan\alpha} \quad (12.20)$$

12.5 円弧すべり法

簡易分割法では，図12.6のように，すべり面の形状を円弧で近似し，円弧より上のすべり土塊をスライス（分割片）に分割し，スライス毎の力の釣り合いおよび破壊条件を考慮するとともに，すべり土塊全体のモーメントの釣り合いから，方程式を組み立て，それを解くことにより，すべり安全率 F_s を求める．本節では，代表的なフェレニウス（Fellenius）法および簡易ビショップ（Bishop）法について述べる．

12.5.1 基本方程式

図12.6のようにすべり土塊を n 個のスライスに分割し，i 番目のスライスについて，スライスの幅，高さおよび重量をそれぞれ b_i，h_i および W_i とする．さらに，スライスの接線の勾配，接線方向のスライスの長さ，接線上に作用する垂直力，せん断力をそれぞれ α_i，l_i，N_i および S_i とする．ここで，スライスの底面は円弧であるため曲線をなしているが，近似的にスライスの接線をすべり面（直線）として考えることとする．また，スライスの両側の側面には，垂直力 E_{i-1}，E_i，せん断力 X_{i-1}，X_i が作用している．

i 番目のスライスにおける力の釣り合いについて（図12.7参照），すべり面に鉛直方向および水平方向の力の釣り合いでは，それぞれ式（12.21）および式（12.22）が成り立つ．

$$N_i - \{W_i + (X_{i-1} - X_i)\}\cos\alpha_i + (E_{i-1} - E_i)\sin\alpha_i = 0 \quad (12.21)$$

$$S_i - \{W_i + (X_{i-1} - X_i)\}\sin\alpha_i - (E_{i-1} - E_i)\cos\alpha_i = 0 \quad (12.22)$$

つぎに，各スライスの安全率は土塊全体のそれと同じであるので，すべり安

12.5 円弧すべり法

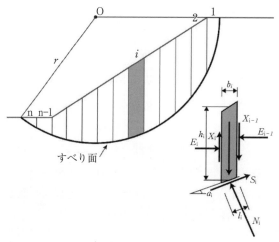

図 **12.6** すべり土塊の分割とスライスに作用する力

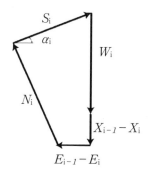

図 **12.7** 力の多角形

全率を F_s とすると，破壊条件式は式 (12.23) となる。

$$S_i = \frac{c_i l_i + N_i \tan \phi_i}{F_s} \tag{12.23}$$

つぎに，すべり円弧の半径は r（一定値）であるが，O 点を中心とする土の重量による滑動モーメントの総和が，円弧のすべり面に沿って働く抵抗モーメントの総和に等しいことから，モーメントの釣り合い式 (12.24) が成り立つ。

第 12 章　斜面の安定

$$\sum_{i=1}^{n} W_i r \sin\alpha_i = \sum_{i=1}^{n} r S_i \quad \text{より}, \quad \sum_{i=1}^{n} W_i \sin\alpha_i = \sum_{i=1}^{n} S_i \tag{12.24}$$

以上から，条件式（方程式）は，鉛直方向の釣り合い式が n 個，水平方向の釣り合い式が n 個，すべりに関する破壊条件式が n 個，点 O 周りのモーメントの釣り合い式が 1 個（本来は，n 個の釣り合い式があるが，これらは E_i の着力点位置を決めるものであるので，実質的には全体のモーメントの釣り合い式が 1 個となる）なので，計 $3n+1$ 個となる．

一方，未知数は，E_i が $n-1$ 個，X_i が $n-1$ 個，S_i が n 個，N_i が n 個，安全率 1 個なので，計 $4n-1$ 個であり，したがって，方程式の数が未知数の数より $n-2$ 個少ない（不静定次数が $n-2$）ため，すべり安全率 F_s を求めるためには，何らかの工夫（静定化）が必要となる．静定化するためには，いくつかの仮定条件を設定する必要があり，その仮定条件の違いにより，表 12.1 に示したように様々な方法が提案されている．

12.5.2　フェレニウス（簡便）法

フェレニウス（簡便）法は，スウェーデン法とも呼ばれ，静定化するための仮定条件として，スライスに作用する力 E_i，E_{i-1}，X_i，X_{i-1} の合力 ΔH_i は，すべり面に平行とし，さらに，すべり土塊全体の釣り合いでは，$\Sigma \Delta H_i = 0$ と仮定している．

これらの仮定条件より，式（12.25）が導かれる．

$$N_i = W_i \cos\alpha_i \tag{12.25}$$

式（12.25）を式（12.23）に代入し，さらに，式（12.24）に代入すると，

$$\sum_{i=1}^{n} W_i \sin\alpha_i = \frac{1}{F_s} \sum_{i=1}^{n} \left(c_i l_i + W_i \cos\alpha_i \tan\phi_i \right) \tag{12.26}$$

となり，この式から，安全率は式（12.27）で与えられる．

$$F_s = \frac{\sum_{i=1}^{n} \left(c_i l_i + W_i \cos\alpha_i \tan\phi_i \right)}{\sum_{i=1}^{n} W_i \sin\alpha_i} \tag{12.27}$$

12.5 円弧すべり法

なお,フェレニウス(簡便)法により,スライスを4つにした場合の安全率の算定例を図12.8に示すが,$F_s=1.18$ である。

なお,斜面内に地下水位がある場合には,スライスの底面であるすべり面に作用する間隙水圧 u_i の影響を評価する必要がある。なお,間隙水圧は,すべり面に対して鉛直方向に働く成分のみに寄与することになるので,式(12.21)は,次式となり,

$$N_i' + u_i l_i - \{W_i + (X_{i-1} - X_i)\}\cos\alpha_i + (E_{i-1} - E_i)\sin\alpha_i = 0 \quad (12.28)$$

さらに,式(12.25)は,

$$N_i' = W_i \cos\alpha_i - u_i l_i \quad (12.29)$$

となる。また,破壊条件式における内部摩擦角による土の抵抗力は,この N_i' に比例して発揮されるので,安全率は式(12.30)で与えられる。

$$F_s = \frac{\sum_{i=1}^{n}(c_i' l_i + N_i' \tan\phi_i')}{\sum_{i=1}^{n} W_i \sin\alpha_i} = \frac{\sum_{i=1}^{n}\{c_i' l_i + (W_i \cos\alpha_i - u_i l_i)\tan\phi_i'\}}{\sum_{i=1}^{n} W_i \sin\alpha_i}$$

$$(12.30)$$

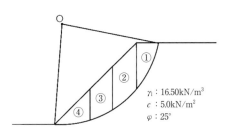

$\gamma_t : 16.50\,\mathrm{kN/m^3}$
$c : 5.0\,\mathrm{kN/m^2}$
$\varphi : 25°$

スライス No.	A (m²)	α (°)	l (m)	cl (kN/m)	W (kN/m)	$W\cos\alpha$ (kN/m)	$W\cos\alpha\,\tan\varphi$ (kN/m)	$W\sin\alpha$ (kN/m)
1	1.68	64	2.67	13.35	27.72	12.15	5.67	24.91
2	2.71	40	1.53	7.65	44.72	34.25	15.97	28.74
3	2.19	24	1.28	6.40	36.14	33.01	15.39	14.70
4	1.35	6	1.73	8.65	22.28	22.15	10.33	2.33
Σ				36.05			47.36	70.68

$$F_s = \frac{36.05 + 47.36}{0.00} = 1.18$$

図 **12.8** フェレニウス(簡便)法による計算例

12.5.3 修正フェレニウス（簡便）法

スライスの接線の勾配 α_i ならびに間隙水圧 u_i が大きくなると接線上に作用する垂直力 N_i' が極端に小さくなる（場合によっては，負の値になることも）ため，正しい解が得られないことになる。この問題点を修正したものを修正フェレニウス（簡便）法といい，すべり面に作用する N_i' を式（12.31）から求めるが，すべり安全率 F_s は式（12.32）で表される。

$$N_i' = (W_i - u_i b_i)\cos\alpha_i \tag{12.31}$$

この手法は，我が国の斜面設計基準類で多く採用されている。

$$F_s = \frac{\sum_{i=1}^{n}\{c_i' l_i + (W_i - u_i b_i)\cos\alpha_i \tan\phi_i'\}}{\sum_{i=1}^{n} W_i \sin\alpha_i} \tag{12.32}$$

12.5.4 簡易ビショップ法

簡易ビショップ法では，静定化するための仮定条件として，スライスに作用する力 $X_i - X_{i-1} = 0$，つまり，スライス側面に作用する鉛直方向の力は釣り合っていると仮定している。

これらの仮定条件より，鉛直方向の力の釣り合いを考えると，式（12.33）が導かれる。

$$N_i \cos\alpha + S_i \sin\alpha_i - W_i = 0 \tag{12.33}$$

この式を N_i について解いたものを破壊条件式（12.23）に代入し，さらに S_i について解くと，式（12.34）が得られる。

$$S_i = \frac{1}{F_s m_a}(c_i l_i \cos\alpha_i + W_i \tan\phi_i) = \frac{1}{F_s m_a}(c_i b_i + W_i \tan\phi_i) \tag{12.34}$$

ここで，$m_a = \left(1 + \dfrac{\tan\phi_i \tan\alpha_i}{F_s}\right)\cos\alpha_i \tag{12.35}$

式（12.34）の S_i を式（12.24）に代入すると，安全率は式（12.36）で与えられる。

12.5 円弧すべり法

$$F_\mathrm{s} = \frac{\sum_{i=1}^{n}\{(c_i b_i + W_i \tan\phi_i)/m_\mathrm{a}\}}{\sum_{i=1}^{n} W_i \sin\alpha_i} \tag{12.36}$$

式 (12.36) 内のすべり安全率 F_s には，F_s の関数である m_a が含まれているので直接は算出することができない．そのため，まず，ある $F_{\mathrm{s}1}$ を仮定して，式 (12.35) により $m_{\mathrm{a}1}$ を計算し，式 (12.36) により $F_{\mathrm{s}2}$ を求める．仮定した $F_{\mathrm{s}1}$ と計算結果 $F_{\mathrm{s}2}$ を比較し，$F_{\mathrm{s}1} \fallingdotseq F_{\mathrm{s}2}$ であれば，値が収束したものとして，その値 $F_{\mathrm{s}2}$ がその斜面のすべり安全率 F_s となる．一方，$F_{\mathrm{s}1} \neq F_{\mathrm{s}2}$ であれば，計算結果の $F_{\mathrm{s}2}$ を仮定値として，$F_{\mathrm{s}i}$ が $F_{\mathrm{s}i+1}$ に収斂するまで繰り返し，収斂した $F_{\mathrm{s}i+1}$ が求めるすべり安全率 F_s となる．

なお，本法の適用に際して，m_a が極端に小さい場合，すべり安全率 F_s は極端に大きくなり非現実的となる．したがって，$m_\mathrm{a} \leqq 0.5$ となるスライスがある場合は，当該スライスを除いてすべり安全率 F_s を求めるか，本法を適用しない．また，最初の仮定値 $F_{\mathrm{s}1}$ には，フェレニウス法で求められたすべり安全率 F_s を用いると収束が早い．

ここで，式 (12.27) と式 (12.36) を比較すると，粘着力が小さい場合，

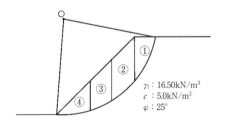

$\gamma_t : 16.50\,\mathrm{kN/m^3}$
$c : 5.0\,\mathrm{kN/m^2}$
$\varphi : 25°$

スライス No.	cb (kN/m)	$W\tan\varphi$ (kN/m)	$cb+W\tan\varphi$ (m)	$F_{\mathrm{s}1}=1.18$		$F_{\mathrm{s}2}=1.26$		$F_{\mathrm{s}3}=1.28$		$F_{\mathrm{s}4}=1.29$	
				m_α	$(cb+W\tan\varphi)/m_\alpha$	m_α	$(cb+W\tan\varphi)/m_\alpha$	m_α	$(cb+W\tan\varphi)/m_\alpha$	m_α	$(cb+W\tan\varphi)/m_\alpha$
1	1.17	12.93	14.10	0.794	23.66	0.771	24.36	0.766	24.52	0.763	24.60
2	1.17	20.85	22.02	1.020	26.19	1.004	26.61	1.000	26.71	0.998	26.75
3	1.17	16.85	18.02	1.074	21.13	1.064	21.33	1.062	21.38	1.061	21.40
4	1.72	10.29	12.11	1.036	18.33	1.033	18.38	1.033	18.39	1.032	18.40
				Σ	89.31	Σ	90.67	Σ	90.99	Σ	91.15

$F_{\mathrm{s}2}=\dfrac{89.31}{70.68}=1.26$ $F_{\mathrm{s}3}=\dfrac{90.67}{70.68}=1.28$ $F_{\mathrm{s}4}=\dfrac{90.99}{70.68}=1.29$ $F_{\mathrm{s}5}=\dfrac{91.15}{70.68}=1.29$

図 **12.9** 簡易ビショップ法による計算例

ビショップ法のすべり安全率 F_s（1.29，図12.9参照）はフェレニウス法のそれ（1.18，図12.8参照）より大きく，粘着力が卓越する場合は逆になる傾向がある。通常は，ビショップ法の F_s ＝0.1～0.4＋フェレニウス法の F_s であるが，両方の差異に注意が必要である。

また，斜面内に地下水位がある場合には，すべり安全率 F_s は式（12.37）で与えられる。

$$F_s = \frac{\sum_{i=1}^{n}\left[\left\{c_i' b_i + (W_i - u_i b_i)\tan\phi_i'\right\}/m_a\right]}{\sum_{i=1}^{n} W_i \sin\alpha_i} \tag{12.37}$$

12.5.5　水浸斜面の円弧すべり法

図12.6の非水浸斜面に対して，貯水されたアースダムや河川堤防などの部分的に水浸した水浸斜面（図12.10参照）を考える場合には，この影響を考慮した安定解析を行う必要がある。水位面より下にある土は完全に飽和しているとすると，あるスライスの全有効重量 W_i' は，水位面より上の全重量 W_a と水位面より下の水中重量 $W_b' = (\gamma_{sat} - \gamma_w)zb$ の和として表される。なお，スライスが完全に水浸している部分についても，水面からすべり面中央までの深さを z とする。

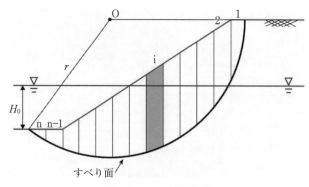

図 **12.10**　水浸斜面

すべり安全率 F_s の算定式の導入の過程はここでは省略するが，フェレニウス（簡便）法のすべり安全率 F_s は式（12.38）で，簡易ビショップ法は，式（12.39）で与えられる。

$$F_s = \frac{\sum_{i=1}^{n}\{c_i' l_i + (W_i' \cos\alpha_i - u_i l_i)\tan\phi_i'\}}{\sum_{i=1}^{n} W_i' \sin\alpha_i} \tag{12.38}$$

$$F_s = \frac{\sum_{i=1}^{n}[\{c_i' b_i + (W_i' - u_i b_i)\tan\phi_i'\}/m\alpha]}{\sum_{i=1}^{n} W_i' \sin\alpha_i} \tag{12.39}$$

12.6 図解法

本節では，すべり安全率 F_s の算出あるいはすべり円弧の位置の推定などの図解法を示す。

12.6.1 テイラーの図解法

斜面のすべり安全率 F_s を簡便に求める方法にテイラー（Taylor）の図解法がある。対象斜面は，図 12.11 のように，斜面の高さ H_1，斜面傾斜角 α，斜面の肩から堅固な地盤までの深さ H_2 の諸元であり，想定されるすべり破壊形態は，前述した 3 種類（斜面先破壊，底部破壊，斜面内破壊）である。ここ

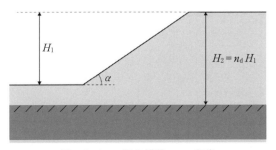

図 **12.11** 深さ係数 n_d の定義

で，斜面は均質（単位体積重量，内部摩擦角，粘着力が同じ）な土から構成される単純斜面であり，地下水位や間隙水圧は考えない．

テイラーは斜面が破壊しない限界高さ H_c を，式（12.40）で定義している．

$$H_c = N_s \frac{c}{\gamma_t} \tag{12.40}$$

ここで，H_c：斜面の限界高さ，N_s：安定係数，c：粘着力，γ_t：単位体積重量．

また，斜面の高さ H_1 における限界粘着力 c_m は，式（12.41）で推定できる．

$$c_m = \frac{\gamma_t H_1}{N_s} \tag{12.41}$$

ここで，斜面傾斜角 α と安定係数 N_s の関係は，破壊形態や深度係数 n_d に応じて，図12.12（a）および（b）のテイラーの安定図表で与えられる．なお，深度係数 n_d は式（12.42）で定義される．

$$n_d = \frac{H_2}{H_1} \tag{12.42}$$

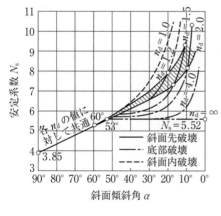

（a）$\phi = 0$ における安定係数 N_s と斜面傾斜角 α の関係

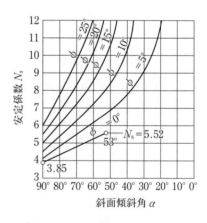

（b）$\phi \geq 0$ における安定係数 N_s と斜面傾斜角 α の関係

図 **12.12** テイラーの安定図表

12.6 図解法

　図 12.12（a）は，斜面の内部摩擦角 ϕ がゼロの斜面の場合の斜面傾斜角 α と安定係数 N_s の関係を表している。図から，$\alpha \geqq 53°$ の場合，斜面傾斜角 α に係わらず，斜面先破壊になる，$\alpha < 53°$ の場合，深度係数 n_d の増加にしたがって，斜面内破壊，斜面先破壊，底部破壊へと破壊形態が変わる。斜面傾斜角 α が緩くなるほど，同じ深度係数 n_d について，安定係数 N_s（言い換えれば，限界高さ H_c）が大きくなる。

　また，図 12.12（b）は斜面の内部摩擦角 ϕ がゼロ以上の斜面の場合である。同図から，同じ斜面傾斜角 α において，内部摩擦角 ϕ が大きくなる，あるいは，同じ内部摩擦角 ϕ において，斜面傾斜角 α が小さくなるのにしたがって，安定係数 N_s（言い換えれば，限界高さ H_c）が大きくなる。

　テイラーの安定図表によるすべり安全率 F_s の求め方は，次の2つがある。

1) 限界高さによる方法

　安定図表から斜面の条件（α, n_d, ϕ）に対する安定係数 N_s を求め，（N_s, c, γ_t）を式（12.40）に適用して限界高さ H_c を算出し，式（12.43）により，斜面の高さ H_1 と比較したすべり安全率 F_s を算出する方法である。

$$F_s = \frac{H_c}{H_1} \tag{12.43}$$

2) 粘着力による方法

　安定図表から斜面の条件（α, n_d, ϕ）に対する安定係数 N_s を求め，（N_s, H_1, γ_t）を式（12.41）に適用して限界粘着力 c_m を算出し，式（12.44）により，斜面の粘着力 c と比較したすべり安全率 F_s を算出する方法である。

$$F_s = \frac{c}{c_m} \tag{12.44}$$

12.6.2　斜面先破壊のすべり円の位置の推定図解法

　図 12.13（a）の斜面先破壊について，すべり円の位置を図 12.13（b）により簡易に推定できる。図 12.13（b）は斜面の傾斜角 β と内部摩擦角 ϕ の関係図であるが，すべり円の位置を決める角度 i および θ を読み取れる。これらの読み取り値を用いて，図 12.13（a）のようにして臨界円の中心 O の位置と半

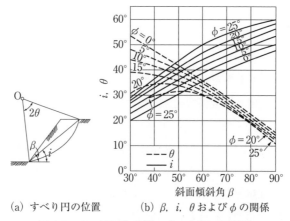

(a) すべり円の位置　　　(b) β, i, θ および ϕ の関係

図 **12.13**　斜面先破壊のすべり面の図解法

径を求め，すべり円を描くことができる．

12.6.3　底部破壊のすべり円の位置の推定図解法

図 12.14 (a) の底部破壊について，すべり円の位置を図 12.14 (b) により簡易に推定できる．図 12.14 (b) は斜面の傾斜角 β と深度係数 n_d，n_x の関係図である．傾斜角 β と深さ係数 n_d から n_x を読み取り，斜面下の地表面のすべり面の水平距離 $n_x H$ と，すべり円の中心が斜面の中点を通ることから，すべり円の中心 O と半径を求める．

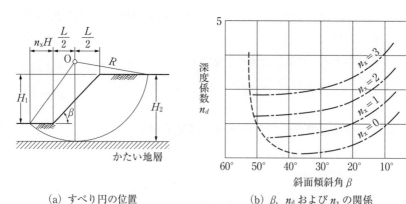

(a) すべり円の位置　　　(b) β, n_d および n_x の関係

図 **12.14**　底部破壊のすべり面の図解法

12.6 図解法

12.6.4 摩擦円法

斜面のすべり面上に作用する摩擦力と垂直応力の合力の作用方向が，すべり円と同心（中心 O）の小円の接線となることに基づいて限界の粘着力を求める図解法である．つまり，図 12.15 において，すべり面上には摩擦応力と垂直応力が作用し，その合力（dF）の作用方向とすべり面の垂直方向（中心 O の方向）の角度は内部摩擦角（ϕ）であり，dF の作用方向は O 点を同心とした半径 $r\sin\phi$ の小円の接線となる．この小円を摩擦円あるいは ϕ 円と呼ぶ．ここで，dF の合力 F の作用方向も摩擦円の接線方向である．また，O 点周りのモーメントの釣り合いから，合成粘着力 C の作用位置 x が求まるが，作用方向は円弧の弦 de の方向である．

以上から，すべり土塊に作用する力について，すべり土塊の重量 W と作用方向（鉛直），摩擦力と垂直力の合力 F の方向（摩擦円の接線方向），合成粘着力の作用位置と方向が決まるので，図のように力の三角形が描け，合成粘着力 C の大きさが求まる．ここで，合成粘着力は式（12.45）で定義される．

$$C = c_\mathrm{m} \cdot L \tag{12.45}$$

ここで，c_m はすべりが発生する限界の粘着力であり，これに対する斜面の粘着力 c の比である式（12.44）により，すべり安全率 F_s を算出する．

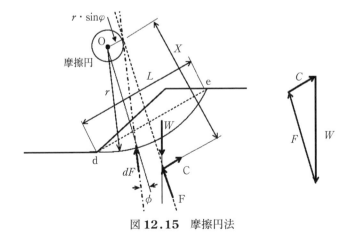

図 **12.15** 摩擦円法

12.7 複合すべり面による安定性

通常，すべり面の形状を円弧で近似するが，実際の斜面では円弧ではない。ここでは，円弧以外の複合的なすべり面の概要を示す。

12.7.1 ヤンブの方法

図 12.16 の地下水位がある斜面の任意のすべり面形状のすべりについて，円弧すべり法と同様にすべり土塊をスライスに分割するヤンブ (Janbu) の方法がある。ヤンブ法には，厳密法と簡易法があり，ここでは簡易法について述べる。簡易法では，各スライス側面に鉛直に作用する力 $\Delta E_i = E_i - E_{i-1}$ は，すべり土塊全体の釣り合いで $\Sigma \Delta E_i = 0$，また，各スライス側面のせん断力 $\Delta X_i = X_i - X_{i-1} = 0$（つまり，釣り合っている）と仮定している。

各スライスの力の釣り合いについて，水平方向と鉛直方向の釣り合い式は，それぞれ式 (12.46) および式 (12.47) であり，破壊条件式は，式 (12.48) となる。

$$S_i \cos\alpha_i - (N_i + U_i)\sin\alpha_i - (E_{i-1} - E_i) = 0 \tag{12.46}$$

$$S_i \sin\alpha_i - W_i + (N_i + U_i)\cos\alpha_i = 0 \tag{12.47}$$

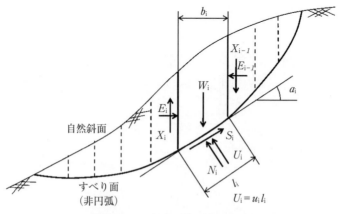

図 **12.16** 任意形状のすべり面

12.7 複合すべり面による安定性

$$S_i = \frac{c_i' l_i + N_i' \tan\phi_i'}{F_s} \tag{12.48}$$

式（12.47）ならびに式（12.48）から N_i' を求め，それを式（12.46）に代入し，上述した $\Sigma \Delta E_i = 0$ の条件を考慮すると，すべり安全率 F_s は式（12.49）で与えられる。

$$\begin{aligned}F_s &= \frac{\sum_{i=1}^{n}\left[\{c_i' b_i + (W_i - U_i\cos\alpha_i)\tan\phi_i'\}/n_a\right]}{\sum W_i \sin\alpha_i} \\ &= \frac{\sum_{i=1}^{n}\left[\{c_i' b_i + (W_i - u_i b_i)\tan\phi_i'\}/n_a\right]}{\sum_{i=1}^{n} W_i \sin\alpha_i}\end{aligned} \tag{12.49}$$

ここで，$n_a = \left(1 + \dfrac{\tan\phi_i \tan\alpha_i}{F_s}\right)\cos^2\alpha_i = m_a \cos\alpha_i$ (12.50)

簡易ビショップ法と同様な繰り返し計算により，すべり安全率 F_s を求める。なお，ヤンブの方法は，任意形状のすべり面の安全率が求められるが，すべり面の形状の決定が難しく，すべりが発生した斜面など，すべり面形状が明確な場合などに適用できる。

12.7.2 直線と直線の合成すべり面

図 12.17 の粘性土地盤の上面および受働土圧および主働土圧の発揮による

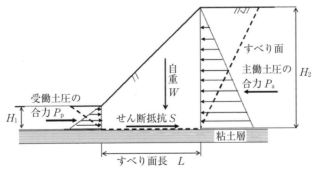

図 **12.17** 複数の直線すべり面のすべり

すべり面を想定した斜面に作用する力の釣り合いから，すべり安全率 F_S は式 (12.51) で与えられる．

$$F_s = \frac{cL + W\tan\phi + P_p}{P_a} \tag{12.51}$$

ここで，c：粘土層の粘着力，L：粘土層部分のすべり面長，W：斜面の自重，ϕ：粘土層の内部摩擦角，γ_t：斜面土の単位体積重量，P_a：主働土圧の合力，P_p：受働土圧の合力．

なお，主働土圧および受働土圧の合力は，ランキン土圧の場合，式 (10.13) で算出する．

12.7.3 直線すべり

図 12.18 のように直線のすべり面が明らかな場合，すべり安全率 F_S は式 (12.52) で与えられる．

$$F_s = \frac{cl + W\cos\alpha\tan\phi}{W\sin\alpha} = \frac{2c\sin\beta}{\gamma_t H \sin\alpha\sin(\beta-\alpha)} + \frac{\tan\phi}{\tan\alpha} \tag{12.52}$$

ここで，W：すべり土塊の重量，β：斜面の角度，α：すべり面の角度，ϕ：内部摩擦角，c：粘着力，l：すべり面長．

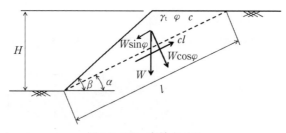

図 **12.18** 直線すべり

12.8 斜面の安定性の変化

前節まで，対象斜面のすべり安全率 F_S を算出する際に用いた土の強度（c，ϕ など）は，斜面が形成されてから長時間経過後の状態に相当する定数を用い

12.8 斜面の安定性の変化

たが，例えば，新たに構築する盛土あるいは切土では，建設中から建設後に至る過程において，盛土などの状態が変化するので，土の強度特性の変化に注意が必要である．例えば，盛土の造成による荷重増加の直後において，粘土質土やシルト質土の地盤は，非排水状態にあるため，発生した過剰間隙水圧は消散しにくいが，他方，砂質土や礫質土の地盤は，排水状態にあるため，消散しやすい．言い換えると，前者の地盤では短期安定の問題，後者のそれでは長期安定の問題として取り扱うことが必要である．

本節では，特に注意が必要な粘土地盤について，地盤の土質あるいは荷重状態の変化による土の強度特性，さらに盛土の安定性の変化を概観する．なお，盛土材のスレーキング，排水条件の変化による強度特性の変化（安定性の低下）もあるが，本書では対象としない．

12.8.1 盛土の短期安定と長期安定

図 12.19 (a) の粘土地盤上に盛土をする場合，地盤内の A 点では盛土荷重

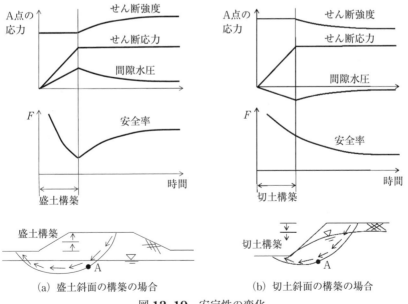

図 **12.19** 安定性の変化

によるせん断応力により，発生した過剰間隙水圧（正）はすぐには消散（排水）しない。そのため，圧密が進まず，土のせん断強度は載荷前と変わらないので，盛土荷重が最大となる盛土完成時が，安全率が最小で，最も危険な状態になる。この状態の盛土のすべりに対する安全性は，非排水条件の強度試験（CU試験）による粘着力および内部摩擦角を用いる。

一方，盛土構築後の時間経過に伴い，過剰間隙水圧が消散し，圧密が進行するので，土のせん断強度が増加する。盛土荷重，あるいはせん断応力は変化しないので，すべり破壊に対する安全性は向上し，長時間経過後の安定状態に移行する。この状態の盛土のすべりに対する安全性は，排水条件の強度試験（CD試験，$\overline{\text{CU}}$試験）による粘着力および内部摩擦角を用いて検討する必要がある。

12.8.2 切土の短期安定と長期安定

図12.19（b）の粘土地盤を掘削する場合，地盤内のA点では掘削による荷重除荷により，拘束応力の開放による土の膨張によって負の間隙水圧が発生するが，すぐには消散（吸水）しない。そのため，土のせん断強度は変わらないが，掘削によりせん断応力が増加するので，すべり安全率は低下する。

さらに，掘削後の時間経過に伴い，荷重状態，つまりせん断応力は変化しないが，負の間隙水圧の消散により土のせん断強度が減少するので，すべり破壊に対する安全性は切土の完成後も低下する。そのため，掘削斜面の安定性は掘削後の長期安定問題として扱い，圧密非排水条件の強度試験（$\overline{\text{CU}}$試験）による粘着力および内部摩擦角を用いる。

12.9 最小安全率と臨界円

斜面の安定計算法では，斜面のすべりの安定度あるいは危険度をすべり安全率F_Sで判断するが，その評価には2つの姿勢がある。一つは，すべりが発生した斜面のように，すべり面の位置が既知であり，そのすべり面の安定性を検証する場合である。もう一つは，現在ある斜面あるいはこれから出現する斜面について，予め安定性を予測する場合である。後者の場合，未知のすべり面の位置やすべり安全率F_Sを予測することになるが，許容安全率（例えば，

12.9 最小安全率と臨界円

1.0) を下回るすべり面は無数にある。ここで，無数のすべり円のうち，最小のすべり安全率 F_S（最小安全率）であるすべり面に着目する。この最小安全率であるすべり面を臨界円と呼び，斜面の安定性の評価は，臨界円の位置と最小安全率で行う。

簡易分割法において臨界円を求める手順を図 12.20 に例示する。まず，無数のすべり円の中心は，便宜上，ある範囲において，ある間隔（例えば，1m）の格子上の点（図 12.20 では 25 点）として機械的に設定する。さらに，各点において，無数あるすべり円の半径（r）を，便宜上，ある間隔（例えば，1m）で機械的に設定し，各すべり円のすべり安全率 F_S を算出する。これらのある点におけるすべり安全率 F_S のうちで，最小のすべり安全率 F_S（図 12.20 の各点ごとの数値）を求める。そして，各点ごとの最小安全率の分布図（図 12.20 の等安全率線）において最小のすべり安全率 F_S であるすべり円を求める。このすべり円を臨界円とし，その最小安全率（図 12.20 では 0.85）により斜面の安定性を判断することになる。

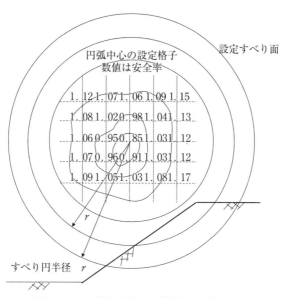

図 **12.20** 最小安全率，臨界円の算出方法

第12章 斜面の安定

参考文献

1) 石原研而:土質力学第2版, 丸善, 295p., 2001.
2) 地盤工学会:斜面の安定・変形解析入門—基礎から実例まで—, 338.p, 2006.

第13章　自然災害と地盤防災

　近年，2011年東北地方太平洋沖地震による宅地被害・津波被害，2014年広島豪雨による土石流被害，2015年関東・東北豪雨による堤防の決壊・浸水被害，2016年熊本地震による斜面崩壊を伴う道路被害などの自然災害が多発しており，社会基盤施設の防災あるいは減災，さらには国土の保全の必要性が高まっている。これらの災害では，地盤の液状化，斜面崩壊，盛土崩壊，堤防決壊など，地盤あるいは土工構造物に深く関わるので，土質力学，地盤工学による被害メカニズムの解明と適切な設計，対策が必要である。ここで，土工構造物とは，土砂や岩石等の地盤材料を主材料として構成される構造物及びそれらに附帯する構造物の総称である。

　斜面の安定に及ぼす降雨，地下水位の影響は12章で知ったが，本章では，地震と地震動の基本特性，工学的特性および地震時の土圧，斜面の安定，地盤の液状化に関する動的特性を知るとともに，生活環境に関係する道路交通などによる地盤振動を概観する。さらに，近年の自然災害のうち，地表地震断層の発生，津波による盛土の越流，土石流の発生，洪水による堤防の破堤について，土質力学，地盤工学との関わりを知る。

　なお，斜面や液状化の対策は14章を参照されたい。

13.1　地震および地震動の基本特性

　日本列島は図13.1の地球表面の4つのプレート（マントル上の板状の硬い岩石）の境界にあるが，太平洋プレートとフィリピン海プレートは日本列島に向かって移動（約4～8cm/年）し，それぞれ北米プレートおよびユーラシアプレートの下に潜り込む（図13.1）。移動に伴ってプレートの境界で地盤のひずみが蓄積され，それが限界に達し解放されて発生する現象が地震であり，プ

第 13 章　自然災害と地盤防災

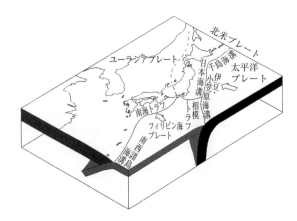

図 **13.1**　日本列島に関係する 4 つのプレート[1]

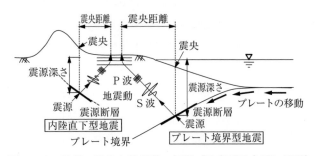

図 **13.2**　地震の発生と地震動の伝搬（地表面は水平に描画）

レート境界型地震と呼ぶ．一方，日本列島の内陸部にも多数の活断層が存在し，その活動で発生する地震は，学術用語ではないが，内陸直下型地震などと呼ばれる．

　図 13.2 のように地震の発生源は点ではなく，震源断層と呼ぶ断層面であり，そのずれにより発生する地震動が地盤を伝搬し，地表面に達する．通常，地震動は伝搬の過程で減衰し，揺れの大きさは震源から遠いほど小さくなる．地震の発生源を点で表わしたのが震源，震源の直上の地表に投影した点を震央，平均海水面（標高 0m）からの深さを震源の深さ，震央から対象地点までの地球の大円に沿った距離を震央距離と呼ぶ．地震のエネルギー規模を表す指

262

13.1 地震および地震動の基本特性

標としてマグニチュード（Mで表す）があるが，ひとつの地震でひとつ決まる値である。

地震動は波動であり，波の伝搬方法によって実体波（P波とS波）と表面波がある。図13.3のようにP波は伝搬方向に振動する縦波であり疎密波ともいい，S波は伝搬方向と直角方向に振動する横波でせん断波ともいう。表面波は自由表面（地表面）に沿って伝わる波である。波動の伝搬はP波，S波，表面波の順に速い。通常，P波とS波が注目され，伝搬速度はそれぞれ5～7km/秒と3～4km/秒であり，図13.4のようにP波が先に到達する。揺れの大きさはS波が大きく，構造物などの被害に関係する。さらに，S波には水平方向（SH波）と鉛直方向（SV波）の2種類があるが，工学的にはSH波が重視される。

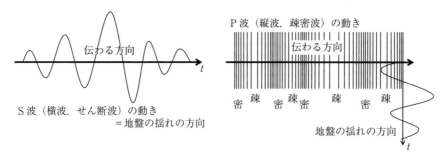

図 **13.3** P波とS波

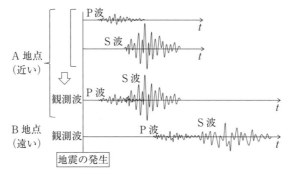

図 **13.4** 地震動の伝搬と振幅の大きさ

P波とS波の伝搬速度の違いを利用した地震情報に緊急地震速報がある。これは，速度の速いP波の観測データから発生地震の震源の位置とマグニチュードを決定し，速度の遅いS波の到達時間を予測するシステムである。これによりS波の到達までに予防的な対応ができ，地震の被害軽減が期待される。ただし，震源に近い場所では，速報がS波の到達の後になる。

地震動は3次元の波動として伝搬するが，地震動の観測をする地震計では，水平2方向（水平地震動）および鉛直1方向（鉛直地震動）の3成分の時刻歴を計測する。一般に，鉛直地震動より水平地震動の方が大きく，特別な場合を除いて水平地震動に対して地盤の挙動の把握や構造物の耐震設計が行われる。

強い地震動の観測を強震観測というが，観測データは地震直後の震源の位置，規模（M）の決定，緊急地震速報あるいは研究開発で活用される。また，震度計が全国の約4,200個所（2016年12月現在）に設置されており，観測結果は電話回線や防災行政無線等により収集，処理され，地震発生から数分後には気象庁に提供され，各地の震度がテレビ等で公表される。震度階級は表13.1の震度0～7の10階級であるが，観測地震動から算出した計測震度により区分される。震度階級の震度（seismic intensity）は，観測された場所の地震動の大きさあるいは被害の状況を表す指標であるが，設計で用いる式(13.12)の震度 k（seismic coefficient）とは異なり，場所によっても異なる。また，マグニチュードとも違い，$M=7$ と震度7は意味が全く異なる。

表 **13.1** 計測震度と震度階級

計測震度	震度階級
0～0.4	震度0
0.5～1.4	震度1
1.5～2.4	震度2
2.5～3.4	震度3
3.5～4.4	震度4
4.5～4.9	震度5弱
5.0～5.4	震度5強
5.5～5.9	震度6弱
6.0～6.4	震度6強
6.5～	震度7

13.2 地震および地震動の工学的特性

13.2.1 地震動の増幅特性

工学的に重要なSH波は，図13.5のように地表面付近の表層地盤（通常は，沖積層）の下の堅い地盤（工学的基盤と呼ぶ）に斜めに入射した後，地表面に向かって鉛直方向に向きを変えながら伝搬する。また，表層地盤の構造（剛性，層厚，密度など）は3次元的に変化している。しかし，表層地盤の挙動を取り扱う場合，深度方向の1次元成層地盤の構造と見なし，SH波が鉛直方向に伝搬すると考えることが多い。その代表が重複反射理論であり，SH波は土層の境界で透過，反射をしながら地表面に伝わる。地震動（図13.5では加速度a）の大きさ（振幅）は，通常，地表面に向かって大きくなるので増幅特性と呼ぶ。なお，工学的基盤とはN値で50以上あるいはせん弾波速度で300m/秒程度以上の硬い地盤であり，通常は沖積層の下の洪積層が相当する。

増幅特性は伝搬する土層の特性により異なる。道路橋示方書では地盤の固有周期によって地盤の種別分けをしているが，通常，地盤が悪い，つまり軟弱で固有周期が大きいほど地震動の増幅は大きい。従って，地震動は震源から離れると小さくなるが，地盤が軟弱な場合は震源から離れていても，増幅特性により地表面で大きい地震動になることがある。

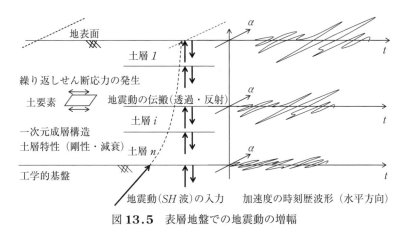

図13.5 表層地盤での地震動の増幅

13.2.2 地震動の周期特性

地震計で記録される地震動の波形は，振幅や周期が不規則に変化する。一方，地震動が作用する地盤や構造物には，それぞれが固有に持つ固有周期がある。従って，地震動が構造物に作用した場合，地震動と構造物の周期特性の類似性によって構造物の応答が変化する。そのため，地震動の周期特性が必要になるが，その指標にスペクトルがある。スペクトルの算出では，図 13.6 の固有周期 T_i と減衰定数 h を持つ 1 質点・1 自由度系で表わした構造物に，最大加速度 α_{max} を持ったある地震動を作用させて，質点に発生する最大応答加速度 α_{maxi} を求める。その結果，図 13.7 の固有周期と応答加速度の関係が得られるが，これがある地震動の加速度応答スペクトルである。作用する地震動と質点の応答が速度波形の場合は速度応答スペクトルとなる。

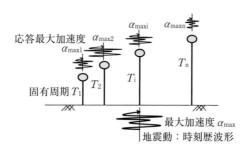

図 **13.6** 加速度応答スペクトルの概念

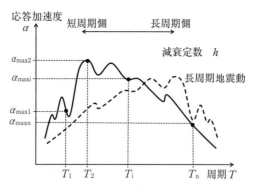

図 **13.7** 加速度応答スペクトル

13.2 地震および地震動の工学的特性

ここで,スペクトル図を見れば,ある固有周期を持つ構造物に対して,このスペクトルを持つある地震動の影響の大小が分かる。例えば,スペクトル図で最大加速度となる周期と固有周期が同じ構造物は,この最大加速度で応答するので地震動の影響が大きい。また,スペクトル図から地震動の周期特性が分かるが,長周期の領域(例えば,2秒以上)で加速度が大きい場合,長周期地震動と呼ばれ,固有周期の長い長大橋梁あるいは高層建築物で問題となる。

13.2.3 地盤の変形特性

土に静的に作用するせん断応力 τ と発生するせん断ひずみ γ の関係は図13.8の骨格曲線のようになり,両者は非線形の関係にある。一方,地震時には図13.5の水平地震動に起因するせん断応力が土要素に作用して,せん断ひずみが発生する。常時と異なるのはせん断応力の振幅が不規則に変化して繰返し作用することであり,$\tau \sim \gamma$ 関係は図13.8でループ状に変化する。その場合,γ が小さい線形領域では τ と γ が線形関係で近似することができ,その勾配は初期せん断弾性係数 G_0 と呼ぶ。また,γ が大きい非線形領域では骨格曲

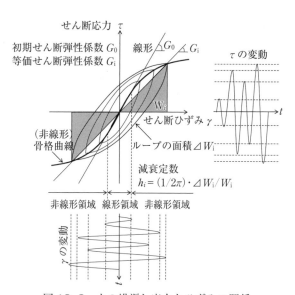

図 **13.8** 土の繰返し応力とひずみの関係

線に沿ってループが拡大する。そして，ループの両端を結んだ直線の勾配で表わされるせん断剛性を等価せん断弾性係数 G_i（あるいは，等価せん断剛性率）と呼ぶ。

また，ループの拡大に伴い，地盤内の地震動のエネルギーが減ずるが，この程度を表す指標として式 (13.1) の減衰定数（あるいは，履歴減衰率）がある。

$$h_i = (1/2\pi) \cdot \Delta W_i / W_i \tag{13.1}$$

ここで，h_i：地盤の減衰定数，ΔW_i：ループの面積，W_i：図 13.8 の 2 つの三角形の網掛け部分の面積である。同図から，γ が大きくなると等価せん断弾性係数は小さくなり，減衰定数は大きくなることが分かる。このように，地震動により変化する土層のせん断弾性係数や減衰定数は動的変形特性と呼ばれるが，例えば図 13.9 のような変化特性として表わされる。同図を用いた地盤の応答の解析方法は等価線形化法と呼ばれる。なお，地盤の減衰定数は鋼，コンクリート構造（例えば，$h = 0.05$）より大きく，0.2〜0.3 となる場合がある。

13.2.4 震度法

地震動の波形には加速度，速度および変位の 3 種類があり，地震動の観測を行う地震計は通常，加速度の時刻歴を記録する。速度や変位は専用の地震計で観測するほか，それぞれ加速度波形を 1 回および 2 回積分して算出する。

通常，構造物の耐震設計に関係するのは加速度であり，その大きさを表す指標として式 (13.2) で定義される（設計）震度がある。

$$k = \alpha / g \tag{13.2}$$

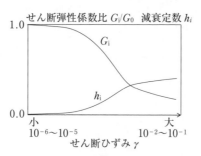

図 **13.9** 動的変形特性のひずみ依存性

13.2 地震および地震動の工学的特性

ここで，k：震度（無次元），α：加速度（gal，cm/s²），g：重力加速度 = 980cm/s² である。地震動は三次元方向（水平二方向と鉛直方向）の不規則な時刻歴波形であり，地震荷重も不規則に変化する。震度と静的な地震荷重の関係は図 13.10 のようになるが，不規則に変化する地震荷重を静的な水平地震荷重と鉛直地震荷重に置き換える方法があり，これを震度法と呼ぶ。

震度法では水平震度と鉛直震度を考えるが，水平方向と鉛直方向に発生する地震荷重は，それぞれ式（13.3）と式（13.4）の慣性力として求める。

$$F_h = M \times \alpha_h = (W/g) \times \alpha_h = (\alpha_h/g) \times W = k_h \times W \tag{13.3}$$

$$F_v = k_v \times W \tag{13.4}$$

ここに，F_h：水平地震荷重，F_v：鉛直地震荷重，k_h：水平震度（$= \alpha_h/g$），k_v：鉛直震度（$= \alpha_v/g$），$W(M)$：地震動が作用する構造物などの重量（質量）である。通常，設計では水平地震荷重を考えるが，地震荷重と構造物などの重量の合力の作用方向と鉛直方向の交差角度 θ_E は式（13.5）で表される。

$$\theta_E = \tan^{-1} \{k_h/(1-k_v)\} \tag{13.5}$$

なお，地震動を考慮した地盤や構造物の設計法では，時刻歴応答解析による詳細法もあるが，土質力学の基礎的専門知識の範囲では簡易法の震度法で考える。

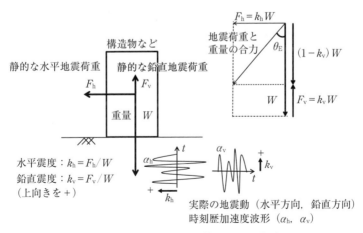

図 **13.10** 震度および静的な地震荷重

13.3 地盤の耐震性の評価

13.3.1 地震時の主働土圧

地震時の土圧は常時と異なるので，地震時の土圧に対する安全性を照査する。特に擁壁が不安定となるのは主働土圧であるが，震度法により主働土圧を求める方法には物部博士の方法と岡部博士の方法がある。両方法は同じ結果となるので，物部・岡部の土圧公式として広く用いられている。

ここでは岡部博士の方法を示すが，図 13.11 のように水平方向と鉛直方向の地震動を考え，くさび状のすべり土塊の重量に式（13.3）による水平地震荷重および式（13.4）による鉛直地震荷重を作用させた状態を考える。10 章の常時のクーロン土圧の算出手順に従って求めると，式（13.6）により地震時の主働土圧が得られる。式中の記号は図 13.11 あるいは 10 章を参照されたい。

$$P_{AE} = \frac{1}{2}\gamma_t H^2 (1 - k_v) \cdot K_{AE}$$

$$K_{AE} = \frac{\cos^2(\phi - \theta - \theta_E)}{\cos\theta_E \cos^2\theta \cos(\delta + \theta + \theta_E)\left\{1 + \sqrt{\frac{\sin(\phi + \delta)\sin(\phi - \beta - \theta_E)}{\cos(\beta - \theta)\cos(\delta + \theta + \theta_E)}}\right\}^2} \quad (13.6)$$

なお，図 13.11 のように，水平震度 k_h は背面土から離れる方向を＋，鉛直震度 k_v は上向きを＋とする。式（13.6）から分かるように，水平震度 k_h（あ

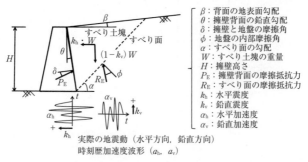

図 **13.11** 岡部博士による地震時の主働土圧の考え方

るいは θ_E) が大きくなると，土圧 P_{AE} は増加する．

13.3.2 地震時の斜面の安定
(1) 斜面被害

地震により様々な地盤に関係する被害が発生する．写真 13.1 は道路の盛土のり面のすべり破壊であるが，その他の被害の形態には河川堤防のすべり破壊，河川沿いの斜面の崩壊による河道閉塞（天然ダム）や土石流がある．

このように，降雨時以外の地震時も斜面崩壊が発生するので，地震動を考えた斜面の安定性の照査と対策が重要である．

(2) 安定解析法

地震動による斜面の安定解析では，常時の分割法（12 章）において震度法による静的な水平地震荷重を作用させるのが普通である．図 13.12 の静水圧が作用しない非水浸斜面に，水平震度 k_h がすべりを促す方向（図の左方向）に作用する場合を考え，すべり安全率をモーメントの釣り合いから求める．

写真 13.1 盛土・斜面の被害（左：2004 年新潟県中越地震[2]・右：2017 年 7 月豪雨[3]）

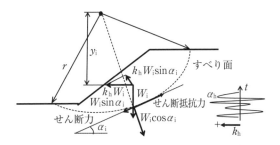

図 13.12 斜面に作用する水平地震荷重

分割したスライス i に作用する水平地震荷重は $k_h W_i$ である。円弧の中心方向の分力 $k_h W_i \sin \alpha_i$ により，すべり面の垂直力が減ずるので，すべり面の垂直力は式（13.7）となる。

$$W_i \cos \alpha_i - k_h W_i \sin \alpha_i \tag{13.7}$$

ここで，W_i：スライス i の重量，α_i：スライス i のすべり面の角度であり，すべり面に作用するせん断抵抗力は式（13.8）となる。

$$(W_i \cos \alpha_i - k_h W_i \sin \alpha_i) \tan \phi_i + c_i l_i \tag{13.8}$$

ここで，ϕ_i：斜面の内部摩擦角，c_i：斜面の粘着力，l_i：スライスのすべり面方向の長さである。

また，荷重側のモーメントでは水平地震荷重によるモーメント $k_h \cdot W_i \cdot y_i$ が付加されるので，式（13.9）により安全率が求まる。

$$\begin{aligned} F_s = &\sum r \cdot \{W_i \cos \alpha_i - k_h \cdot W_i \sin \alpha_i) \tan \phi_i + c_i l_i\} \\ &/ \sum (r \cdot W_i \sin \alpha_i + k_h \cdot W_i \cdot y_i) \end{aligned} \tag{13.9}$$

ここに，r：すべり円弧の半径，k_h：水平震度，y_i：円弧の中心からスライス重心までの鉛直距離である。

13.3.3 地盤の液状化

(1) 現象と被害

地震時に地表面に砂や水が噴き出すことがある。写真13.2は亀裂を伴って噴砂（ふんさ）が発生した様子である。これは液状化の発生の証であり，液状化した地盤の支持力低下による橋桁の落下，過剰間隙水圧の発生による下水道のマンホールの浮き上がり（写真13.3）などの被害が発生する。このように，地盤の液状化により構造物が被害を受けるので，液状化のメカニズムを理解し，発生の有無や程度，影響の予測方法を知ることが重要である。

(2) 発生メカニズム

液状化は飽和した砂地盤が地震動の作用によるせん断応力によって，非排水状態で過剰間隙水圧が発生し，有効応力が低下あるいはゼロとなる現象である。つまり，図13.13のように下方から伝わる地震動により，土要素に水平

13.3 地盤の耐震性の評価

写真 **13.2** 地表面に現れた亀裂と噴砂

写真 **13.3** マンホールの浮き上がり

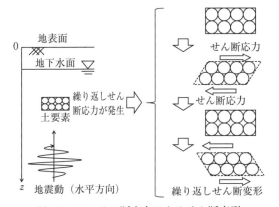

図 **13.13** せん断応力によるせん断変形

方向の繰り返しせん断応力が作用し，せん断変形が繰り返される。

この繰り返しせん断変形による土のダイレイタンシー特性（7章）から，緩詰め砂は収縮（負のダイレイタンシー）し，非排水状態の土要素には正の過剰間隙水圧が発生する。液状化，つまり過剰間隙水圧の増加あるいは有効応力の減少の進展の様子を図 13.14 に示す。地震前の地盤内の初期有効応力を σ_0'，発生する過剰間隙水圧を u，有効応力を σ' とすると，テルツァーギの有効応力の原理から $\sigma_0' = u + \sigma'$ の関係がある。ここで，液状化前は $u=0$ で $\sigma_0' = \sigma'$ なので地盤は安定しているが，u が増加すると σ_0' は一定なので σ' が減

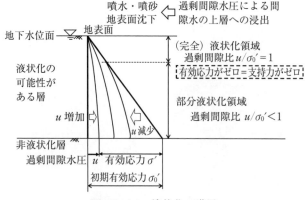

図 **13.14** 液状化の進展

少する。換言すると，過剰間隙水圧比 u/σ_0' は 0 から増加し，1 未満の部分液状化から 1 の（完全）液状化に至る。地盤の強度や支持力は有効応力に関係するので，その減少により地盤の強度や支持力が失われる。また，地中構造物は，過剰間隙水圧の増加により浮力が増加して不安定になると浮き上がる。なお，過剰間隙水圧により間隙水は上層に浸透するが，これにより過剰間隙水圧は減少し，有効応力が回復する。また，浸透水が砂を伴って地表に浸出すると，噴水や噴砂あるいは地盤沈下の現象になる。

通常，地盤の液状化が発生するのは，以下の条件が満足される場合である。
(a) 飽和した（地下水位以深の）砂質土の地盤である。
(b) 緩詰め（相対密度 D_r や N 値が小さいなど）で過剰間隙水圧が発生しやすい。
(c) 地震動の規模（せん断応力）が大きい。

道路橋示方書[4]では次の 3 条件を満たす場合は，液状化が発生する可能性があるとして，液状化の判定をするように規定している。
(a) 地下水位が現地盤面から 10m 以内にあり，かつ，現地盤面から 20m 以内の深さに存在する飽和土層
(b) 細粒分含有率 F_C が 35% 以下の土層又は，F_C が 35% を越えても塑性指数 I_p が 15 以下の土層
(c) 平均粒径 D_{50} が 10mm 以下で，かつ，10%粒径 D_{10} が 1mm 以下である土層

13.3 地盤の耐震性の評価

(3) 液状化の予測

　液状化の影響を考慮した構造物の設計では，対象地盤の液状化の有無，程度，影響の予測および対策の検討が必要である。液状化が設計基準に導入される契機となった1964年の新潟地震の後，調査研究や基準改定を経て現在に至っており，各種の構造物の設計基準が刊行されている。代表的な2つの方法を示す。

1) 道路橋における液状化の予測

　道路橋示方書V耐震設計編[4]の予測法は，多くの基準で用いられている F_L（エフエル）法であり，式 (13.10) の判定指標を用いる。

$$F_L = R/L \tag{13.10}$$

　ここで，F_L：液状化に対する抵抗率，R：動的せん断強度比，L：地震時せん断応力比であるが，F_L は荷重に対する強度の比であるので安全率と同義であり，液状化安全率とも呼ばれる。示方書では R および L の簡易算定式が示されており，動的三軸試験や地震応答解析による詳細調査をしなくとも，N値，細粒分含有率 F_C などの通常の地盤調査で容易に得られるデータを使って推算できる。

　F_L 値が1以下の土層は液状化と判定し，F_L 値の大きさや土層の深度に応じて，地盤定数つまり地盤の支持力を低減させて，液状化の影響を設計に反映する。通常，F_L 値は N 値と同様に1m毎の深度分布として得られる。図13.15は F_L 値の計算例であるが，液状化あるいは非液状化の土層の分布が分かる。

2) 港湾施設の液状化の予測

　港湾の施設の技術上の基準・同解説[5]では，土層ごとの粒径加積曲線により液状化の可能性がある土層を選別（図13.16参照）し，次に等価 N 値と等価加速度を求め，両者の相対関係から液状化の有無あるいは可能性を判別する。この判別結果に層厚や深度などを考慮して地盤全体の液状化の判定を行う。なお，本法の等価 N 値は N 値と有効上載圧から求められるが，等価加速度は地盤の地震応答解析により算出する必要がある。

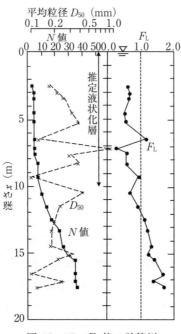

図 **13.15** F_L 値の計算例

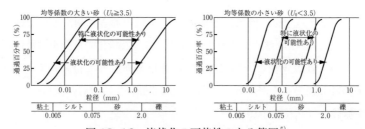

図 **13.16** 液状化の可能性のある範囲[5]

(4) 液状化の影響とその評価

　液状化が発生すると予測された場合，その影響を考慮した構造物の設計を行う．構造物の設計に関係する液状化の現象は，有効応力の低下および過剰間隙水圧の発生である．まず，有効応力が低下あるいはゼロになることは，構造物（例えば，杭基礎）に対する地盤の支持力（同，水平方向の抵抗力）が低下あ

るいはゼロになることであり，これにより構造物は不安定（同，水平変位の増加など）となる．この支持力の低下は，支持力に関係する土質定数を低減して考慮する．例えば，道路橋示方書V耐震設計編では土質定数の低減係数 D_E を定義し，液状化の程度（$=F_L$ 値）に応じて $D_E=0$, 1/20, 1/3, 2/3, 1 を常時の土質定数に掛けて設計を行う．これは，液状化の程度が大きい，つまり F_L 値が小さければ，D_E を小さくして支持力を小さくする考え方である．

一方，過剰間隙水圧が発生すると，共同溝などの地中構造物では浮力が発生して不安定な状態になる．設計では過剰間隙水圧を予測して，構造物の体積に比例する浮力を外力として作用させて，浮き上がりの安全性を照査する．例えば，共同溝設計指針では，液状化の予測により得られた F_L 値から，過剰間隙水圧を算定する式が規定されている．また，河川堤防，道路盛土などの土工構造物では，円弧すべり法の適用に際して，発生する過剰間隙水圧から有効応力を低下させて，液状化の影響を考慮した安定性の照査を行うこともある．

13.4 地盤振動

地震動以外の地盤振動には，道路交通振動，建設機械振動，工場の機械振動などがあり，日常生活に深く関係する．これらの振動は大気汚染などと同様に7公害の一つであり，環境基本法に基づく振動規制法により規制基準（表13.2参照：告示に加筆）があるので，振動源がある場合は振動レベルの予測と対策の検討を行う．第一種区域は住居など静穏の保持を必要とする区域，第二種区域は住居，商業，工業等，著しい振動の発生を防止する必要がある区域であり，昼間とは午前5時，6時，7時又は8時から午後7時，8時，9時又は10時までとし，これら以外が夜間とされる．なお，振動加速度レベルの計量

表 **13.2** 振動の規制基準

区域の区分＼時間の区分	昼間	夜間
第一種区域	60dB 以上 65dB 以下	55dB 以上 60dB 以下
第二種区域	65dB 以上 70dB 以下	60dB 以上 65dB 以下

第 13 章　自然災害と地盤防災

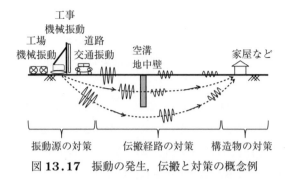

図 **13.17**　振動の発生，伝搬と対策の概念例

単位は dB であり，数値が大きいほど振動が大きい。地盤振動は表層を伝搬する波動であり，振動源から離れると距離減衰により振動レベルは減衰し，通常は振動源から数 10m，施工方法により 100～150m までが影響範囲となる。

　振動の軽減，防止対策は，振動源の対策，伝搬経路の対策および構造物の対策の 3 つに区分（図 13.17 参照）できる。振動源の対策では，自動車，道路，機械などの振動発生源で振動の発生を低減する。特に，建設工事では適用する機械あるいは施工法による振動が基準以下であることに注意が払われる。また，伝搬経路の対策では，振動が家屋などの構造物に到達する前の伝搬経路上で振動を低減する。対策方法には振動を遮断あるいは吸収するために伝搬経路上に設置する空溝や地中壁がある。地中壁では地盤に対してインピーダンス（＝波動速度×密度）の大きい鋼矢板やソイルセメント壁といった剛な材料，あるいはインピーダンスが小さい発砲スチロールといった軟な材料が用いられる。さらに，構造物の対策では，振動を受ける家屋などの構造物において防振性の向上や振動低減をする。一般的に，機械振動は振動源の対策が，道路交通振動は道路構造による振動源の対策や伝搬経路の対策が行われる。

13.5　地盤に関係する自然災害

　近年，多発する自然災害では，土質力学，地盤工学が密接に関係しているので，十分な認識が必要である。本節では，地表地震断層，津波，土石流，洪水の 4 つの自然災害とその影響を概観し，土質力学との関わりを知る。

13.5 地盤に関係する自然災害

(1) 地表地震断層の発生

地震の震源が陸地部で浅い場合，地震の発生により断層面が地表に出現し，地表面の断層変位が構造物に影響することがある（図 13.18）[6]。このような断層を地表地震断層（あるいは地震断層）と呼ぶが，活断層の一種である。我が国では，1891 年濃尾地震で発生した鉛直方向の変位が 6m の根尾谷断層が代表的である（写真 13.4）。

地震動による被害と比較して，発生場所が限られる地震断層の被害例は少ないが，発生すると大きな被害に繋がるので，断層の判定や変位量に関する地質学，盛土などの構造物に対する影響の評価に関する土質力学，地盤工学により設計や対策を行う。なお，近年の原子力発電所の立地に関する議論では，活断層の有無が重要な判断要素になっているが，活断層の評価は理学による。しかし，工学では，地震断層の有無に止まらず，地震断層の特性（断層変位量な

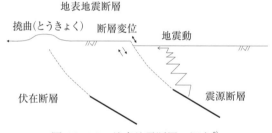

図 13.18 地表地震断層の概念[6]

写真 13.4 濃尾地震の根尾谷断層（小藤文次郎氏による）

ど）に基づく構造物の被害程度から，対策の要否や水準の判断が必要である。

(2) 津波による盛土の越流

　2011年東北地方太平洋沖地震では，津波により防潮堤が壊滅的被害を受けたが，津波に対して粘り強さを発揮した盛土や堤防がある。写真13.5[7]は地震前に嵩上げ（かさあ）されていた高さ4mの河川堤防である。水深4mで越流したが，表のりの侵食は皆無，天端の舗装の剥離は軽微であり，裏のりは表層部のみが侵食し，のり先で落堀（おっぽり）が形成され，一部の裏法が欠落しているものの，決壊や破堤のような致命的な被害ではない。

　従って，土の難浸透性[7]から，浸透による堤体の強度低下，侵食は表層的であるが，掃流力に関係する流体力学，粘り強い防潮堤に関係する海岸工学，土の侵食や盛土による防潮に関係する土質力学により設計や対策を行う。

(3) 土石流の発生

　2014年8月広島豪雨では，山地の渓流から流出した土石流により甚大な被害が発生した。この土石流は泥流型ではなく砂礫型であり，渓床の基岩からの巨石の流出（写真13.6）が破壊的被害の原因である。流出土砂の発生源が上流部の斜面崩壊の場合は，降雨による斜面の不安定が関係し，渓床からの堆積土砂や基岩の流出では，誘因としての渓床の流下水，渓床下の地盤内の地下水流，素因としての基岩の亀裂，節理，破砕帯により，堆積土砂に作用する侵食力，基岩に作用する流水圧，浮力，揚圧力などが関係する。そのため，基岩の亀裂，節理，破砕帯に関係する地質学，土砂・土石の混相流の流下特性に関係する流体力学，斜面崩壊や地下水に関係する土質力学により設計や対策を行う。

写真 **13.5**　津波の越流後の堤防[7]：矢印は津波の方向

13.5 地盤に関係する自然災害

写真 13.6　土石流で基岩が流出

(4) 洪水による堤防の破堤

2015年9月関東・東北豪雨では，鬼怒川の堤防が破堤し，広域に渡る甚大な浸水被害が発生した。原因は，流域の記録的な大雨により鬼怒川の水位が計画高水位を超過し，堤防高を上回り，越流が発生し，川裏のり面の侵食とのり尻の洗掘の進行により堤防が破堤したためである（写真13.7）[8]。なお，堤防内の浸透によるパイピングも決壊の助長の要因の可能性があるとされている。

洪水による堤防の破堤は，浸透破堤と越流破堤に大別される。関東・東北豪雨を受けて，越流破堤に対する技術の必要性が再認識されたが，堤防の安定には堤内の浸透による限界動水勾配や堤防の裏のり面の侵食が関係し，越流水に関係する流体力学，浸透や侵食に関係する土質力学により設計や対策を行う。

写真 13.7　洪水の越流による破堤[8]

引用文献

1) 地震調査研究推進本部地震調査委員会：日本の地震活動―被害地震から見た地域別の特徴―（追補版），財）地震予知総合研究振興会地震調査研究センター，1999.
2) 国土交通省北陸地方整備局：新潟県中越地震―北陸地方整備局のこの一年―，2005.
3) 西日本高速道路（株）提供
4) 日本道路協会：道路橋示方書Ⅴ耐震設計編，2012.
5) 社）日本港湾協会：港湾の施設の技術上の基準・同解説（上巻），2007.
6) 常田賢一，片岡正次郎：活断層とどう向き合うか，理工図書（株），198p.，2012.
7) 常田賢一，秦吉弥：3.11津波に学び 粘り強い盛土で減災，理工図書（株），264p.，2016.
8) 国土交通省関東地方整備局：第1回鬼怒川堤防調査委員会の資料，2015.

参考文献

・土木学会：動的解析と耐震設計 第2巻 動的解析の方法，技報堂出版（株），1989.
・日本道路協会：共同溝設計指針，1986.
・環境庁告示90号：特定工場において発生する振動の規則に関する基準，1976.
・防災科学技術研究所：強震観測網（K-NET，K・K-net）HP：http://www.kyoshin.bosai.go.jp/
・気象庁HP：http//www.jma.go.jp
・日本道路協会：道路土工―軟弱地盤対策工指針，2010.
・常田賢一：2014年8月広島豪雨の土石流に関する現地調査の知見と考察，地盤工学会誌，Vol.64，No.9，pp.34-37，2015.
・秦吉弥，野津厚史：被害地震の揺れに迫る―地震波形デジタルデータCD付

参考文献

き一，大阪大学出版会，93p.，2016.

第14章 地盤の設計基準類と安定化対策

　地盤や斜面に降雨や地震による外力が作用した場合，地盤などが過大に変形したり，破壊したりすると地盤災害として問題となる。地盤災害には，粘性土地盤の圧密沈下（6章），斜面のすべり破壊（12章）および砂質地盤の液状化（13章）などがある。ここで，土質力学における浸透，圧密，せん断などの基礎的知識，さらに土圧，斜面安定，支持力などの応用的知識は，地盤に関係する各種の土木構造物の設計，つまり設計基準類に反映されている。

　従って，本章では，まず，土質力学あるいは地盤工学（以下，土質力学など）に関わる設計基準類（基準，指針，マニュアルなど）を概観し，最近，制定が特筆される道路土工構造物技術基準の主旨を知り，今後の土質力学などとの関わりを知る。さらに，上記の地盤災害を防止し，安定性を確保するための対策として，圧密促進対策，斜面崩壊対策および液状化対策を理解する。

14.1 土質力学に関わる設計基準類

　土質力学の基礎的専門知識は，土木構造物の実務設計に活かされるが，設計基準類に準拠することが基本である。そのため，本節では，代表的な土木構造物の設計基準類で規定されている，土質力学に関わる事項を概観する。

14.1.1 設計基準類

　通常，設計基準類は土木構造物毎に規定されている。代表的な土木構造物は，道路橋，港湾構造物，鉄道構造物などであり，それぞれの基準の制定と改定が行われて，現在に至っている。設計基準類において，土質力学に関係する事項を例示したのが表14.1である。同表の道路土工構造物に関する道路土工要綱などは，現在のところ技術基準ではなく，設計の参考資料である。

　同表の通り，負のダイレイタンシーに起因する液状化，斜面の安定性評価の

14.1 土質力学に関わる設計基準類

表 **14.1** 設計基準類における土質力学などの関係事項例

分野	名称	制定・改訂年	土質・地盤に関係する内容例
道路橋	道路橋示方書Ⅳ下部構造編	2012	・地盤の変形係数の推定 ・基礎の支持力の算定
	道路橋示方書Ⅴ耐震設計編	2012	・液状化の予測・判定 ・液状化層の土質定数の低減 ・液状化による側方流動の流動力の算定
港湾施設	港湾の施設の技術上の基準・同解説	1999	・液状化の予測・判定
鉄道構造物	鉄道構造物等設計標準・同解説 耐震設計	1999	・液状化の判定 ・液状化層の土質諸定数の低減
道路土工構造物	道路土工要綱	2009	・地盤調査　要求性能　など
	道路土工　切土・斜面安定工指針	2009	・すべりなど
	道路土工　盛土工指針	2010	・すべりなど
	道路土工　カルバート工指針	2010	・土圧など
	道路土工　擁壁工指針	2012	・土圧など
	道路土工　軟弱地盤対策工指針	2012	・圧密など
河川構造物	河川砂防技術基準　設計編	2007	・浸透・侵食・すべりなど

ための円弧すべり法，擁壁に作用する土圧，軟弱粘性土地盤の圧密など，土質力学が深く関係しており，設計基準類を正しく理解するためにも，土質力学の基礎的専門知識を修得しておくことが必要である。

14.1.2　道路土工構造物技術基準の基本

道路土工構造物技術基準[1]は，「道路土工構造物とは，道路を建設するために構築する土砂や岩石等の地盤材料を主材料として構成される構造物及びそれらに附帯する構造物の総称をいい，切土・斜面安定施設，盛土，カルバートおよびこれらに類するもの」と定義しているが，斜面の安定，圧密沈下，土圧など，土質力学，地盤工学に深く関わる構造物である。

これまで，道路土工構造物は降雨により強度が変化するなど，技術的基準の規定が困難とされてきた。しかし，技術の進歩により，高い盛土，大規模なカルバートなどの施工実績が多くなり，土工構造物でも基準化の必要性が高まり，2015年3月に国土交通省は技術基準を制定した。道路橋などは基準が制定済みであり，道路土工構造物の基準の制定は最後になったが，道路土工構造

物の信頼性を高めるだけではなく，土質力学，地盤工学の発展が期待される。

この技術基準は，道路土工構造物を新設あるいは改築する場合の基準であり，(1) 構造形式，交通状況，地形，地質，気象などの状況を勘案し，影響する作用などに対して十分安全であること，(2) 使用目的との適合性，構造物の安全性，耐久性，施工の品質の確保，維持管理の確実性および容易さ，環境との調和，経済性を考慮することなど，多面的な視点が必要とされている。

また，道路橋と同様に性能評価が行われ，安全性，使用性，修復性の観点による，下記の3区分に基づき，目標性能の設定が求められている。

性能1：道路土工構造物は健全，または，道路土工構造物は損傷するが，当該区間の道路としての機能に支障を及ぼさない

性能2：道路土工構造物の損傷が限定的なものにとどまり，当該区間の道路の機能の一部に支障を及ぼすが，すみやかに回復できる

性能3：道路土工構造物の損傷が，当該区間の道路の機能に支障を及ぼすが，致命的なものとならない

以上は，道路土工構造物技術基準の抜粋であるが，道路橋とは異なり，連続あるいは隣接する構造物との性能・影響を考慮すること，設計と施工の適合を規定したことなどが特徴である。

写真 **14.1** 切土・斜面安定施設

写真 **14.2** 盛土とカルバート

14.2 圧密促進対策

圧密促進対策とは，将来の作用荷重に等しいか，それ以上の荷重を載荷するなどの方法で圧密沈下を促進し，残留沈下量の低減や基礎地盤の強度増加をはかる方法である。プレローディング工法やサーチャージ工法などの載荷重工法，これらと併用され，主に圧密時間の短縮を目的とする排水促進工法のバーチカルドレーン工法などがある。本節では，最も一般的なプレローディング工法，サーチャージ工法およびバーチカルドレーン工法について示す。

14.2.1 プレローディング工法とサーチャージ工法

図14.1に工法の概要を示す。プレローディング工法はプレロード（事前載荷）で沈下を促進させ，所用の沈下量に達したときに載荷重を全て撤去してから，構造物を建設するものである。サーチャージ工法は過大なプレロードを載荷し，所用の沈下量に達した時に余剰の荷重を撤去する工法である。

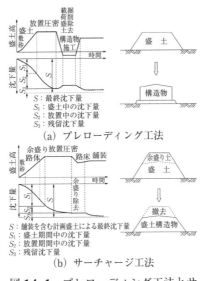

(a) プレローディング工法

(b) サーチャージ工法

図 **14.1** プレローディング工法とサーチャージ工法[2)]

設計上の留意点として，設計時に予測する安全率，沈下量および時間〜沈下量関係などは実際の挙動と合わないケースが多いことがあげられる。これについては類似地盤の施工実績から，実際と設計計算の結果を照合し，理論に固執しない実際的な設計を心がける。もし，類似地盤の実績がない場合は，必要に応じて試験盛土やパイロット盛土を行い，その結果を本施工に応用する。さらに，施工中の動態観測を行い，設計計算の結果と実際を比較検討し，必要に応じて設計の変更を行う。また，供用後の追跡調査により，維持管理段階の安定や沈下などの実態を調べ，設計にフィードバックさせることである。

施工上の留意点として，載荷盛土中および放置期間中は，盛土中央部の軟弱地盤の沈下量と盛土の法尻の側方変形量で安全管理し，その結果から当初設計を修正しながら施工を進めることがあげられる。設計上の盛土速度にこだわらず，盛土荷重をできるだけ大きくして早期に盛土を立上げ，放置期間を長くする方が残留沈下量の低減に効果的である。

14.2.2 バーチカルドレーン工法

6章のテルツァーギの一次元圧密理論によると，排水時間は排水距離の2乗に比例するため，排水距離を短縮すれば長期間にわたる粘土層の圧密沈下を短縮することが可能となる。

この理論を応用したバーチカルドレーン工法は，軟弱な粘性土地盤中に砂柱などの鉛直ドレーンを打設する工法で，透水性の高い鉛直ドレーンを人工的な排水層として設置し，排水距離を減じて圧密時間を短縮するものである。ドレーン材に砂を用いたサンドドレーンや袋詰めサンドドレーン，特殊加工されたプラスチックなどを用いたプラスチックボードドレーンなどがある。一般にこの工法を単独で用いることは少なく，載荷重工法と併用される。

図14.2はサンドドレーン（排水砂柱）の配置と各柱での排水範囲の定義であるが，排水層として機能する砂柱により粘土層の排水距離を短くして，圧密時間，さらには工期を短縮する。砂柱の間隔をd，砂柱の直径をd_wとし，直径d_eの円柱状の地盤を考え，間隙水が砂柱への水平方向だけに流れるとした圧密時間の算定式（14.1）を用いる。

14.2 圧密促進対策

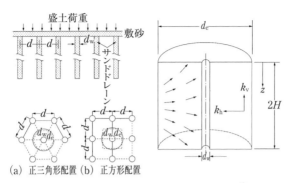

図 **14.2** サンドドレーンの配置と圧密[3]

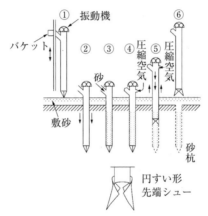

図 **14.3** サンドドレーン工法（バイブロハンマ式）の施工手順[3]

$$t = (T_h/c_h)d_e^2 \tag{14.1}$$

ここに，t：圧密時間（day），T_h：水平圧密の時間係数（無次元），c_h：水平方向の圧密係数（m²/day），d_e：有効径（m）であり，有効径は正三角形配置が $1.05d$，正方形配置が $1.13d$ で与えられる。

これによると，有効径あるいは砂柱の間隔が小さいほど圧密が促進される。砂柱の直径は 40cm が標準であり，間隔は 1〜2m 程度である。図 14.3 に施工手順を示す。まず，①ケーシングの先端シューを閉じて所定の位置に設置する，②振動によりケーシングを所定の深さまで打ち込む，③バケットで砂をケ

ーシングの中に投入する，④および⑤砂投入口を密閉して圧縮空気を送りながらケーシングを引き抜く，⑥ケーシングを完全に引き抜き，打込みを終了する．

14.3 斜面崩壊対策

表14.2に地すべりと斜面崩壊の違いを示す．斜面崩壊は地すべりと比べて地形・地質など多数の要因が複雑に関与し，突発的で兆候の発生も少なく，崩壊危険度を判定することは容易ではない．ここでは，最も基本的な斜面崩壊対策である切土工とのり面保護工を示す．

14.3.1 斜面崩壊危険度の評価

斜面崩壊危険度の評価には，過去の崩壊事例を収集し，その傾向から崩壊にかかわる要因を特定して確率統計的に評価する方法と，12章の工学的に判定する方法の2つがある．崩壊危険度の高い斜面の特定は，これらの方法を組み合わせて行われる．災害歴調査や地形・地質図および航空写真判読，さらに確率統計的方法や現地踏査により危険度の高い斜面を抽出する．そして抽出された危険斜面の監視を工学的方法で行い，必要に応じて斜面安定対策を施すのである．

14.3.2 対策工の分類と選択

斜面崩壊現象は，地表面侵食，含水による土層の強度低下と重量の増加，間隙水圧の上昇，パイピングおよび風化などが原因で生じる場合が多い．これら雨水作用の観点から，対策工は表14.3のように分類される．

表 14.2 地すべりと斜面崩壊の違い

項目	地すべり	斜面崩壊
地質	特定の地質または地質構造で発生	地質との関連は少ない
土質	主として粘性土をすべり面とする	砂質土で多く起こる
地形	傾斜5°〜30°程度の緩斜面で発生	傾斜30°以上の急斜面で発生
速度	0.01mm/日〜10mm/日程度で遅い	10mm/日以上で極めて早い
誘因	主に地下水による影響で持続的	降雨や地震などの外力
兆候	亀裂，陥没，地下水変動などがある	兆候が少なく，突発的

14.3 斜面崩壊対策

なお，斜面崩壊対策は，崩壊危険度が高い斜面を対象に実施されるものであるので，施工中においても現状の安定度を著しく減じない工法を選ぶことが原則である．

表 **14.3** 斜面対策工の分類

分類	主な目的	工種		目的	特徴など
抑制工	雨水作用を受けないようにする	排水工		地表水や地下水を斜面外へ排水したり，斜面内への流入を防止する	ほとんどの工事で採用される．単独で用いられることは少ない
		植生工		雨水による侵食防止や地表面温度の緩和，凍土の防止および緑化による美化効果など	湧水が少なく安定している場合に適用．周辺環境との調和をはかりやすい
		のり面保護工	吹付工	外気などから斜面を断し，侵食や風化を防止し，地盤の強度低下を防ぐ	湧水がない岩盤などに適しているが，周辺環境との調和が課題
			張工	同上＋軽微な剥離や崩壊防止	亀裂の多い岩盤や良く締まった土砂面など，吹付工で不安な場合に用いる
			のり枠工	同上＋抑止力を期待できる	植生すれば緑化でき，湧水にも対応できる
	危険除去	切土工		不安定土塊や浮石など取除く	対策工の基本で，排水工，植生工およびのり面保護工と併用される
抑止工	力のバランスをとる	切土工		安定勾配や安定する高さまで切り取る	
		擁壁工		小規模な崩壊防止から直接抑止，押え盛土の安定やのり面保護工の基礎など	斜面下部の安定をはかる
		アンカー工		斜面内部の安定地盤に緊結して崩壊や剥落を防止	特別な事情で安定が不足する場合に使用
		杭工		斜面上に杭を設置し，杭の曲げモーメントやせん断抵抗で斜面を安定させる	地すべり性崩壊が予想される斜面や流れ盤など，特別な場合に使用
その他	落石・雪崩の防止	落石・雪崩対策工		発生を防止する予防工と発生した場合に被害を最小にして人家を防護する防護工がある	他対策にプラスして設置
	崩壊が生じても被害を生じないように	待受コンクリート擁壁工		斜面下部に重力式擁壁を設置し，崩壊土砂を待受ける	他対策と合わせて実施．長大斜面や既存植生を残す必要がある場合に有効
	抑制工＋抑止工	柵工		表土の崩壊防止や侵食防止	
		蛇かご工		のり面の侵食防止や押え盛土的な目的，地下水のり先ドレーンとして用いる	他対策にプラスして設置

表14.3のように，工法は抑制工と抑止工に分けられる．抑制工は主に雨水作用を受けないようにする工法，抑止工は力のバランスをとる工法である．工法の選択では，まず崩壊の要因と形態の想定を行う．この想定に対して斜面全体の安定がはかれる抑止工の検討を行い，次に表面侵食，風化および部分的崩落防止に対する抑制工を検討する．

14.3.3 切土工

切土工は最も基本的な斜面崩壊対策である．斜面上の不安定な土や岩塊を取り除いたり，斜面を安定勾配まで切り取ることは最も確実な方法である．

表14.4に安定勾配とされる切土の標準のり勾配を示す．この安定勾配より急勾配で切土する場合は，数値計算による安定の確認やアンカーなどの抑止工の追加などの検討が必要となる．また，切土した斜面は，浸食や風化防止対策

表 **14.4** 切土の標準のり勾配

地山の土質		切土高	勾配
硬岩			1：0.3〜1：0.8
軟岩			1：0.5〜1：1.2
砂	密実でない粒度分布の悪いもの		1：1.5〜
砂質土	密実なもの	5m 以下	1：0.8〜1：1.0
		5〜10m	1：1.0〜1：1.2
	密実でないもの	5m 以下	1：1.0〜1：1.2
		5〜10m	1：1.2〜1：1.5
砂利または岩塊まじり砂質土	密実なもの，または粒度分布のよいもの	10m 以下	1：0.8〜1：1.0
		10〜15m	1：1.0〜1：1.2
	密実でないもの，または粒度分布の悪いもの	10m 以下	1：1.0〜1：1.2
		10〜15m	1：1.2〜1：1.5
粘性土		10m 以下	1：0.8〜1：1.2
岩塊または玉石まじりの粘性土		5m 以下	1：1.0〜1：1.2
		5〜10m	1：1.2〜1：1.5

注) ①土質構成などにより単一勾配としないときの切土高および勾配の考え方は下図のようにする．
・勾配は小段を含めない．
・勾配に対する切土高は当該切土法面から上部の全切土高とする．

h_a：a 法面に対する切土高
h_b：b 法面に対する切土高

②シルトは粘性土にいれる．
③上表以外の土質は別途考慮する．

としてのり面保護工を施すのが通常である。なお，仮設的な施工や構造物を築造するための切取・床掘勾配は，労働安全衛生規則第 356 条および第 357 条で定められている。

14.3.4 のり面保護工

基本は植生であるが，植生が困難な岩盤斜面の場合や風化し易い土や岩の場合は吹付工，湧水がみられる場合はのり枠工が選択される。その他に，民家が近接し工事スペースが確保できない場合は，擁壁工を選択する場合もある。

(1) 植生工

写真 14.3 に一例を示す。雨水による浸食防止，地表面の温度変化の緩和による凍上防止，緑化による自然環境との良好な調和などが期待できる。

写真 **14.3** 植生工の一例

(2) のり枠工

写真 14.4 に一例を示す。吹付コンクリートなどで枠を組み，その内部を植生，砕石またはコンクリートなどで被覆し，のり面の風化や侵食を防止して崩壊を抑制する。枠内を植生すれば緑化されて周辺環境との調和も良好で，ロックボルトやグランドアンカーを併用することもできる。

写真 **14.4** のり枠工の一例

(3) 吹付工

写真 14.5 に一例を示す。崩落の可能性が高い土塊が除去された斜面において，湧水がなく，風化しやすい岩などで植生ができない場合に適用される。この工法では斜面の緑地部分がなくなるため，周囲の自然環境との調和についての配慮が必要である。

写真 14.5　コンクリート吹付工の一例

14.4　液状化対策

13 章では地震による砂質地盤の液状化の発生メカニズムと液状化の予測方法を学んだが，ここでは液状化すると予測された地盤を液状化しないように強化する対策の原理および具体的な対策工法例を示す。まず，液状化対策を考える場合，2 つの異なる取組みの姿勢がある。ひとつは，液状化の発生の可能性がある地盤に対策を施して，液状化の発生自身を防止し，地盤に関係する構造物の被害を軽減，防止する方法であり，本書では液状化の地盤対策と呼ぶ。もうひとつは，地盤の液状化の発生は容認し，液状化地盤に支持される構造物の側において対策を行うことにより，液状化による被害を軽減，防止する対策であり，液状化の構造的対策と呼ぶ。

14.4.1　液状化の地盤対策

液状化に対して抵抗となる地盤の強度は，①密度が高いほど，②土粒子の骨格が安定しているほど，③液状化しにくい粒度であるほど，④飽和度が低いほ

14.4 液状化対策

ど増加する．従って，これらに沿うように地盤を改良できれば，液状化の発生が抑制できることになる．つまり，①では密度の増大（密度増大工法），②では地盤を固結（固結工法），③では粒度の改良（置換工法），④では地盤の飽和度の低下（地下水位低下工法）を液状化発生の抑制原理とする対策がある．

また，地震動により地盤に作用する応力，変形あるいは発生する過剰間隙水圧に関しては，⑤地盤の有効応力を増大させるほど，⑥発生した過剰間隙水圧が速やかに消散するほど，⑦液状化した周辺地盤からの過剰間隙水圧の侵入がしにくいほど，⑧地盤のせん断変形が小さいほど，液状化は発生しにくい．従って，①～④と同様に，これらに沿うように地盤を改良すれば，液状化の発生が抑制できる．つまり，⑤では有効応力の増大（地下水位低下工法），⑥では間隙水圧の発生の抑制や消散（間隙水圧消散工法），⑦では間隙水圧の遮断（間隙水圧消散工法，せん断変形抑制工法），⑧ではせん断変形の抑制（せん断変形抑制工法）を液状化発生の抑制原理とする対策を考える．

以上の液状化対策の原理および各原理に対応する工法は，上記の①～⑧で括弧内に併記したが，図14.4のように体系化できる．液状化対策の原理別の工

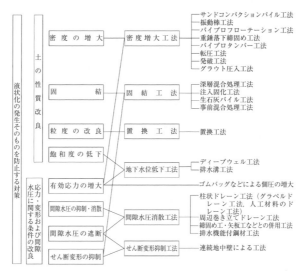

図 14.4 液状化の発生を抑制する対策の原理と方法[4]

法の特徴は次の通りである。

(1) 密度増大工法

本工法は締固め方法により様々な工法が開発されている。代表的な工法はサンドコンパクションパイル工法であるが，ゆるい砂地盤に対しては液状化防止のために，粘土質地盤では支持力の向上や沈下量の減少の目的で用いる。砂をバイブロ（振動機）で振動させながら地盤内に投入し，締固めた砂柱を構築する動的締固め工法と材料を静的に圧入する静的締固め工法がある。これらの工法は材料の追加により地盤の密度が増加するとともに，密度の高い砂杭が構築される。両工法は施工時の周辺環境に及ぼす地盤振動の影響を考慮して選別される。

ここで，動的締固め工法を例示するが，同工法には振動式と衝撃式があり，振動式が一般的である。改良深度はサンドドレーン工法と同じく 25～35m 程度である。振動式の施工手順を図 14.5 に例示するが，クローラクレーンを本機として，起振機，ホッパ，ケーシングパイプからなる施工装置はつり手・緩衝機を介して吊り下げられており，ガイドに沿って上下する。ケーシングパイプを所定の深度まで貫入し，ホッパから投入した砂をケーシングパイプを上下させて振動機で締固めるが，この作業を繰り返して砂杭を造成する。

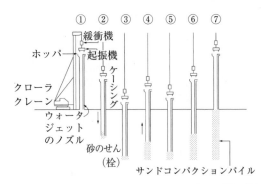

図 14.5 サンドコンパクションパイル工法（振動式）の施工手順[4]

14.4 液状化対策

　また，振動棒工法は砂地盤を振動棒で振動することによって締固める。さらに，重錘落下締固め工法やバイブロタンパー工法は地表面に重錘やタンパーを落下させて地盤を締固める。これらの他に，バイブロフローテーション工法や転圧による締固め工法，発破による締固め工法，生石灰パイルの膨張圧による締固め工法，グラウト材の圧入による締固め工法がある。また，14.2 節の圧密促進対策で述べたプレロードによる載荷重で，地盤を過圧密状態にして液状化強度を増加させるプレロード工法もある。

(2) 固結工法

　本工法は改良体の造成方法により工法が分類される。深層混合処理工法は改良材と現地盤の土を地盤中で攪拌混合して地盤を固化する工法であり，薬液注入固化工法は液体状の改良材を地盤中に注入して間隙水を固化させる工法である。また，事前混合処理工法は事前に改良材と土を混合しておき，それを転圧により締固めて固化する工法である。以上のように液状化地盤を固結させると，地震動の作用による地盤のせん断変形が抑制されたり，過剰間隙水圧を発生させる間隙水が除去されて，液状化の発生が抑制される。

　ここで，深層混合処理工法を例示するが，同工法は粉末状，塊状あるいはスラリー状の石灰，セメント系の改良材を地盤中に投入し，液状化層などの軟弱な土と攪拌混合することによって，強固な柱状，壁状あるいはブロック状に安定処理された地盤を深層まで構築する。本工法は施工時の騒音，振動などの周辺環境への影響が比較的小さいことから，人家に近接した現地で適用されることが多い。施工方法には攪拌翼で混合する機械攪拌方式と，改良材を高圧で地盤中に噴射して混合する噴射攪拌方式があるが，安定材の状態によって粉体方式とスラリー方式がある。いずれの方式も施工可能深度は 30m 程度である。噴射攪拌方式の施工手順を図 14.6 に例示する。

(3) 置換工法

　本工法は液状化する土層を液状化しにくい材料に置き換えてしまう工法である。一般に，液状化しにくく，せん断強さが大きい砕石を置換材料に用いることが多い。

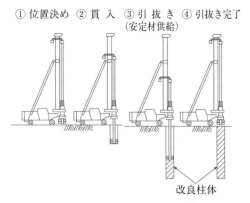

図 **14.6** 深層混合処理工法（機械攪拌方式）の施工手順例[4]

(4) 地下水位低下工法

本工法は止水工法と組み合わせて排水ポンプにより地下水位を低下させるディープウェル（深井戸）工法と，トレンチ（溝）や暗渠を利用して自然流下により地下水位を低下させる排水溝工法がある。このように地下水位を下げると，液状化層の飽和度が低下し，地震前に液状化層の有効応力が増加するので，液状化に対する土のせん断強度が増加する。

(5) 間隙水圧消散工法

本工法ではドレーン（排水）材料を柱状に設置した柱状ドレーン工法として，グラベル（砕石）を用いるグラベルドレーン工法と人工材料を用いるドレーン工法がある。また，鋼管杭や矢板などに排水機能を付けた排水機能付鋼材工法がある。これらの工法は液状化により発生する過剰間隙水圧を速やかに消散させることにより，過剰間隙水圧の上昇あるいは有効応力の減少を抑制し，液状化しにくくする。

(6) せん断変形抑制工法

本工法は地震動によって地盤内に発生するせん断変形を小さく抑えるために，構造物周辺の地盤中に連続地中壁や深層混合処理工法による改良体を設置する。また，シートパイル（矢板）によって構造物を取り囲む場合もせん断変

14.4 液状化対策

形の抑制効果がある．さらに，地盤を連続地中壁や深層混合処理工法による改良体で格子状に仕切ることにより，仕切りの中の地盤のせん断変形を抑制する工法もある．これらの工法は液状化が発生するために必要な地盤のせん断変形を抑制して，液状化しにくくする．なお，本工法は地盤内に地盤を仕切るので，周辺地盤で発生した過剰間隙水圧が侵入しないように遮断する効果も期待できる．

14.4.2 液状化の構造的対策

地盤の改良を行う液状化対策に対して，構造的対策は液状化した地盤に関係する構造物を強化して，液状化による被害を軽減，防止する対策である．既設の構造物の液状化対策は，コストのかかる地盤改良でなく，構造的対策で行われることが多い．構造的対策は図 14.7 のように整理できるが，①堅固な地盤による支持，②基礎の強化，③浮き上がり量の低減，④地盤変位への追従，⑤液状化後の変位の抑制に対策原理が区分される．

堅固な地盤に支持させる工法では，液状化により地盤の支持力（有効応力）が減少した状態で，構造物に過度な沈下が発生しないように，杭基礎などにより液状化層より下の堅固な地盤（支持地盤）で支持させる．基礎の強化では，液状化により地盤の水平方向の支持力が減少した状態で，橋梁などの構造物に過度な水平方向への変位が発生しないように，杭の径や本数を増やして強化する．新設の道路橋の耐震設計では本法による設計が行われるが，既設の橋梁な

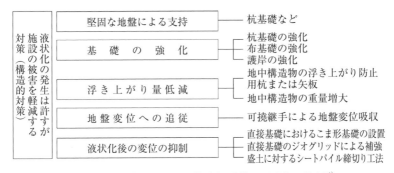

図 **14.7** 液状化に対する構造的対策の原理と工法例[4]

第 14 章　地盤の設計基準類と安定化対策

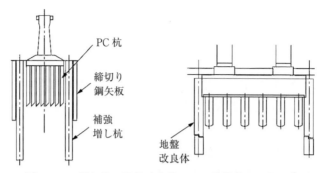

図 14.8　増し杭，地盤改良体による杭基礎の強化例[4]

どにおいても，図 14.8 のように増し杭などにより耐震補強されることが多い。また，布基礎では鉄筋コンクリート造にして，基礎の強化を図る方法がある。

　浮き上がり量の軽減は，共同溝，下水管路などの地中構造物が対象であり，液状化時に発生する過剰間隙水圧による付加的な浮力により構造物が浮き上がらないようにするため，基礎地盤に支持させた杭（図 14.9 参照）や矢板を地中構造物に連結したり，構造物の重量を増加して，浮き上がり抵抗力を増す。

　液状化後の変位の抑制では，直接基礎にこま（独楽）型の基礎を設置して沈下を抑制する方法，ジオグリッドなどを層状に敷設して地盤の変形を抑制する方法などがある。また，液状化地盤上の道路盛土，鉄道盛土，河川堤防では，図 14.10 に示すようにシートパイルとタイロッドにより液状化による側方への地盤の変形を抑制し，盛土などの沈下量を低減する方法がある。

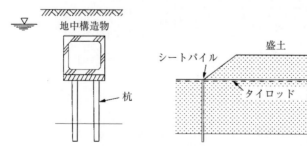

図 14.9　浮上がり防止用杭[4]　　図 14.10　シートパイル締切り工法[4]

14.4 液状化対策

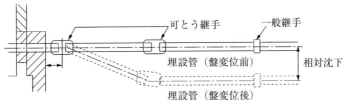

図 **14.11** 可とう継手[4]

　地盤変位への追従では，例えば延長のある地中管路が液状化により発生する地盤変位によって破損しないように，管路の継手を可とう継手として地盤の変位に追従する構造（図14.11参照）にする。

引用文献
1）国土交通省道路局：道路土工構造物技術基準，2015.
2）地盤工学会：地盤改良の調査・設計から施工まで，1979.
3）日本道路協会：道路土工軟弱地盤対策工指針，1986.
4）地盤工学会：地盤工学・実務シリーズ18　液状化対策工法，2004.

付録：本書におけるギリシャ文字による記号の定義の対比

記号	読み	適用章（ ）内は掲載章。それ以外は汎用的使用。		
α	アルファ	初期間隙水圧分布の倍率（6）	$\sqrt{t}$ 法における直線の角度（6）	応力の作用面の角度（7）
		形状係数（11）	直線斜面の傾斜角度（12）	スライスの接線勾配（12）
		すべり面の角度（10, 12, 13）		加速度（13）
β	ベータ	ストレスパスの勾配（7）	α 面と $P_P \cdot P_D$ の交差角（7）	杭の特性値（8, 11）
		擁壁背面の地表面の傾斜角（10, 13）		形状係数（11）
		浸潤面の高さ比（12）	斜面先破壊・底部破壊の斜面傾斜角（12）	
γ	ガンマ	単位体積重量（2 他）		せん断ひずみ（7, 11 他）
δ	デルタ	地表面，基礎の沈下量（9）	擁壁と背面土の摩擦角（10, 13）	剛結杭頭の許容変位（11）
ε	イプシロン	鉛直ひずみ（6）	圧縮ひずみ（7）	体積ひずみ ε_{vol}（7）
		直ひずみ（7, 9）	水平方向ひずみ（10）	
η	イータ	水の粘性係数（2）	初期間隙水圧の台形分布の比（6）	
θ	シータ	最大せん断抵抗力と重量のベクトルの交差角度（1）	ゆがみの角度（7）	ストレスパスの勾配（7）
		地盤内応力を求める土要素の鉛直方向からの角度（9）		斜面先破壊の円弧の角度（12）
		擁壁背面の鉛直勾配（13）	地震荷重と重量の合力の作用方向の角度 θ_E（13）	
κ	カッパ	根入れの割増し係数（11）		
μ	ミュー	摩擦係数（10）		
ν	ニュー	ポアソン比（9, 10）		
ξ	クシー	帯状荷重の水平距離（9）		
π	パイ	円周率		
ρ	ロー	密度		
σ	シグマ	直応力・垂直応力		
τ	タウ	せん断応力・せん断強度		
ϕ	ファイ	せん断抵抗角・内部摩擦角		静摩擦角 ϕ_μ（7）
ω	オメガ	擁壁背面の傾斜角度（10）		

（注）異なる定義で用いられている記号は，その都度，各々の定義で解釈のこと。

索 引

*は（社）地盤工学会：地盤工学用語辞典（2006）に掲載されていない用語。

【あ～お】

RI（測定）法　　radio isotope method*　　58
アイソバール（圧力球根）　　isobar (pressure bulb)　　178
圧縮曲線　　compression curve　　89
圧縮指数　　compression index　　87
圧縮率　　rate of compressibility*　　123
圧密　　consolidation　　83
圧密係数　　coefficient of consolidation　　85
圧密降伏応力　　consolidation yield stress　　103
圧密試験　　consolidation test　　96
圧密度　　degree of consolidation　　94
圧密排水試験　　consolidated drained test　　133
圧密非排水試験　　consolidated undrained test　　131
圧力球根（アイソバール）　　pressure bulb (isobar)　　178
圧力水頭　　pressure head　　65
暗渠　　drainage conduit　　299
安全率　　safety factor　　237
安息角　　angle of repose　　138
安定係数　　stability factor　　250
安定図表　　stability chart　　250
一次圧密　　primary consolidation　　107
一軸圧縮試験　　unconfined compression test　　124
一次元圧密　　one-dimensional consolidation　　159
位置水頭　　potential head　　65
一面せん断試験　　box shear test　　116
異方性　　anisotropy　　11
インピーダンス　　impedance　　278
運積土　　transported soil　　5
影響円図　　influence circle chart*　　173
影響円法　　influence circle method*　　173
影響値　　influence value　　169
鋭敏粘土　　sensitive clay　　129
鋭敏比　　sensitivity ratio　　128
液状化　　liquefaction　　273

索　引

液状化に対する抵抗率　　liquefaction potential factor* 　275
液性限界　　liquid limit　　26
液性指数　　liquidity index　　28
S波　　secondary wave　　263
越流破堤　　overflow failure of dyke* 　282
N値　　N-value　　144
NP（非塑性）　　non plastic　　29
円弧すべり　　circular slip　　242
鉛直応力　　vertical stress　　38
鉛直震度　　vertical seismic coefficient　　269
応力経路　　stress pass　　139
オスターバーグ図　　Osterberg chart* 　169
落堀　　dug pool* 　280

【か～こ】

過圧密粘土　　overconsolidated clay　　89
過圧密比　　overconsolidation ratio　　89
海進　　transgression　　2
海退　　regression　　2
嵩上げ　　raising　　280
火山灰質土　　volcanic soil　　32
過剰間隙水圧　　excess pore water pressure　　122
火成岩　　igneous rock　　3
仮想鉛直面　　estimated vertical plane* 　200
仮想背面　　estimated back plane* 　200
加速度応答スペクトル　　acceleration response spectrum　　267
割線変形係数　　secant Young's modulus　　125
簡易動的コーン貫入試験　　portable dynamic cone penetration test　　151
簡易ビショップ法　　Simplified Bishop's method　　246
間隙圧係数（スケンプトンの間隙圧係数）　（Skempton's）pore pressure coefficient　　123
間隙水圧　　pore water pressure　　39
間隙水圧消散工法　　pore water pressure dissipation method　　299
間隙比　　void ratio　　20
間隙率　　porosity　　20
完新世　　holocene epoch　　2
含水比　　water content　　18
乾燥密度　　dry density　　20
技術基準　　technical code* 　284

305

索　引

キャサグランデ法　Casagrande's method　*104*
吸着層　adsorbed layer　*10*
強度増加率（非排水せん断強度増加率）　shear strength ratio（undrained shear strength ratio）　*132*
極　　pole　*111*
極限支持力（度）　ultimate bearing capacity　*214*
局部せん断破壊　local shear failure　*215*
曲率係数　coefficient of curvature　*25*
緊急地震速報　earthquake early warning system　*264*
均等係数　uniformity coefficient　*25*
杭基礎　pile foundation　*210*
杭の水平支持力　lateral capacity of pile　*233*
杭の特性値　characteristic value of pile*　*146*
クーロン土圧　Coulomb's earth pressure　*195*
クーロンの破壊規準　Coulomb's failure criterion　*120*
クルマンの図解法　Culuman's graphical method　*197*
群杭効果　pile group effect　*232*
群杭効率　pile group efficiency　*232*
形状係数　shape factor　*221*
K_0 圧密　K_0 consolidation　*88*
ケーグラー法　Kögler's method　*177*
ケーソン基礎　caisson foundation　*211*
限界動水勾配　critical hydraulic gradient　*81*
減衰定数　damping ratio　*266*
工学的基盤　seismic bedrock in earthquake engineering　*265*
更新世　pleistocene epoch　*2*
洪水　flood*　*281*
剛性基礎　rigid foundation　*180*
洪積層　diluvium deposit　*6*
構造的対策　structural measures　*295*
孔内水平載荷試験　borehole lateral load test　*144*
鋼矢板　sheet pile　*207*
コーン貫入抵抗値　cone penetration resistance　*152*
固結工法　solidification method*　*298*
骨格構造　soil structure　*8*
固有周期　predominant period　*267*
コンシステンシー　consistency　*26*
コンシステンシー限界　consistency limit　*26*
コンシステンシー指数　consistency index　*29*

306

索 引

【さ～そ】

サーチャージ	surcharge	216
サーチャージ工法	surcharge method	287
最小安全率	minimum safety factor	258
最小主応力	minor principal stress	113
最大主応力	major principal stress	113
最適含水比	optimum moisture content	51
細粒土	fine-grained soil	3
細粒分含有率	fine fraction content	25
サウンディング	sounding	147
サクション	suction	36
三軸圧縮試験	triaxial consolidation test	124
サンドドレーン工法	sand drain method	297
サンプリング	soil sampling	144
残留強度	residual strength	118
時間係数	time factor	93
支持層	bearing stratum	153
支持力係数	bearing capacity factor	218
地震	earthquake	261
地震時せん断応力比	seismic shear stress ratio	275
地震動	seismic ground motion	262
自然含水比	natural water content	28
湿潤単位体積重量	wet unit weight	20
湿潤密度	wet density	18
地盤	ground	6
地盤改良	ground improvement	300
地盤定数	geotechnical parameters	154
地盤振動	ground vibration	277
締固め曲線	compaction curve	50
締固め度	degree of compaction	56
斜面先破壊	toe failure	236
斜面内破壊	slope failure	236
収縮限界	shrinkage limit	26
修正ケーグラー法	Modified Kogler's method	177
修正プロクター試験	Modified Proctor compaction test*	54
周面摩擦力	shaft friction	226
重力井戸	gravity well	78
主応力	principal stress	111

索　引

主応力面　　principal stress plane　　111
主働土圧　　active earth pressure　　185
受働土圧　　passive earth pressure　　185
主働土圧係数　　coefficient of active earth pressure　　185
受働土圧係数　　coefficient of passive earth pressure　　185
シルト　　silt　　32
浸潤面　　seepage surface　　37
（震度階級）震度　　seismic intensity　　264
（設計）震度　　seismic coefficient　　269
浸透破堤　　permeable failure of dyke*　　282
浸透流　　seepage flow　　80
震度法　　seismic coefficient method　　269
水中単位体積重量　　submerged unit weight　　41
垂直応力（直応力）　　normal stress　　38
水頭　　head of water　　59
水平地盤反力係数　　coefficient of horizontal subgrade reaction　　233
水平震度　　horizontal seismic coefficient　　269
スウェーデン式サウンディング　　Swedish weight sounding test　　147
スウェーデン法（フェレニウス法）　　Swedish method（Fellenius method）　　244
スケンプトンの間隙圧係数（間隙圧係数）　　Skempton's pore pressure coefficient*　　123
ストークスの法則　　Stokes' law　　22
ストレスパス　　stress pass　　139
砂　　sand　　31
砂置換法　　sand replacement method*　　58
正規圧密粘土　　normally consolidated clay　　89
静止土圧　　earth pressure at rest　　185
静止土圧係数　　coefficient of earth pressure at rest　　185
静水圧　　hydrostatic pressure　　45
設計基準　　design code*　　284
接地圧　　contact pressure　　181
ゼロ空気間隙曲線（ゼロ空隙曲線）　　zero air voids curve　　51
ゼロ空隙曲線（ゼロ空気間隙曲線）　　zero air voids curve　　51
全応力　　total stress　　39
先行圧密圧力　　pre-consolidation pressure　　89
全水頭　　total head　　59
せん断応力　　shear stress　　108
せん断強度（せん断抵抗力）　　shear strength（shear resistance stress）　　116
せん断剛性率（せん断弾性係数）　　shear modulus　　268
先端支持力　　end bearing capacity of pile　　226

索　引

せん断弾性係数（せん断剛性率）　shear modulus　*115*
せん断抵抗角（内部摩擦角）　angle of shear resistance（internal friction angle）　*120*
せん断抵抗力（せん断強度）　shear resistance stress（shear strength）　*116*
せん断ひずみ　shear strain　*115*
せん断変形抑制工法　shear deformation control method*　*299*
せん断力　shear force　*8*
全般せん断破壊　general shear failure　*215*
相対密度　relative density　*20*
即時沈下　immediate settlement　*181*
塑性限界　plastic limit　*26*
塑性指数　plasticity index　*28*
塑性図　plasticity chart　*32*
粗粒土　coarse-grained soil　*3*

【た～と】

第三紀　tertiary period　*2*
体積圧縮係数　coefficient of volume compressibility　*85*
堆積岩　sedimentary rock　*3*
第四紀　quaternary period　*2*
ダイレイタンシー　dilatancy　*116*
ダルシーの法則　Darcy's law　*60*
たわみ性基礎　flexible foundation　*180*
単位体積重量　unit weight　*64*
弾性　elasticity　*12*
弾性係数（ヤング率，ヤング弾性係数）　modulus of elasticity（Young's modulus, Young's elastic modulus）　*162*
弾塑性　elasto-plasticity　*12*
単粒構造　single-grained structure　*8*
地下水位（面）　ground water level　*36*
地下水位低下工法　water table lowering method　*299*
地下水帯　ground water zone*　*36*
力の多角形（連力図）　force polygons　*196*
置換工法　replacement method　*299*
地表地震断層　surface fault*　*279*
沖積層　alluvium deposit　*3*
中立点　neutral point　*230*
調査深度　depth of geologic survey　*153*
直応力（垂直応力）　normal stress　*108*
直接基礎　spread foundation　*210*

索　引

直接せん断型試験　　direct shear test　　116
沈下係数　　deflection coefficient　　180
沈降分析　　sedimentation analysis　　21
土　　soil　　1
津波　　tsunami*　　279
定水位透水試験　　constant head permeability test　　61
定積土　　residual soil　　5
底部破壊　　base failure　　236
デュプイの仮定　　Dupuit's assumption　　76
テルツァーギの（一次元）圧密理論　　Terzaghi's (one-dimensional) consolidation theory　　91
テルツァーギの支持力公式　　Terzaghi's bearing capacity formula　　214
土圧　　earth pressure　　183
土圧係数　　earth pressure coefficient　　185
等価線形化法　　equivalent linear method　　268
透水係数　　coefficient of permeability　　60
動水勾配　　hydraulic gradient　　60
動的せん断強度比　　dynamic shear strength ratio*　　275
等方性　　isotropy　　10
等ポテンシャル線　　equipotential line　　69
土工構造物　　earthwork structure*　　285
土質力学　　soil mechanics engineering　　1
土石流　　debris flow　　280
土層　　soil layer　　1
土留め壁　　earth retaining wall　　206

【な～の】

内部摩擦角（せん断抵抗角）　　internal friction angle (angle of shear resistance)　　120
軟弱地盤　　soft ground　　3
難浸透性　　hardly-permeability*　　280
二次圧密　　secondary consolidation (secondary compression)　　107
根尾谷断層　　Neodani Fault*　　279
ネガティブフリクション　　negative friction　　230
粘り強い　　tough*　　280
粘性係数　　coefficient of viscosity　　22
粘着力　　cohesion　　120
粘土　　clay　　32
粘土鉱物　　clay mineral　　5
のり面保護工　　slope protection work　　291

索　引

【は～ほ】

バーチカルドレーン工法　　vertical drain method　　288
配向構造　　oriented structure　　10
パイピング　　piping　　208
破壊包絡線　　rupture envelope　　120
盤膨れ　　rising of the bottom　　209
非圧密非排水試験　　unconsolidated undrained test　　127
ピーク強度　　peak strength　　118
P波　　primary wave　　263
ヒービング　　heaving　　208
ピクノメーター　　pycnometer　　18
比重　　specific gravity　　19
非排水せん断強度増加率（強度増加率）　　undrained shear strength ratio（shear strength ratio）*　　132
標準貫入試験　　standard penetration test　　144
表面波　　surface wave　　263
風化　　weathering　　3
フェレニウス法（スウェーデン法）　　Fellenius method（Swedish method）　　244
深い基礎　　deep fundation　　211
深さ係数　　depth factor*　　252
フックの法則　　Hooke's law　　161
物理探査　　geophysical exploration　　144
浮ひょう　　hydrometer　　22
ふるい分析　　sieve analysis　　21
プレローディング工法　　preloading method　　287
プロクター試験　　Proctor test*　　54
フローネット　　flow nets　　69
分割法　　slice method　　242
平均主応力　　mean principal stress　　113
平均粒径　　mean grain size　　25
平板載荷試験　　plate loading test　　152
変形係数　　modulus of deformation　　154
変水位透水試験　　falling head permeability test　　61
変成岩　　metamorphic rock　　3
ポアソン比　　poisson's ratio　　162
ボイリング　　boiling　　80
膨張指数　　expansion index　　90
飽和単位体積重量　　saturated unit weight　　41

索　引

飽和度　　degree of saturation　　20
飽和土　　saturated soil　　20
ポータブルコーン貫入試験　　portable cone penetration test　　152
ボーリング　　boring　　144
掘抜き井戸　　artesian well　　78

【ま～も】

マグニチュード　　magnitude　　263
摩擦円法　　friction circle method　　237
三笠法　　Mikasa's method　　105
密度増大工法　　density improvement method*　　295
無限斜面法　　infinite slope method　　238
メニスカス　　meniscus　　49
綿毛構造　　flocculent structure　　10
毛管現象　　capillarity　　36
毛管水帯　　capillarity zone　　36
モール・クーロンの破壊規準　　Mohr-Coulomb's failure criterion　　122
モールの応力円　　Mohr's stress circle　　109

【や～よ】

ヤング弾性係数（ヤング率，弾性係数）　　Young's elastic modulus（Young's modulus, modulus of elasticity）　　127
ヤング率（弾性係数，ヤング弾性係数）　　Young's modulus（modulus of elasticity, Young's elastic modulus）　　162
ヤンブ法　　Jacob's method　　236
有機質土　　organic soil　　33
有効応力　　effective stress　　38
有効応力の原理　　principal of effective stress　　35
有効土被り圧　　effective overburden pressure　　89
用極法　　pole method*　　111
揚水試験　　pumping test　　78
擁壁　　concrete retaining wall　　183
抑止工　　prevention works　　291
抑制工　　control works　　291

【ら～ろ】

ラプラスの方程式　　Laplace equation　　69
ランキン土圧　　Rankine's earth pressure　　187
ランダム構造　　random structure　　10

索　引

粒径加積曲線　　grain size accumulation curve　　*24*
流線　　stream line　　*69*
粒度（分布）　　grain size distribution　　*21*
流動曲線　　flow curve　　*27*
臨界円　　critical slip circle　　*258*
礫　　gravel　　*31*
連力図（力の多角形）　　force polygons*　　*196*

〈著者略歴〉

常田　賢一（ときだ　けんいち）
大阪大学名誉教授
博士（工学）・技術士（建設部門）
専門分野：土質基礎工学・地盤防災工学

澁谷　啓（しぶや　さとる）
神戸大学大学院工学研究科　市民工学専攻　教授
Ph.D. 博士（工学）
専門分野：地盤工学・地盤安全工学

片岡　沙都紀（かたおか　さつき）
神戸大学大学院工学研究科　市民工学専攻　助教
博士（工学）
専門分野：地盤工学, 地盤材料学

河井　克之（かわい　かつゆき）
近畿大学 理工学部 社会環境工学科　准教授
博士（工学）
専門分野：地盤工学・環境地盤工学

鳥居　宣之（とりい　のぶゆき）
神戸市立工業高等専門学校　都市工学科 教授
博士（工学）
専門分野：斜面防災工学・地盤工学

新納　格（にいろ　ただし）
大阪府立大学工業高等専門学校　総合工学システム学科　教授
博士（工学）・技術士（土質及び基礎・建設環境，総合技術監理）
専門分野：地質調査

秦　吉弥（はた　よしや）
大阪大学 大学院工学研究科 地球総合工学専攻（社会基盤工学）元准教授
博士（工学）
専門分野：地盤地震工学・強震動地震学

基礎からの土質力学

2017 年 4 月 17 日	初版第 1 刷発行	
2020 年 3 月 26 日	初版第 2 刷発行	

著　者　常田　賢一
　　　　澁谷　　啓
　　　　片岡　沙都紀
　　　　河井　克之
　　　　鳥居　宣之
　　　　新納　　格
　　　　秦　　吉弥
発行者　柴山　斐呂子

検印省略

発行所　**理工図書株式会社**

〒102-0082　東京都千代田区一番町 27-2
電話 03（3230）0221（代表）
FAX03（3262）8247
振替口座　00180-3-36087 番
http://www.rikohtosho.co.jp

Ⓒ 常田　賢一　2017 年
Printed in Japan　ISBN978-4-8466-0857-8
印刷・製本：藤原印刷

＊本書の内容の一部あるいは全部を無断で複写複製（コピー）することは、法律で認められた場合を除き著作者および出版社の権利の侵害となりますのでその場合には予め小社あて許諾を求めてください。

★自然科学書協会会員★工学書協会会員★土木・建築書協会会員